Gebroken belofte

Van Corban Addison zijn verschenen:

Gestolen onschuld ◆
Gebroken belofte ◆

◆ ook als e-book verschenen

Corban Addison

Gebroken belofte

Vertaald door Els van Son

Luitingh-Sijthoff

Uitgeverij Luitingh Sijthoff en Drukkerij Koninklijke Wöhrmann BV
vinden het belangrijk om op milieuvriendelijke en duurzame wijze
met natuurlijke bronnen om te gaan.

ISBN 978 90 245 3887 4
NUR 302

www.boekenwereld.com
www.lsamsterdam.nl
www.watleesjij.nu

Voor de kinderen van Afrika
die pijn begroeten met een lied.

En voor alle mensen van goede wil waar dan ook
die hen niet vergeten zijn.

Een mens is een mens door andere mensen.
– Desmond Tutu

Het verschroeide land wordt een meer.
– Jesaja

PROLOOG

Ik ben het einde van de tunnel verdwaald in mijn begin.
— Dambudzo Marechera

Een avond in Afrika

Lusaka, Zambia, augustus 2011

*H*et meisje liep alleen door de donkere straat. Er flitste licht om haar heen van de voorbijrijdende auto's, die met hun koplampen de stoffige weg beschenen, maar niemand leek haar op te merken of het zorgwekkend te vinden dat ze moederziel alleen was. Haar tred was regelmatig, hoewel ze hinkte door de ongelijke lengte van haar benen. Ze droeg een dun jurkje dat weinig bescherming bood tegen de late winterkou. Ze voelde de kilte op haar huid, maar die baarde haar minder zorgen dan de lege flatwoning die ze zojuist had verlaten.

Ze keek achterom naar het gebouw waar ze woonde. Er brandde nog licht achter de ramen. De geluiden van de televisies schalden boven het verkeer uit. Ze hield haar pop in haar armen en door haar dikke brillenglazen staarde ze naar de flat van Auntie. Ze begreep niet waarom Bright en Giftie waren weggegaan of waarom ze haar alleen hadden achtergelaten. Ze begreep niet waarom ze vergeten waren de deur dicht te doen.

Ze draaide zich om naar de weg en liep verder met haar pop, die als een metronoom heen en weer slingerde. In de verte hoorde ze muziek, en even leidde die haar af. Plotseling zag ze een groepje jongeren aan de overkant. Ze stonden te roken en luid met elkaar te praten. Ze dacht aan Bright en Giftie, deed een stap naar het asfalt, zich afvragend of die rokers misschien wisten waar ze heen waren gegaan. De claxon van een voorbijrazende auto deed haar verstijven.

Ze klemde haar pop stevig tegen haar borst en keek weer om zich heen, zacht heen en weer wiegend. In het donker zag alles er vreemd uit. Soms bracht

Giftie haar naar een ander gebouw om te spelen, maar ze wist niet meer welke kant dat op was. De straat zag er anders uit dan ze gewend was. Ze begon te huilen. Ze wou dat de zon opkwam en deze vreemdheid van alles was verdwenen. De avond boezemde haar angst in. In het donker waren de mensen niet aardig.

Toen zag ze hem, een jongen die in een steegje met een bal speelde. Ze richtte haar aandacht op de jongen en liep verder. Bright en Giftie hadden veel vrienden. Misschien was de jongen een bekende van hen. Ze slenterde verder langs een muur die met prikkeldraad omzoomd was, met haar voeten slepend door het zand. Toen ze bij het steegje aankwam, hoorde ze iets knetteren, als frita's in een braadpan. Ze keek over haar schouder en zag een truck naderen, de banden knarsten over de grond. De truck stond stil naast de muur, het licht van de koplampen stak in haar ogen. Ze draaide zich om en zocht naar de jongen met de bal. Maar die was weg.

Het meisje liep de steeg in en luisterde naar de stem van de jongen, die van de muren echode. Ze hoorde nóg een stem, van een vrouw, die daar bovenuit kwam en boos klonk. Het meisje ving een glimp op van de wegrennende jongen. Even later was hij verdwenen en hield de vrouw op met haar gemopper. Het meisje liep verder het donker in met haar pop onder haar arm en zocht naar een gat in de muur – of waar de jongen ook maar door gevlucht was. Ze struikelde over een hoopje stenen en de tranen sprongen in haar ogen. Zelfs de grond was 's avonds onvriendelijk.

Ze tuurde naar de gebouwen achter de muur. Ze waren hoog, net als het gebouw waarin ze woonde, maar zagen er anders uit. Plotseling werd ze bang en ze besloot naar de flat terug te gaan. Auntie zou er snel weer zijn, en Bright en Giftie zouden thuiskomen.

Op het moment dat ze zich wilde omdraaien, hoorde ze het geknetter weer. Plotseling baadde het steegje in licht. Maar even snel werd het weer donker. Het meisje keek de straat in en zag de truck naast de muur. Langzaam reed de wagen met gedoofde lampen verder het steegje in. Er stapte een man uit en hij staarde naar haar. De vorm van zijn hoofd had iets wat haar tegelijk een aangenaam en een onaangenaam gevoel gaf.

De man ging op zijn hurken zitten en stak zijn hand naar haar uit. Ze zag een snoepje in zijn handpalm liggen. Van haar moeder had ze altijd iets lekkers gekregen wanneer ze in de badkamer moest slapen. Aarzelend nam het meisje het snoepje aan en stopte het in haar mond. Ze glimlachte naar de man, hij moest wel een vriend zijn.

Wat er daarna gebeurde kon ze niet bevatten. Ze snapte niet waarom ze door haar benen zakte en haar pop door haar vingers glipte, waarom de nach-

telijke hemel tomeloos begon te draaien en ze een pijnscheut in haar hoofd voelde. Haar ogen vielen dicht en openden zich weer. Ze zag de contouren van de man, die boven haar stond. Hij boog zich voorover en tilde haar op. Haar bril was op de grond gevallen, maar terwijl hij haar meedroeg was zijn gezicht vlakbij en kon ze zijn ogen zien. Ze waren groot en rond, als kattenogen. Haar moeder had haar ooit verhalen over katten verteld, de katten die in Afrika in het wild leefden.

Ze hoorde het soort geluid van een slot dat geopend wordt en voelde dat ze door de handen van de man in een nauwe ruimte werd geduwd, nog zwarter dan de nacht. Haar laatste gewaarwording was het geronk dat onder haar begon en aanzwol tot de wereld in het niets verdween en de nacht zelf in het duister oploste.

Een hoorzitting in de Senaat

Washington, mei 2012

Zoë WERD VERBLIND DOOR DE LAMPEN boven het podium, een snoer van miniatuurzonnen die haar aanstaarden en elke onvolkomenheid in haar gezicht blootlegden – haar licht uitstekende oren, het moedervlekje boven haar linker wenkbrauw, de sproeten op de blanke huid rondom haar neus – en die nog dieper op haar inwerkten, alsof ze haar gedachten aan de openbaarheid wilden prijsgeven. Sinds Zoë haar vader campagne had zien voeren, voor het eerst twaalf jaar geleden in zijn race voor de Senaat en nu tijdens zijn gooi naar het Witte Huis, wist ze dat politiek theater was en dat er op die bühne geen plaats was voor privacy.

Ze sloot haar ogen tegen het felle licht en zag het gezicht van haar moeder voor zich – hoe haar glimlach kuiltjes had gegraven in haar wangen en kraaienpootjes had getrokken in de huid om haar oogleden, haar blik waar oprechtheid en heimelijk genoegen uit spraken, die sceptici waar ter wereld ook in volgelingen deed omslaan. Catherine Sorenson-Fleming was onweerstaanbaar toen ze nog leefde, een bron van onvermoeibaar optimisme over een betere wereld – een wereld waarin de armen niet alleen maar een bijgedachte waren. Afrika was haar grote passie geweest, en die had ze aan Zoë doorgegeven. Haar als het ware nagelaten in haar testament.

Hoe zou jíj dit hebben aangepakt, mam? dacht Zoë, worstelend met het dilemma waarvoor ze stond. Ze herinnerde zich een van haar moeders uitspraken: 'Spreek altijd de waarheid, heb lak aan de gevolgen.' Maar daarmee was het probleem niet opgelost. De waarheid was maar een deel van het verhaal.

Zoë opende haar ogen en keek naar senator Paul Hartman, de voorzitter van de Commissie Buitenlandse Betrekkingen, die zojuist op het podium had plaatsgenomen aan het hoofd van de tafel onder het grootzegel van de Verenigde Staten. Zijn naaste medewerkers kwamen er vanuit de gelambriseerde kamer haastig bij, zwaaiend met hun paperassen. Hartman legde een dossiermap voor zich neer en keek rond totdat zijn blik op Zoë bleef rusten. Hij glimlachte ingehouden, alsof hij een binnenpretje had, waarop Zoë voelde hoe de klomp ijs in haar begon te scheuren. Zijn goedheid vergrootte haar dilemma. Hij had geen weet van het geheim dat ze bij zich droeg, van haar woede.

Senator Hartman was de reden waarom ze hier was. Hij had haar artikel in de *New Yorker* gelezen en haar uitgenodigd. Ze was nieuwsgierig maar ook sceptisch.

'Weet mijn vader hiervan?' had ze gevraagd toen ze er aan de telefoon voor het eerst over spraken.

'Ik heb het er nog niet met hem over gehad,' antwoordde Hartman.

'Hoe groot is de kans dat hij naar de hoorzitting komt?'

'Met de verkiezingen voor de deur weet ik het niet. Maar jouw aanwezigheid zou hem net dat extra duwtje kunnen geven.'

'Met andere woorden, de hoorzitting is een schijnvertoning,' zei ze, in een poging zijn motieven te doorgronden. 'Een politiek spel ter ondersteuning van de president, amper twee maanden voordat de stemlokalen opengaan.'

Hartman aarzelde. 'Was jouw artikel een schijnvertoning?'

Deze vraag overrompelde haar. 'Ik heb het stuk geschreven omdat het moest worden gezegd.'

'Misschien ben ik ouderwets,' zei Hartman, 'maar dat vind ik dus ook. Zoals jij al schreef: niets minder dan onze generositeit is in het geding.'

'En u denkt dat een hoorzitting in de Senaat iets zal uitmaken?'

'Het publiek houdt wel van een rel. En die heb jij veroorzaakt, of het nou je bedoeling was of niet. Als we daar goed gebruik van maken, kunnen we mensen misschien iets leren.'

Het is een gok, dacht Zoë, maar misschien valt die gunstig uit – zowel voor hem als voor mij.

'Ik heb Frieda Caraway gesproken,' ging hij verder.

'Staat ze op de getuigenlijst?' vroeg Zoë. Caraway was een megaster uit Hollywood en een soort legende in humanitaire kringen. Aids, mensenhandel, conflictmineralen, Tibet... De kwesties waarvoor ze zich inzette, waren even talrijk als haar filmrollen, en alleen de grootste cynicus durfde aan haar intenties te twijfelen. Haar grootouders waren in Auschwitz omgekomen.

'Nog niet,' zei Hartman, 'maar ik ben ermee bezig.'

De woorden van de senator hadden Zoë in een staat van zowel opwinding als bezorgdheid gebracht. Het voorstel was te aanlokkelijk om af te slaan. 'Als het u lukt Frieda in een panel met een paar deskundigen uit de wereld van de ontwikkelingssamenwerking te krijgen, doe ik mee.'

Grinnikend had Hartman het telefoongesprek beëindigd. Een week later belde hij terug met het goede nieuws en de datum van de hoorzitting. Ook had hij het e-mailadres van Frieda Caraway aan haar doorgegeven.

'Ze heeft je artikel gelezen,' had hij gezegd. 'Ze wil je heel graag ontmoeten.'

'De pro-Deoadvocaat uit Zambia of de dochter van Jack Fleming?'

Hartman lachte. 'Je bent net zo scherp als je moeder. Ze wil de Zoë Fleming ontmoeten die het Afrikaanse rechtssysteem aan de kaak stelt en het leven van een meisje met downsyndroom heeft veranderd.'

Vijf weken later was Zoë in het Zuid-Afrikaanse Johannesburg in een vliegtuig naar Washington gestapt. Voor het eerst in drie jaar keerde ze terug naar de Verenigde Staten.

Een koor van stemmen buiten de zaal trok Zoë's aandacht. Terwijl omstanders zich stonden te vergapen en cameramannen zich verdrongen voor een shot, maakte Frieda Caraway haar entree, een groepje lijfwachten in haar kielzog. Net als Zoë droeg de actrice een onopvallend broekpak en een blouse met open kraag, al schitterde Hollywood in haar diamanten – aan haar hals en oren hing minstens tien karaat.

Zoë stond op toen de actrice naar de getuigentafel liep. Frieda's amandelbruine ogen begonnen te schitteren. 'Lieve Zoë, wat heerlijk om je eindelijk eens te ontmoeten.'

Ze hadden al e-mailadressen uitgewisseld en elkaar via Skype gesproken, maar toch was Zoë niet voorbereid op de omhelzing die volgde op Frieda's begroeting.

'Zo te zien hebben de haaien elkaar gevonden,' fluisterde de actrice. 'Ben je er klaar voor?'

Zoë zag de cameramannen hun posities innemen tussen het podium en de getuigentafel. De senatoren achter hen rommelden gewichtig met hun papieren, maar hun blik dwaalde af naar de megaster en verried hun werkelijke aandacht. Er was nog één stoel vrij – die van haar vader.

'Wat een circus,' verzuchtte Zoë. Ze probeerde zich onverschilliger voor te doen dan ze zich voelde.

'Niet op letten,' reageerde Frieda. 'Het enige wat telt, is datgene waarvoor we hier zijn.'

Zoë ging weer zitten, terwijl Frieda handen schudde met de andere getuigen aan tafel: Bob Tiller, computermagnaat, filantroop en directeur van de grootste liefdadigheidstichting ter wereld, en Susan Moore, voorzitter van de Organisatie voor Internationaal Ontwikkelingswerk, een wereldwijde ngo. Er zaten grote namen in het panel. Hartman wilde zijn slag slaan in dit verkiezingsjaar.

Zoë wierp een blik op haar aantekeningen en daarna weer op de stoel van haar vader. Ze keek op haar horloge. Het was vier over twee: het tijdstip waarop de hoorzitting zou beginnen. Als hij niet kwam opdagen, had haar dilemma zich vanzelf opgelost en zou de waarheid die haar leven sinds haar zeventiende had bepaald, verborgen blijven. Een gevoel van opluchting overspoelde haar. Op sommige momenten wist ze zeker dat de waarheid moest worden verteld, maar bij het vooruitzicht die daadwerkelijk te onthullen, kreeg ze het Spaans benauwd.

Ze keek naar Trevor, haar oudere broer. Hij zat op een gereserveerde plaats. Hij knikte naar haar met een ambivalente blik in zijn ogen. Ze draaide zich om naar het podium en voelde het schuldgevoel weer knagen. Meer dan wie ook was Trevor haar dierbaar en tot voor kort was hij de enige man die ze volledig vertrouwde. Ze scheelden maar een jaar en voelden elkaar volledig aan. In de tijd dat ze door kindermeisjes werden opgevoed – Jack veroverde Wall Street, Catherine trok de wereld rond – was Trevor haar steun en toeverlaat geweest. Maar hij wist niets van het spook dat door hun huis op de Vineyard waarde. Hij studeerde toen aan Harvard, en ze had het hem nooit verteld.

Zoë richtte haar aandacht op senator Hartman, die met een klap van de voorzittershamer de aanwezigen tot de orde riep. Plotseling ging in de lambrisering achter de voorzitter de deur open en kwam Jack Fleming binnen, geflankeerd door zijn naaste medewerkers. Zoë haalde diep adem, zich amper bewust van het geroezemoes dat in de galerij ontstond noch van de camera's die zwenkten om een shot te kunnen maken van de presidentskandidaat, net terug van een campagnestop in Ohio. Ze had haar vader acht maanden niet gezien. Hij zag er ouder uit, een beetje grijzer, had een wat opgeblazen gezicht, en zijn kenmerkende krijtstreeppak zat te strak om zijn middel. Hij ging altijd zo prat op zijn conditie, maar het eindeloze campagne voeren leek zijn sporen te hebben nagelaten.

Voorovergebogen fluisterde hij Hartman iets in het oor – een verontschuldiging, vermoedde Zoë. Vervolgens nam hij links van het podium plaats met alleen een blocnootje op zijn knie. Zoë kon nog net een glimlach onderdrukken. Vroeger, als kinderen, mochten zij en Trevor soms mee naar een vergadering bij Fleming Randall, de investeringsmaatschappij die hij had opgebouwd en uit laten groeien tot een Wall Street-gigant. Hoewel ze niets te horen kregen wat vertrouwelijk was, hadden ze genoeg gezien om te begrijpen waarom hun vader zo succesvol was. Afgezien van een energieke persoonlijkheid en een onwrikbaar zelfvertrouwen had hij een fotografisch geheugen.

'Wij danken senator Fleming voor zijn aanwezigheid,' begon Hartman, het publiek tot stilte manend. 'Ik weet dat hij een volle agenda heeft. We hebben een uitgelezen panel om naar te luisteren, maar voordat we het woord aan hen geven, wil ik graag uiteenzetten waarom wij hier vandaag bijeengekomen zijn.'

Hij keek naar Zoë, daarna naar Frieda, en begon aan zijn inleiding. 'Tijdens de Grote Depressie schetste Franklin Delano Roosevelt een visie op de Amerikaanse samenleving die ons generaties lang heeft bepaald. "De test voor onze vooruitgang," zei hij, "is niet of we meer kunnen toevoegen aan de rijkdom van hen die al veel hebben, maar of we genoeg kunnen geven aan hen die te weinig hebben." Nu, in deze Grote Recessie, zoals die door sommigen wordt genoemd, staat die visie onder druk.'

Zoë luisterde naar Hartmans betoog, dat ze kon dromen. Ze hield haar ogen gericht op zijn gezicht om haar vaders blik te mijden. Ze dacht terug aan wat Trevor die ochtend bij het ontbijt had gezegd: 'Hij houdt van je, Zoë. Wil je hem echt pijn doen?' Het was een vraag waarop ze geen antwoord kon geven. De vervreemding tussen haar en haar vader leek een onontwarbare knoop. Wat hij had gedaan, had ze hem nooit kunnen vergeven. Maar Trevor had er nooit naar gevraagd.

Op een zeker moment keek ze op naar het grootzegel achter Hartman, een reliëf in gepolijst blank hout. 'E pluribus unum,' zei haar moeder graag, 'is een motto voor de hele wereld, niet alleen voor één natie.' Ze dacht aan Kuyeya, huilend op een ziekenhuistafel in Zambia, en aan dokter Chulu, die haar grimmig en woedend tegelijk onderzocht. Zoë's eigen ellende leek klein, onbeduidend zelfs, vergeleken bij een zoveel groter kwaad.

Op dat moment besloot ze dat Jack Fleming het verdiende om te worden verslagen. Niet omdat hij haar had verraden of omdat hij ongeschikt zou zijn als *Chief Executive* – in veel opzichten was hij geboren voor het Witte Huis –, maar omdat hij om belastingtechnische redenen kinderen als Kuyeya in de steek liet. Daarom wilde senator Hartman haar vader zo graag op die stoel hebben en daarom had Hartman haar uit Afrika laten overkomen zodat ze haar verhaal kon vertellen. Het ging niet om partijpolitiek of om een verkiezingsstunt. Dit was een gewetenskwestie.

Eindelijk keek ze naar haar vader, spelend met de ring om haar vinger, dezelfde ring die Somaliërs hadden gered uit het vliegtuigwrak waarin haar moeder was omgekomen. Je weet waar ik nu aan denk, toch? Aan 19 augustus, 2000. Dat herinner jij je zeker nog.

Hij boog zijn hoofd, en Zoë meende angst in zijn ogen te zien blikkeren. Op dat moment deed ze iets wat ze niet had verwacht. Ze glimlachte.

De regel van Achilles, pap. Die heb ik nog van jou geleerd.

Niemand is onoverwinnelijk.

DEEL EEN

De avond valt met zijn doodsadem.
– Anoniem

1

D E MUZIEK WAS SNOEIHARD, zoals altijd in een Afrikaanse club. De maatslag van de trommel – de basis van de muziek in de dorpen – was in de steden vervangen door de aanhoudende dreun van de elektronische bas, zo versterkt dat alles in de buurt van de speakers het ritme oppikte – de mensen, de bierflesjes, zelfs de muren. Op Zoë's eerste reis naar het continent – een uitstapje naar Nairobi toen ze zes was – had haar moeder gezegd dat Afrika het kloppend hart van de mensheid was. Aan die uitspraak moest ze altijd denken wanneer ze een Zambiaanse bar binnenliep.

De club heette Hot Tropic en was dé discotheek van het moment in een stad waarvan het nachtleven voortdurend in beweging was. De inrichting was flitsend en fonkelend, het neonlicht weerkaatste rood langs de muren, de duizelingwekkende discobollen deden alles schitteren. De club was tot de nok gevuld, grotendeels met Afrikaanse twintigers, die ritmisch deinden op de beat.

Zoë zat aan een tafeltje in een hoek van de bar waar het lawaai een beetje werd gedempt. Ze droeg een spijkerbroek en een T-shirt van Hard Rock Londen, haar golvende, blonde haar naar achteren gebonden in een haarklem. Naast haar aan het tafeltje zaten drie Afrikaanse collega's – twee mannen en een vrouw. Meestal hield Zoë op zaterdag bij haar thuis een barbecue, een *braai*, en degenen die nog niet waren uit gedronken en gepraat, gingen daarna stappen. Die avond had iedereen het over de septemberverkiezingen, waarin de president van Zambia, Rupiah Banda, het opnam tegen oude rot Michael Sata en de energieke nieuwkomer Hakainde Hichilema, kortweg 'H.H.'.

'Banda heeft zijn beste tijd gehad,' zei Niza Moyo. Haar donkere ogen gloeiden verontwaardigd. 'Net als zijn partij. Al twintig jaar zijn ze aan de macht, en wat hebben ze ons gebracht? Mobiele ziekenhuizen die onze artsen aan de echte ziekenhuizen onttrekken; politieagenten zonder middelen om criminaliteit te bestrijden; wegen waar alleen de rijken gebruik van kunnen maken; corruptie binnen alle lagen van de overheid. Het is een schande.'

Net als Zoë werkte Niza als jonge juriste voor de Coalition of International Legal Advocates, de CILA, een non-profitorganisatie uit Londen die schendingen van mensenrechten waar ter wereld ook bestreed. Ze was feller en uitgesprokener dan de meeste Zambiaanse vrouwen, maar ze was dan ook een Shona, uit Zimbabwe, en de dochter van een diplomaat in ballingschap die bekendstond als rebel.

'Dat ben ik met je eens,' zei Joseph Kabuta, die op de afdeling Slachtofferhulp van de Zambiaanse politie werkte. Door zijn stevige lichaam, gemillimeterde haar en grote, nieuwsgierige ogen deed hij Zoë denken aan de jonge Nelson Mandela. 'Maar op het platteland is Banda nog steeds populair, en Michael Sata tobt met zijn gezondheid. Zambianen willen niet wéér een president die in het harnas sterft.'

'De berichten in de pers over de gezondheidstoestand van Sata zijn overdreven,' bracht Niza hiertegen in.

Zoë mengde zich in de discussie. 'Ik begrijp niet waarom jullie die mannen die met één been in het graf staan er niet uit gooien en op de beste kandidaat stemmen. Iedereen is dol op H.H. Hij is een geboren leider en heeft geen politiek verleden. Maar iedereen zegt dat hij geen kans maakt. Dat is toch onbegrijpelijk?'

'Zo gaat dat hier nu eenmaal,' legde sergeant Zulu uit, die door iedereen Sarge werd genoemd. Deze onweerstaanbaar aimabele en briljante strateeg was hoofdadvocaat bij de CILA en het brein achter de campagne tegen seksueel kindermisbruik. 'In Afrika is een president een soort dorpshoofd. Mensen stemmen op een grijze kop.'

'Dus jij beweert dat hervormers geen kans maken zolang de oude garde er nog is?' vroeg Zoë. 'Geen wonder dat vooruitgang hier zo moeizaam gaat.'

Sarge glimlachte grimmig. 'Elke generatie moet zijn beurt afwachten.' Hij stak zijn lege bierflesje omhoog. 'Iemand nog een biertje, of ben ik de enige die drinkt?'

'Ik lust nog wel een Mosi,' antwoordde Joseph, waarna hij zijn flesje leegdronk en naar het midden van de tafel schoof. Plotseling fronste hij zijn wenkbrauwen en zocht in zijn broekzakken. Hij haalde zijn mobiel tevoorschijn en keek op het scherm. 'Ik word gebeld door Mariam,' zei hij, met een verwonderde blik naar Sarge.

Zoë veerde op. Mariam Changala was de veldwerkcoördinatrice van de CILA en moeder van zes kinderen. Als zij Joseph midden in de nacht opbelde, was er iets aan de hand.

Zoë observeerde Josephs gezicht terwijl hij het telefoontje beantwoordde, zijn dikke wenkbrauwen opgetrokken in een boogje. 'Heeft dokter Chulu dienst? Zorg ervoor dat hij er is. Ik ben er over tien minuten.' Hij stak zijn telefoon in zijn zak en keek om zich heen. 'Er is een meisje verkracht in Kanyama. Ze brengen haar nu naar het ziekenhuis.'

'Hoe oud is ze?' vroeg Niza.

Joseph trok zijn schouders op. 'Jong, volgens Mariam.'

'Familie?' informeerde Sarge.

'Dat is nog onduidelijk. Ze hebben haar op straat gevonden.'

'Door wie is ze opgevangen?' vroeg Zoë.

'Door mensen van de SCA.'

'Is ze gehandicapt?' vroeg Zoë. 'SCA' stond voor Special Child Advocates, een non-profitorganisatie ten behoeve van verstandelijk gehandicapte kinderen.

'Waarschijnlijk wel,' antwoordde Joseph, terwijl hij zijn jas aantrok. 'Helaas moet ik jullie verlaten.' Hij zwaaide hen gedag en liep naar de uitgang.

In een opwelling besloot Zoë achter hem aan te gaan. Gevallen van kinderverkrachting kreeg ze alleen maar onder ogen in de vorm van een proces-verbaal dat al weken oud was. Ze had nog nooit meegemaakt dat zo'n incident net had plaatsgevonden. Vluchtig bood ze Sarge en Niza haar verontschuldigingen aan en baande zich een weg door de menigte naar Joseph.

'Vind je het goed als ik met je meega?' vroeg ze. 'Ik ben nog nooit bij een intakeproces geweest.'

Hij keek geïrriteerd. 'Oké, als je maar niet in de weg loopt.'

Zoë liep achter Joseph aan naar buiten, de frisse augustusavond in. Met haar handen in haar jaszakken tuurde ze naar het zuiden en zag Canopus laag boven de horizon hangen. Alleen de helderste zuidelijke sterren waren zichtbaar boven de gloed van de stadsverlichting. Joseph liep naar een afstandse pick-up die aan de rand van een onverharde parkeerplaats tussen andere auto's was geperst. Alleen het chauffeursportier kon open. Zoë moest over de versnellingspook naar de passagiersstoel kruipen.

Joseph startte de pick-up met een gierende motor en reed de straat op. Hot Tropic lag op de grens tussen Kalingalinga, een van de armste wijken van Lusaka, en Kabulonga, de rijkste buurt. Het verkeer op zaterdagavond had daardoor iets caleidoscopisch, een bonte mengelmoes van voetgangers, chique suv's en blauwe taxibusjes die uitpuilden van de nachtbrakers.

'Hoe hebben de mensen van de sca het meisje gevonden?' vroeg Zoë terwijl ze van de club weg reden.

Zwijgend staarde Joseph naar de weg, en ze vroeg zich af of hij haar wel verstaan had. Een lange poos bleef ze naar hem kijken in de donkere cabine. Ze wist bijna niets over hem, behalve dat hij al meer dan tien jaar politieagent was, een hekel aan corruptie had en pas was afgestudeerd aan de rechtenfaculteit van de universiteit van Zambia.

Om zijn aandacht te trekken noemde ze zijn naam. 'Joseph.'

Zijn gezicht vertrok en hij zuchtte diep. 'Een vrijwilliger heeft haar gevonden,' antwoordde hij. 'Een vrouw, een zekere Abigail. Ze zag bloed op een been van het meisje en haalde Joy Herald erbij.' Joy was de directeur van de sca. 'Joy belde Mariam thuis op.'

'Is het in Kanyama gebeurd?'

Hij knikte. 'Ten oosten van Los Angeles Road, niet ver van Chibolya.'

Ze huiverde. Kanyama lag ten zuidwesten van Cairo Road – het commerciële centrum van de stad. Die lappendeken van krotten en uit betonblokken opgetrokken onderkomens, de meeste zonder toilet en stromend water, was een haard van armoede, alcoholisme, criminaliteit en cholerauitbraken. In een verkiezingsjaar was het bovendien een broeinest van politieke onrust. Maar Kanyama had tenminste nog een politiepost. Chibolya was zo'n poel van wetteloosheid dat de politie daar helemaal niet kwam.

Ze verlieten de goed verlichte wijken van Kabulonga en reden naar het westen over de Los Angeles Boulevard, een brede snelweg met gescheiden banen. Ze reden voorbij de Lusaka Golf Club en sloegen Nyerere Road in door een tunnel van volgroeide palissanderbomen waarvan de takken het maanlicht doorsneden.

'Zijn er getuigen?' vroeg ze.

Joseph zuchtte en ging verzitten. 'Geen idee. Heb je altijd zoveel vragen?'

Geïrriteerd dacht ze bij zichzelf: zou je dat ook hebben gevraagd als ik een man was geweest? Ze overwoog een paar stekelige antwoorden, maar hield uiteindelijk haar mond. De cila had haar nodig om bruggen te slaan met de politie, niet om ze te vernielen.

Vijf minuten later reden ze door een roestige poort en parkeerde Joseph de truck voor de afdeling Kindergeneeskunde van het University Teaching Hospital, het uth, het grootste ziekenhuis in Zambia. Zoë stapte uit en liep met Joseph de ontvangsthal in. Er hing een penetrante chloorlucht in de ruimte. Ze zag Joy Herald, een stevige Britse vrouw, op een bank zitten naast een oudere Zambiaanse vrouw en een meisje van amper tien jaar met een lichtbruine huid. Zoë's hart kromp ineen. De onschuldige ogen van het meisje, gevat in sikkelvormige huidplooien, haar platte neus en kleine oren verrieden haar extra chromosoom.

Een meisje met downsyndroom.

Joseph nam het woord. 'Is dokter Chulu er al?'

'Hij is onderweg,' antwoordde Joy.

'Is het meisje al door iemand onderzocht?'

Joy schudde haar hoofd. 'De assistente van de dokter zoekt alle formulieren bij elkaar.'

Even later beende dokter Emmanuel Chulu kordaat de hal in, de panden van zijn witte doktersjas wapperend achter zijn rug. Deze reus van een man met zijn uilachtige gezicht en zijn basstem was hoofd Kindergeneeskunde van het UTH en oprichter van een kliniek voor slachtoffers van kinderverkrachting – 'defilement' heette dat in eufemistisch Zambiaans-Engels, 'ontering'.

Dokter Chulu sprak de oudere vrouw het eerst aan, in een mengelmoes van Engels en Nyanja, de meest gesproken inheemse taal in Lusaka. '*Hello, mother, muli bwange?*'

De vrouw beantwoordde zijn blik, maar niet zijn glimlach. '*Ndili bwino.*'

'Bent u familie?' vroeg hij.

De vrouw schudde haar hoofd. 'Mijn naam is Abigail, ik heb haar gevonden.'

De arts hurkte vóór het meisje neer en keek in haar ogen, zijn grote lijf volmaakt roerloos. Het meisje schommelde heen en weer en mompelde iets. 'Ik ben Manny,' zei hij, terwijl hij in haar gezicht naar een teken van herkenning zocht. 'Hoe heet jij?'

Het gemompel van het kind veranderde in een gekreun. Haar blik werd wazig en ze begon heviger te schommelen.

De dokter sprak in verschillende talen met haar, hopend op contact, maar het kind gaf geen antwoord. 'Hmmm,' murmelde hij, zichtbaar onthutst.

Zoë voelde aan de ring van haar moeder. Ze had medelijden met het meisje. Ze kon zich de pijn die het kind had doorstaan niet voorstellen, maar kon zich wel verplaatsen in haar ontzetting.

Plotseling werd het gekreun van het kind zachter en richtte het meisje haar blik op Zoë's handen. Het duurde even voordat Zoë besefte dat ze naar de diamantjes van haar moeder keek. Ze schoof de ring van haar vinger en knielde voor het meisje neer.

'Deze ring is van mijn mama geweest,' zei ze. 'Wil je hem in je hand houden?'

Het meisje leek hier even over na te denken. Plotseling pakte ze de ring en klemde die krampachtig tegen haar borst. Haar gekreun hield op, haar geschommel werd minder hevig.

Dokter Chulu keek naar Joy en vervolgens naar Zoë. 'U bent toch mevrouw Fleming?'

Zoë knikte. 'Ja, dat klopt.'

'De CILA heeft nog nooit een jurist meegestuurd. Een geluk dat u er bent.' Hij keek om zich heen. 'Heeft iemand mijn assistente gezien? Ik moet de formulieren invullen voordat ik aan mijn onderzoek kan beginnen.'

Op dat moment opende een jonge Zambiaanse vrouw een deur waar ADMINISTRATIE op stond, en met een klembord en een stapel papieren stapte ze naar binnen.

'Zuster Mbelo, net op tijd,' zei hij, en hij nam het klembord uit haar handen. Hij draaide zich om naar Abigail. 'Mother, agent Kabuta heeft een paar vragen voor u, maar hij moet eerst getuige zijn van het lichamelijk onderzoek van het kind. Heeft u nog even tijd?'

Abigail knikte.

'Mevrouw Herald,' zei de arts, 'wilt u samen met mevrouw Fleming dit meisje bijstaan?'

De onderzoekskamer was klein en slecht geventileerd. Het felle licht van twee bleke peertjes maakte Zoë's contactlenzen wazig aan de randen. Nadat dokter Chulu het meisje op een smalle tafel had gezet, begon hij aan het onderzoek. Zijn aanrakingen waren zacht, hij behandelde het meisje teder alsof hij haar vader was.

Leunend tegen de muur bestudeerde Zoë tijdens het onderzoek het gezicht van de dokter. Ze ervoer de steriliteit van de onderzoekskamer als beklemmend, alsof het medisch onderzoek puur door zijn wetenschappelijke methodiek de verkrachting van haar obsceniteit zou kunnen zuiveren. Ze zocht in dokter Chulu's ogen naar geschoktheid, naar een donkere wolk in zijn professionele kalmte, en voelde medeleven toen zijn kaak verstijfde. Hij deed het wattenstaafje terug in het transparante bakje en verzegelde het in een plastic zak.

Het staafje was bevlekt met bloed.

Het nemen van monsters nam een halfuur in beslag. Daarna reed zuster Mbelo een robotachtig instrument naar het bed, een zogeheten vaginoscoop, en dokter Chulu maakte met de ingebouwde camera foto's van de verwondingen van het meisje. Het kind had de vaginoscoop nog geen minuut verdragen voordat ze zich omdraaide en weer een luid gebrom voortbracht – deels gehuil, deels gekreun.

Dokter Chulu keek de verpleegkundige aan. 'Hoeveel foto's heb je genomen?'

'Vijf,' antwoordde ze. 'Allemaal uitwendig.'

De arts overlegde met Joseph. 'Denk je dat de rechtbank dit voldoende vindt?'

'Ik zal het verslag ondertekenen,' antwoordde Joseph rustig. 'De rechter zal naar ons luisteren.'

Dokter Chulu knikte en draaide zich om naar Joy. 'Ik wil dat ze een nacht hier blijft, zodat ik haar in de gaten kan houden. Maar zolang haar hivstatus onbekend is mag ze niet op de slaapzaal. Wil je haar even stevig vasthouden terwijl ik bloed bij haar afneem?'

'Mag ik hier muziek afspelen?' vroeg Joy. 'Misschien wordt ze daar rustig van.'

De arts keek verbaasd naar haar op. 'Op mijn werkkamer staat een cdspeler.'

'Gebruik mijn iPhone maar,' bood Zoë meteen aan. 'Hou je van Thomas Mapfumo?' vroeg ze aan het meisje.

'Probeer het maar gewoon,' zei Joy. 'Jouw ring werkte ook al zo goed.'

Zoë koos een nummer van het album *Rise Up* van de beroemde Zimbabwaanse zanger en richtte de speaker naar het meisje. Op de klanken van de traditionele Shona duimpiano gaf het meisje haar verweer op. Ze wiegde met haar hoofd op het ritme van de muziek.

Joy keek dokter Chulu aan. 'Doe het nu maar.'

De arts pakte een hand van het meisje en maakte de middelvinger met een doekje schoon. Hij zette druk op de vingertop en prikte met een lancet in haar huid. Het meisje verstijfde, maar de dokter hield haar vinger stevig vast, druppels bloed met een watje deppend voor hij een monster verzamelde in een reageerbuisje. Hij gaf het buisje aan zijn assistente, die een druppel legde op het testplaatje van de monitor.

'Negatief,' zei de verpleegster.

'Dat is tenminste goed nieuws,' reageerde dokter Chulu. 'Geef me 10-milligramflesjes Zidovudine, Lamivudine en Lopinavir in suspensie en wat kinderparacetamol.'

Even later kwam zuster Mbelo terug met de pijnmedicatie en met – schatte Zoë in – antiretrovirale medicijnen, aidsremmers die de overdracht van hiv moesten voorkomen.

Dokter Chulu keek naar Joy. 'Zou jij deze medicijnen willen toedienen?'
Joy knikte. Ze hielp het meisje overeind en fluisterde in haar oor. 'Ik heb een drankje voor je. Wil je even je mond opendoen? Je bent een flinke meid.'

Nadat de arts het eerste druppelflesje aan Joy had gegeven, liet ze dit aan het meisje zien, waarna ze het pipet van het flesje voorzichtig tussen de lippen plaatste en de inhoud eruit kneep. Het kind slikte de vloeistof probleemloos door. Joy herhaalde deze handeling met de drie overige flesjes, die het meisje zonder verzet innam.

Ze begrijpt dat dit goed voor haar is, dacht Zoë, en plotseling werd ze overspoeld door een golf van genegenheid.

Dokter Chulu nam Joseph terzijde en Zoë ging bij hen staan. 'Morgenvroeg neem ik contact op met maatschappelijk werk,' zei hij. 'Ik wil dat je haar familie opspoort.'

Joseph knikte. 'Ik ga morgen naar Kanyama. Daar vind ik vast wel een bekende.'

Zoë slaakte een diepe zucht, in discussie met zichzelf. 'Als niemand er bezwaar tegen heeft,' zei ze, 'zou ik graag vannacht bij haar willen blijven.'

De dokter staarde haar aan. 'Nou, dat hoeft niet hoor. Als het nodig is, krijgt ze een pijnstiller.'

'Dat begrijp ik,' zei Zoë. Ze twijfelde er nog steeds aan of ze wel in de door ziektes bezwangerde lucht van het ziekenhuis wilde blijven, maar kon zich niet voorstellen het meisje na haar trauma alleen achter te laten.

Dokter Chulu glimlachte vermoeid. 'Als je zin hebt in een slapeloze nacht hou ik je niet tegen.'

2

DE NACHTELIJKE UREN OP DE VERPLEEGAFDELING leken dagen te duren, en Zoë kon geen moment de slaap vatten. Ze zat op een aluminium stoel naast het stalen bed van het meisje en leunde met haar hoofd tegen de muur. De weeë ziekenhuislucht probeerde ze niet tot zich door te laten dringen. Het meisje sliep onrustig, geplaagd door nachtmerries waar Zoë zich nauwelijks een beeld bij kon vormen. De nachtzuster, een Zambiaanse vrouw van middelbare leeftijd, kwam af en toe even kijken en gaf Zoë een glas water. Aarzelend nam ze dan een slokje; ze hoopte maar dat het water was gekookt of uit een put kwam. Al een jaar woonde ze in Lusaka, maar haar maag was nog steeds niet bestand tegen het brouwsel van welig tierende bacteriën en parasieten dat door het stedelijke waterleidingnet stroomde.

Om zeven uur 's ochtends kwam dokter Chulu binnen met een knuffelbeest, een aap, in zijn handen. Zoë was net weggedommeld toen ze zijn zware voetstappen hoorde.

'Deze had ik voor mijn dochter gekocht,' zei hij. 'Het stelt niet veel voor, maar misschien vindt ze hem leuk. Ik had zo'n vermoeden dat jij die ring graag terug wilde hebben.'

'Die heb ik al teruggekregen,' zei Zoë gapend. Ze draaide zich om naar het kind, dat op haar zij was gaan liggen. Haar ogen waren gesloten en ze had haar knieën tot onder haar armen opgetrokken. 'Ze heeft nog lang liggen woelen. Maar een uurtje geleden is ze in een diepe slaap gevallen.'

Dokter Chulu ging bij het bed staan en voelde de halsslagader van het meisje. 'Haar hartslag is traag, maar niet verontrustend zwak. Ze zal het nog een tijdje zwaar hebben, maar ze zal genezen. Ze heeft geluk gehad.'

Zoë keek de arts aan, en hij beantwoordde haar onuitgesproken vraag.

'Vorige maand had ik een ander slachtoffer van kinderverkrachting,' zei hij. 'Het meisje was acht jaar en zwakbegaafd. Ze was ernstig ondervoed en daardoor leed ze aan allerlei complicaties. Haar ouders gaven haar niet te eten. Ik zie het overal om me heen gebeuren. Tachtig procent van de gehandicapte kinderen sterven voor hun vijfde.' Hij wees naar het meisje. 'Voor haar wordt tenminste gezorgd. En nu heeft ze jou.'

Zoë knikte. Ze voelde een onverklaarbare band met het kind. 'En de hiv-besmetting?'

Hij haalde zijn schouders op. 'Misschien is ze besmet, als we ervan uitgaan dat de dader positief is. Maar de kans op infectie is klein. We geven haar aidsremmers en testen haar over zes weken opnieuw.' Bezorgd keek hij naar Zoë. 'Volgens mij ben je wel aan wat slaap toe. Misschien kun je beter naar huis gaan.'

Ze rekte zich uit en voelde de stijfheid van een slapeloze nacht in al haar spieren. Toch aarzelde ze nog.

'Ik ga mijn cd-speler halen,' zei dokter Chulu, want hij voelde haar bezorgdheid aan. 'Ze komt er heus wel bovenop.'

Zoë zwichtte. 'Goed dan. Ik geef u mijn mobiele nummer voor het geval er iets gebeurt.'

Nadat Zoë de arts haar nummer had gegeven, keek ze nog eens naar het meisje en liep naar buiten. Ze zoog de droge Zambiaanse lucht naar binnen en begroette de opkomende zon met een glimlach. Ze woonde al jaren in het Afrikaanse hoogland, maar ervoer het nagenoeg perfecte klimaat nog steeds als een geschenk.

Ze pakte haar telefoon en belde Maurice Isaac, de chauffeur die voor de CILA werkte en dicht bij het ziekenhuis woonde. Hij ging niet in op haar verontschuldigingen en beloofde haar binnen tien minuten op te halen. Daarna belde ze Joseph. Na twee keer overgaan nam hij op.

'Heb je een beetje kunnen slapen?' vroeg hij loom.

'Geen oog dichtgedaan. Wat staat er op het programma vandaag?'

Hij aarzelde. 'Op het programma?'

'Je ging toch naar Kanyama? Ik zou graag meewerken aan het onderzoek.' Aangezien het stil bleef, besloot ze aan te dringen. 'Luister, ik ben geen Joy Herald, maar ik geef om dit meisje. Als je wilt, bel ik Mariam.'

'Nee, laat maar,' antwoordde hij. 'Ik maak me alleen maar zorgen om je veiligheid. De situatie in de krottenwijken is explosief met de verkiezingen voor de deur.' Hij slaakte een zucht en gaf zich gewonnen. 'Oké dan. Vanmiddag om twee uur haal ik je op.'

Dankzij de gesloten slaapkamergordijnen lukte het Zoë tot twaalf uur 's middags uit te slapen. Ze werd gewekt door de ringtone op haar iPhone – het refrein van 'I Still Haven't Found What I'm Looking For' van U2. Ze schudde met haar hoofd en knipperde een paar keer met haar ogen, waarna ze slechts vaag de klamboe kon zien. Haar bijziendheid, een vloek van het Fleming-gen, had ze van haar vader geërfd. Zonder contactlenzen zou ze praktisch blind zijn.

Ze sloeg de klamboe open en tastte naar het doosje met haar contactlenzen op het nachtkastje. Zodra ze kon zien, checkte ze haar telefoon. Misschien had dokter Chulu haar gebeld, dacht ze, maar op het schermpje zag ze Mariams naam staan. De veldwerkcoördinatrice had een berichtje achtergelaten.

'Goedemorgen, Zoë,' zei Mariam. 'Joseph vertelde dat je met hem mee naar Kanyama gaat. Wees alsjeblieft voorzichtig. Morgenochtend hebben we trouwens een vergadering met het responsteam.'

Zoë opende de gordijnen van haar slaapkamer op de tweede verdieping en bewonderde de rode bladeren van een reusachtige kerstster. De kerstster was haar moeders favoriete Afrikaanse plant geweest, het symbool van het vruchtbare en exotische karakter van het continent. Ze nam een snelle douche – er zat nooit genoeg warm water in de tank voor een uitgebreide douche – en trok een spijkerbroek en een lavendelkleurige blouse aan.

In de keuken maakte ze een ontbijt klaar met eieren, geroosterd brood en papaja. Ze at op de veranda, die uitkeek op de tuin, terwijl ze Prousts *De kant van Swann* herlas. Dat was een terugkerende pelgrimstocht, en kwam het dichtst bij religie sinds haar studententijd aan Stanford. Net als de verteller van Proust zag Zoë het verleden in alles om zich heen, als een laag die zich net onder het werkelijke heden bevindt. Ook hierin leek ze op haar vader. Niet alleen zijn slechtziendheid, maar ook zijn uitzonderlijk goede geheugen had ze van hem geërfd.

Om kwart voor twee ontving ze een berichtje van Joseph. Ze pakte haar rugzak van de eettafel en liep over de binnenplaats naar de poort. De bewaker – een nieuwe werknemer wiens naam ze niet kon onthouden – liet haar doorgaan naar de straat. Ze zag de agent achter het stuur van zijn pickup zitten. Hij had een pilotenbril op en droeg een spijkerjasje. Meteen nadat ze was ingestapt, scheurde Joseph van de trottoirband en racete over de met bomen omzoomde weg. De lucht was strakblauw en wolkeloos.

'Hoe was je ochtend?' vroeg Zoë.

'Prima,' antwoordde Joseph.

'Nog iets leuks gedaan?'

Hij keek geërgerd op. 'Waarom stel je toch altijd zoveel vragen?'

Ze verborg haar wrevel. 'We kunnen toch wel aardig tegen elkaar zijn, dacht ik, nu we gaan samenwerken. Gisteravond in de kroeg praatte je honderduit.'

Hij schraapte zijn keel. 'Als je het echt wilt weten, ik heb de hele ochtend aan mijn pick-up gewerkt. Het barrel is, hoe zal ik het zeggen, een bodemloze put. Gekocht van een neef die automonteur is. Ik weet zeker dat hij me gematst heeft omdat hij besefte dat dit wrak een vaste bron van inkomsten voor hem zou worden.'

Ze grinnikte. 'Gelukkig heb je wel gevoel voor humor.'

Hij keek haar zijdelings aan. 'Ik kom uit een gezin van zes. Dan leer je wel lachen.'

Ze floot tussen haar tanden. 'Je moeder is vast een heilige. Wat doet je vader?'

'Die heeft een textielbedrijf.'

Ze fronste haar wenkbrauwen en dacht: en jij hebt de afgelopen tien jaar voor een hongerloontje in dienst van de overheid gewerkt? 'Waarom ben je bij de politie gegaan?'

Hij antwoordde vaag. 'Je moet toch ergens beginnen.'

Ze vermoedde een diepere waarheid achter zijn ontwijkende antwoord, maar besloot het onderwerp te laten rusten. 'Waar gaan we heen?'

'Naar Abigail. Die zal ons aan haar buren voorstellen.'

Ze reden Cathedral Hill op en sloegen Independence Avenue in richting Cairo Road. Het verkeer op zondag was rustig, maar het wemelde van de voetgangers tussen de palissanderbomen in de bermen. Zoë leunde achterover en zag Lusaka aan zich voorbijtrekken. In de koloniale tijd was Lusaka opgezet als tuinstad, maar de lommerrijke boulevards, de statige edwardiaanse gebouwen en serene bungalows hadden in de decennia na de onafhankelijkheid geleden onder oprukkend puin en stedelijk verval. De armen van het platteland waren in drommen naar de stad gekomen, de rijken hadden daarop gereageerd door zich te verschansen achter muren met glasscherven en prikkeldraad.

Nadat ze Cairo Road waren overgestoken, reden ze de drukke City Market voorbij en vervolgens het vervallen, uitgedijde Kanyama in. Aan beide kanten van de stoffige doorgangsroute verkochten straatventers banden, zeildoek of beltegoed voor mobiele telefoons. De meer gevestigde kooplui hadden een kraampje iets van de weg af. Overal zag Zoë tekenen van de presidentsverkiezingen: spandoeken, vlaggen, T-shirts en posters, de meeste in de groene kleur van het Patriotic Front (PF). Ook de lucht was bezwangerd met de verkiezingsstrijd. Groepen jonge mannen struinden door de straten met piepende megafoons en hekelden president Banda en zijn regerende Movement for Multiparty Democracy (MMD).

Een van de jonge demonstranten wierp Zoë een woedende blik toe en schreeuwde iets in het Nyanja. 'Wat zegt hij?' vroeg Zoë. Ze voelde zich ongemakkelijk.

'Draai je raampje dicht,' zei Joseph. Stapvoets reden ze door de drukte. Meteen volgde Zoë zijn raad op. 'Had hij het over mij?'

Joseph knikte. 'Hij houdt niet van buitenlanders.'

Eindelijk sloegen ze een zijstraat in, die volgebouwd was met armoedige, uit betonblokken opgetrokken onderkomens waarvan de golfplaten daken waren bedekt met de roest van vele regenseizoenen. Er holden kinderen van alle leeftijden rond. Ze wezen naar de truck of staarden naar Zoë. Een groepje ouderen hield gezeten op een stoel de kinderen in de gaten. Jonge volwassenen, de ouders van deze kinderen, ontbraken in het straatbeeld. Sommigen van hen waren ongetwijfeld aan het werk, maar Zoë wist dat hun afwezigheid een teken was van een macaber feit: de meesten waren overleden.

Ze namen een bocht en plotseling trapte Joseph op de rem waarmee hij op het nippertje een frontale botsing voorkwam met een truck die was volgeladen met jonge Zambianen in groene t-shirts. De chauffeur, een jongeman met een groene bandana om zijn hoofd, claxonneerde driftig, terwijl zijn kameraden op de zijkanten van het voertuig trommelden. Zoë ving een haatdragende blik op van een tengere jongen op de laadbodem.

'*Muzungu! Muzungu!*' schreeuwde hij.

Een golf van angst kwam over haar heen. 'Wat ben je van plan?'

Joseph manoeuvreerde zijn truck naar de kant van de weg. 'Als ik nu alleen was, zou ik ze een lesje leren. Maar ik ben niet alleen.'

Terwijl de voertuigen elkaar langzaam passeerden bonsden de druktemakers op het dak van Josephs truck. De tijd leek stil te staan tijdens deze stortvloed van gebeuk en gejoel. Zoë kreeg de neiging om terug te schreeuwen, de demonstranten op hun plaats te zetten, maar ze besefte dat ze alleen maar olie op het vuur zou gooien. Eindelijk trok de tegenliggende truck op door de straat en liet hen achter in een wolk van stof.

'Eikels!' schreeuwde Zoë. 'Wat denken jullie wel!'

Joseph keek haar aan, maar reageerde niet. Hij nam opnieuw een bocht en reed dieper het labyrint van naamloze paden in. De meeste krotten waaraan ze voorbijreden hadden geen ramen en deuren, en in veel steegjes lagen hopen brandend huisvuil. Zoë had even later geen idee meer waar ze waren. De zee van gelijkvormige, krottige bouwsels was duizelingwekkend. Joseph daarentegen leek precies te weten waar hij naartoe ging.

Even later parkeerde hij de truck in een steeg niet ver van een door stormen geteisterd huisje, opgesierd door een vlamboom in de voortuin. Zoë pakte haar rugzak en stapte uit. Onmiddellijk werd ze omringd door een groepje nieuwsgierig kijkende kinderen. Ze trokken aan haar blouse, bedelden om geld en vroegen of ze een foto van hen wilde maken. Ze streek over hun hoofden en groette hen in het Nyanja. '*Muli bwange? Muli bwange?*' Het duurde niet lang of ze was de agressieve demonstranten in de truck vergeten.

Ze liep achter Joseph aan door een met bloempotten omzoomde pergola naar de voordeur van een huis. Abigail zat achter een kanten gordijntje op hen te wachten. Ze liet hen binnen, gebaarde naar een bank waar een laken overheen lag en nam tegenover hen plaats op een versleten ligstoel. Haar Engels was gebrekkig en ze sprak elk woord met zorg uit.

'Hoe is het met het kind?'

'Aan de beterende hand,' antwoordde Zoë eenvoudig. 'We zijn op zoek naar haar familie.'

Joseph haalde een digitale camera uit zijn zak en liet haar het schermpje zien. 'Kijk, ik heb een foto van haar. Misschien wordt ze door iemand herkend.'

Abigail stond op en deed een sjaal om. 'Kom,' zei ze. Ze liep voor hen uit over een pad naar een vervallen woning die je nauwelijks een huis kon noemen. 'Agnes,' riep ze.

Er kwam een oude vrouw tevoorschijn. Haar huid was zwaar gerimpeld en ze had vrijwel geen tanden meer. Ze zei iets tegen Abigail in het Nyanja, en Joseph liet haar de foto van het meisje zien. Agnes schudde haar hoofd. Ze keek naar Zoë en vroeg iets over de 'muzungu', de buitenlander.

Joseph grinnikte. 'Ze zegt dat je haar van goud lijkt. Ze wil weten of het echt is.'

Zoë glimlachte. In een land waar de meeste vrouwen een pruik of haarextensies dragen, was haar deze vraag al talloze keren gesteld. 'Zeg maar dat ik ermee geboren ben,' antwoordde ze, vooroverbuigend om de oude vrouw over haar haren te laten strijken. 'Kan ze ons iets vertellen?'

Hij schudde zijn hoofd. 'Ze heeft het meisje nog nooit gezien.'

Abigail nam afscheid van Agnes en liep met hen naar het volgende huis, waar een rondborstige vrouw de was aan het ophangen was. Ze lachte naar Abigail, maar blikte argwanend naar Zoë. Het gesprek tussen de twee vrouwen eindigde even abrupt als het was begonnen.

'Haar hele gezin lag vannacht te slapen,' vertaalde Joseph.

Zoë stak haar handen in haar zakken en nam de omgeving in zich op. Ze probeerde de straat te bekijken met de ogen van het meisje. Het moet een verlaten boel zijn geweest, dacht ze. In de compounds was de nacht de dienares van het geweld. Een verstandig mens bleef binnen.

In het daaropvolgende halve uur spraken ze nog twee weduwen, een jonge moeder met een kind aan de borst en een groepje puberjongens dat zich ophield onder een boom. Niemand zei het kind te hebben gezien, en een paar jongens maakte grappen over het uiterlijk van het meisje.

Zoë draaide zich om, woedend om hun botheid. 'Kom, laten we gaan,' zei ze.

Plotseling nam een jongen het woord. 'Hé, muzungu, waarom ben je zo nieuwsgierig naar wat hier in Kanyama gebeurt?'

Ze keek de jongen aan. 'Waar was je rond twaalf uur vannacht?'

Hij trok zijn schouders op. 'Ik zat tv te kijken.'

'Dus je was nog wakker?'

Hij stootte een van zijn vrienden aan. 'Kijken muzungu's dan televisie in hun slaap?'

In koor werd er om zijn grapje gelachen.

Zoë negeerde de anderen. 'Heb je iets ongewoons gezien? Iemand die je niet kende, een vreemde auto?'

De jongen keek de straat in en kruiste zijn armen over zijn borst. 'Ik heb een truck gezien.'

Haar adem stokte. 'Welke kleur had die?'

'Hij was zilverkleurig, net als dit hier.' Hij haalde uit zijn zak een buitenlandse munt, ongetwijfeld een fooi van een toerist of ontwikkelingswerker.

'Stond hij geparkeerd of zag je hem rijden?'

De jongen wierp de munt in de lucht en ving hem op. 'Hij reed.'

Ze keek naar Joseph. 'Kun je ons vertellen waar je die truck hebt gezien?'

De jongen dacht even na. 'Wat heb je ervoor over?'

Ze aarzelde geen moment. In Afrika had alles een prijs. 'Vijftig *pin*. Maar alleen nadat je me alles wat je weet hebt verteld.'

De ogen van de jongen begonnen te glanzen. Vijftigduizend *kwacha* kwam omgerekend neer op tien dollar. Hij stond op, gevolgd door zijn vrienden. '*Bwera*,' zei hij. 'Deze kant.'

Hij liep voor hen uit door de laan naar een huis met ongeschilderde muren van betonblokken en afbrokkelend cement. Buiten bij de deur zat een broodmagere vrouw in een bezweet shirt en een *chitenge* als rok met een kartonnetje goedkoop, lokaal bier. De jongen schoof het gordijn open en ging op de aftandse bank in de benauwde huiskamer zitten, nadat hij een halfnaakt kind had verjaagd dat opsprong òm plaats te maken.

'Er kwam een truck voorbij,' zei de jongen. 'Ik zat op deze bank. Ik zag de koplampen.'

'Wat was het voor een truck?' vroeg Joseph.

'Volgens mij een Lexus. Hij ging die kant op.'

'Was het een suv?' vroeg Zoë, terwijl ze zich realiseerde dat het voertuig richting het huis van Abigail was gereden.

De jongen knikte.

'Welke kant liep het meisje gisteravond op?' vroeg ze aan Abigail.

De oude vrouw wees naar de straat in dezelfde richting.

Zoë richtte zich weer tot de jongen. 'Je zei dat je de koplampen zag. Heb je ook de remlichten gezien?'

Het jongetje schudde van nee.

'En de chauffeur? Heb je die gezien?'

Hij staarde haar wezenloos aan. 'Ik heb verder niks gezien.'

Ze monsterde zijn gezicht en besloot hem te geloven. Ze ritste haar rugzak open en haalde er het beloofde bedrag uit. 'Hoe heet je?' vroeg ze.

'Wisdom,' antwoordde hij.

'*Wisdom is the finest beauty of a person*, aldus een gezegde. En dit gaat zowel op voor buitenlandse dames en meisjes met een raar gezicht als voor Zambiaanse mannen. Denk daar eens over na.'

Ze gaf de jongen het geld.

'We moeten nog iemand vinden in de buurt van Abigail die de truck heeft gezien,' zei Joseph.

Ze knikte. 'Ik dacht precies hetzelfde.'

Op de terugweg ondervroegen ze de mensen die ze eerder hadden ontmoet en nog enkele anderen die naar buiten waren gekomen. Geen van hen had de zilverkleurige suv gezien. Zoë keek op haar horloge. Het was bijna vijf uur. Aan Abigails manier van lopen was duidelijk te zien dat ze vermoeid was. Zoë wilde net gaan voorstellen haar naar huis te brengen toen Joseph voor hen uit naar de keet van Agnes liep en aanklopte. De oude vrouw deed open en Joseph sprak met haar in het Nyanja. Agnes krabde zich op het hoofd en knipperde met haar ogen, waarna ze in dezelfde taal antwoord gaf.

'Wat zei ze?' vroeg Zoë.

Joseph negeerde haar en stelde Agnes nog een vraag. De oude vrouw knikte, begaf zich naar de hoek van haar huis en liet hen een achterafstraatje zien, bezaaid met losse stenen en huisvuil. Ze wees naar de weg en sprak opnieuw in het Nyanja.

'Ze heeft een voertuig gehoord achter haar huis,' zei Joseph. 'De wagen stond een minuut of twee stil en reed daarna weg. Het schiet haar nu pas te binnen.'

Zoë huiverde. 'Heeft ze mensen horen praten?'

Joseph vertaalde de vraag. 'Ze heeft niemand gehoord,' tolkte hij. 'Wél hoorde ze een geluid dat op een drumslag leek.' De vrouw onderbrak hem, en Joseph preciseerde: 'Twee drumslagen. Waarschijnlijk dichtslaande portieren.'

Zoë liep de steeg uit en bleef stilstaan op de weg, kijkend naar het huis van Abigail tien meter verderop. Ze stelde zich de nacht in Kanyama voor met zijn smalle straatjes, verlicht door verandalampjes en het schijnsel van de maan; de opdoemende koplampen in het donker, de protserige SUV met ronkende motor; de chauffeur die het straatje achter het huis van Agnes in reed en het meisje daar achterliet. Ineens begreep ze waarom niemand in deze buurt het meisje kende: ze was niet van hier.

Zoë's blik dwaalde rond door de omgeving en stond stil bij een groepje kinderen die in het zand een spelletje speelden. Het waren dezelfde kinderen die nieuwsgierig om haar heen waren gedromd toen ze uit de truck van Joseph stapte. Ze kreeg een idee. Ze vroeg Joseph om de camera en stapte op de kinderen af. Ze keken op van hun spel. Met zijn vijven zaten ze rondom een cirkel in het zand. In het midden lag een stapel stenen.

'Wat zijn jullie aan het doen?' vroeg ze de oudste. Joseph vertaalde haar vraag.

In plaats van uitleg gaf de jongen een demonstratie. Hij gooide een balletje in de lucht, pakte snel een paar stenen, trok die uit de cirkel en ving met dezelfde hand het balletje op. Toen hij nogmaals de bal opwierp, schoof hij alle stenen op één na terug in de cirkel en legde hij de overgebleven steen op een hoopje naast zijn knie.

'*Chiyanto*,' zei Joseph. 'Dat speelde ik vroeger ook.'

Ze hield de camera omhoog om hem aan de kinderen te laten zien. 'Mag ik een foto van jullie nemen? Voor mijn vrienden thuis.'

Ze begonnen opgewonden te roepen. 'Foto,' zei de oudste. '*Muzungu lady* wil foto maken.' Ze sloegen hun armen om elkaar, glimlachten en wachtten op de flits van de camera.

Zoë lachte. 'Dit hebben ze vaker gedaan.' Ze legde het moment vast in het digitale frame en toonde de kinderen het resultaat. De oudste jongen vroeg of ze een foto van hem alleen wilde maken, wat ze deed. Daarna kwam het moment dat Zoë de camera liet zakken tot het niveau van de kleinste en de kinderen de foto van het meisje liet zien. Ze gingen om haar heen staan en staarden zwijgend naar het plaatje.

'Kennen jullie haar?' vroeg ze. 'Vannacht liep ze hier op straat.'

De oudste jongen hield zijn hoofd schuin en trok zijn schouders op. Om zich heen kijkend zocht hij naar bevestiging. Iedereen schudde zijn hoofd, op één na. Dit jongetje van een jaar of zeven had buitenproportioneel grote ogen. Verlegen lachte hij naar Zoë. De oudste jongen duwde hem weg en zei iets in het Nyanja, maar het kind bleef naar Zoë staren.

'Meisje,' zei hij, knikkend.

Zoë's adem stokte. 'Wil je tolken?' vroeg ze aan Joseph.

'Laat mij maar met hem praten,' antwoordde hij.

Hij hurkte naast het kind neer en begon zacht met hem te praten. Wanneer het kind antwoord gaf, knikte Joseph glimlachend met zijn hoofd. Josephs aanpak had het gewenste effect. De jongen deed ontspannen zijn verhaal en benadrukte zijn woorden met gebaren.

Na een poos keek Joseph naar Zoë. 'Hij heet Dominic. Daar woont hij.' Hij wees naar een vlakbij gelegen groen geschilderde krotwoning. 'Toen hij gisteravond in bed lag, moest hij plassen en ging naar de latrine. Hij zag de truck tot stilstand komen. Hij zag een man en het meisje. De man stapte weer in de truck en reed weg. Het meisje liep richting het huis van Abigail. Het leek of ze huilde.'

'Heeft hij het gezicht van de man gezien?' vroeg Zoë opgewonden.

Joseph schudde zijn hoofd. 'Het was donker. Volgens hem was het een lange man, langer dan zijn vader.'

'En de truck? Heeft hij het kenteken gezien?'

Joseph vertaalde de vraag in het Nyanja. Dominic sperde zijn ogen en tekende iets in het zand. Zoë staarde naar de tekening in wording. De jongen had een ietwat verwrongen rechthoek in het zand getrokken met een X in het midden.

'Wat zou dat kunnen zijn?' vroeg ze.

'Geen idee,' antwoordde Joseph. Hij wendde zich opnieuw tot Dominic, die nog een rechthoek tekende, rechts van de X. 'Zoiets zag hij naast het nummerbord. Het nummerbord zelf kan hij zich niet herinneren.'

Ze probeerde zich niet teleurgesteld te voelen. Dominic was een bijzondere vondst, maar zijn getuigenis hier op straat had weinig waarde. Die moest tijdens een kruisverhoor overeind blijven.

Joseph haalde een pen en aantekenboekje uit zijn zak. Hij krabbelde een bladzijde vol met aantekeningen en tekende Dominics schets na. Daarna liep hij met Zoë achter het jongetje aan naar zijn huis, waar ze zijn vader spraken, een stevig gebouwde man met lichtgrijs haar. Joseph typte eigenhandig zijn mobiele nummer in de telefoon van de man en aaide de jongen over zijn bol.

'*Zikomo*,' zei hij. 'Je mag trots zijn op wat je gedaan hebt.'

De jongen glimlachte en huppelde terug naar zijn chiyanto-spel.

Terwijl de zon onderging achter de roestige golfplaten aan de horizon, liepen ze terug naar de plek waar Joseph zijn pick-up had geparkeerd. Zoë wierp hem zijdelings een blik toe en zag de teleurstelling in zijn ogen. Het was duidelijk dat hij meer van deze middag in Kanyama had verwacht.

'Het is een vreemde zaak,' merkte ze op.

'Elke zaak is weer anders,' antwoordde hij.

'Natuurlijk, maar in de meeste zit een patroon. De dader woont in de buurt of is familie. Het misbruik vindt plaats in of rondom het huis van het slachtoffer. De verdachte weet zich door dreigementen en omkoping in te dekken. Dit geval is in alle opzichten anders.'

'Het is anders in bepaalde opzichten,' corrigeerde hij. 'Misschien kent het meisje de dader wel.'

'Mogelijk. Maar waarom nam hij dan de moeite om midden in de nacht Kanyama in te rijden? Alsof hij haar wilde laten verdwijnen.'

Joseph knikte. 'Of hij wilde dat ze opnieuw werd verkracht. De perfecte dekmantel voor een verkrachting is een tweede verkrachting.'

'Nee toch!' riep ze uit, toen de gruwelijke logica van deze gedachte tot haar doordrong.

'Wat ik me afvraag,' ging hij verder, 'is hoe hij haar zo laat in de nacht heeft kunnen oppikken.'

'We moeten haar familie vinden.'

Hij knikte. 'Die zal uiteindelijk aangifte doen.'

Op het moment dat Zoë weer een vraag wilde opwerpen, hoorde ze piepende remmen achter zich. Ze keek achterom en zag een truck de weg versperren – met jonge kerels in groene T-shirts. De chauffeur stapte uit, en Zoë's hart begon als een razende te bonzen.

Ze herkende de vervaarlijke jongen met de groene bandana.

De leden van zijn bende sprongen van de laadbodem en gingen om hen heen staan. Joseph zette een stap in de richting van zijn pick-up, maar een gespierde jongen ging voor hem staan. Zoë keek om zich heen en zag dat ze waren ingesloten. De muren waren te hoog om overheen te klimmen en aan de buurtbewoners hadden ze niets – die zouden nooit een vreemdeling te hulp schieten. Waarom doen ze dit? dacht Zoë. Wat willen die lui van ons? Ineens besefte ze het. Ze willen mij.

'Laat mij maar,' zei Joseph, die tussen Zoë en de bendeleider met zijn bandana in ging staan. Hij liet dreigende taal horen in het Nyanja, waarop de jongeman brutaal grijnslachte met zijn blik gericht op Zoë.

'*What your name, muzungu?*' vroeg hij in gebrekkig Engels.

'Geen antwoord geven,' beval Joseph. Hij keek de jongen indringend aan. 'Ik ben politieagent. Als je ons maar durft aan te raken, gooi ik jullie allemaal in de gevangenis.'

De bendeleider lachte alsof Joseph een grapje had gemaakt. 'In Kanyama de politie slapen. Jij slapen met muzungu, agent?'

Zoë hoorde gegniffel en keek om zich heen. De gelederen werden gesloten. Een golf van angst overspoelde haar en bracht een even grote maar tegengestelde golf van woede teweeg. Ze wist dat Joseph ongewapend was; Zambiaanse politieagenten kregen zelden een vuurwapen mee. Ze zocht in het zand naar een wapen, maar zag alleen wat losse stenen liggen, net buiten haar bereik.

'Laat ons met rust,' zei Joseph dreigend. 'Mij wil je niet tegen je krijgen.'

De bendeleider keek hem honend aan. 'Wat jij doen, agent? Vechten voor muzungu? Rupiah Banda vechten voor muzungu's.' Hij keek om zich heen naar zijn maten. 'Politie vriend van MMD.'

Deze beschuldiging had het beoogde effect: de bendeleden begonnen te foeteren en te vloeken. Aangemoedigd probeerde de leider Joseph opzij te duwen, maar Joseph gaf hem met de rug van zijn hand een klap in zijn gezicht. De jongen gilde van de pijn en haalde wild uit met zijn vuist, die Joseph handig ontweek. De agent pareerde de aanval met een vinnige stomp in zijn maag. De bendeleider kromp ineen, en Joseph draaide zich om, zoekend naar een nieuw doelwit. Hij kon nog een paar rake klappen uitdelen, maar werd uiteindelijk door drie jongens overmand.

Zoë gilde toen ze aan beide kanten door sterke handen werd vastgegrepen. Als een beest vocht ze terug, kronkelend met haar lijf om aan hun greep te ontsnappen en trappend met haar voeten. Met haar hak schopte ze tegen de kaak van een broodmagere jongen, die als een zielig hoopje instortte. Daarna trapte ze een stevige jongen in zijn maag en beukte met haar rugzak op zijn hoofd. Een derde bendelid hield haar stevig in zijn armen. Ze gaf hem een knietje en ramde met haar handpalm zijn neus.

Tegen een gezamenlijke aanval had ze echter geen verweer.

Twee jongens vielen haar van achteren aan en lieten haar struikelen. Terwijl ze haar in het zand duwden en omlaag gedrukt hielden, schopte ze woest om zich heen en schreeuwde de longen uit haar lijf. Ze voelde hun ruwe handen aan haar blouse en jeans trekken. De tijd leek in glassplinters te verbrokkelen. Nee! Alsjeblieft, god, nee! Spookgestalten dansten om haar heen in de schemering. Een van de jongens ging op haar dijen zitten, een andere schrijlings op haar rug. Ze raakte het contact met de werkelijkheid kwijt. Dit kan niet waar zijn! Niet weer!

Plotseling hoorde ze een stem boven het kabaal uit. 'Laat haar los!' schreeuwde Joseph. 'Sta op of ik schiet!'

Het gewicht werd van haar dijbenen genomen, de druk op haar rug verdween. Met knipperende ogen tuurde ze door haar met stof aangetaste contactlenzen. Joseph torende boven iedereen uit met een AK-47 in de aanslag. Toen de bendeleden de zoekende geweerloop zagen, deden degenen die nog rechtop stonden een stap achteruit, en een van hen liet Zoë's rugzak vallen. Joseph richtte het geweer op de leider.

'Ik zei toch dat je mij niet tegen je moet krijgen,' siste hij.

Van de bravoure van de bendeleider was niets meer over, bang rende hij naar zijn truck. Zijn maten volgden zijn voorbeeld, de lichtgewonden strompelend achter de ongedeerden. Meteen na het starten van de motor trapte de bendeleider op het gaspedaal en scheurde de steeg uit, terwijl twee van zijn kameraden bijna uit de laadbodem werden geslingerd.

Toen ze weg waren, krabbelde Zoë langzaam op, bevend over haar hele lichaam. Ze hield zich staande aan Josephs pick-up en voelde zich zo opgelucht dat ze er geen woorden voor had. Ze zag Joseph hijgend op adem komen. Zijn kleren zaten onder het zand, in zijn nek had hij een grote schram. Pas na een poos kon ze weer praten.

'Ik wist niet dat je een geweer had.'

'Ik bewaar het ding in mijn pick-up,' antwoordde hij schor. 'Mijn broer heeft in het leger gezeten.'

Zoë schudde haar hoofd. Ze probeerde te vergeten dat ze op het nippertje was ontsnapt aan een verkrachting. Ineens besefte ze dat het meisje in het ziekenhuis nog geen vierentwintig uur geleden over dezelfde weg had gelopen. Een man in een zilverkleurige SUV had haar ontvoerd, verkracht en midden in de nacht achtergelaten. Niemand was haar te hulp gesneld. Zoë zag haar voor zich in het ziekenhuisbed, de aap van dokter Chulu naast haar, en dacht terug aan wat hij had gezegd: 'En nu heeft ze jou.'

Joseph raapte Zoë's rugzak op en klopte die af. 'Waar heb je zo goed leren vechten?' vroeg hij, terwijl hij haar rugzak aangaf.

Ze grinnikte even en voelde een deel van de spanning wegebben. 'Op de middelbare school heb ik een cursus zelfverdediging gevolgd. En ik heb de bruine band van taekwondo.'

Hij trok een wenkbrauw op en glimlachte flauwtjes.

Ze opende het portier aan de passagierskant en stapte langzaam in de truck. 'Kunnen we onderweg nog even stoppen bij het ziekenhuis?' vroeg ze toen hij naast haar schoof.

Hij keek haar verbaasd aan. 'Waarom?'

'Omdat ik wil weten hoe het met het meisje gaat,' antwoordde ze.

3

Op maandagochtend namen de vijf leden van het cila-respons-team – Zoë, Joseph, Mariam, Sarge en Niza – plaats in de vergaderzaal naast Mwila, het hoofd reclassering. Het was iets over negen en de algemene stafvergadering was net afgelopen. De gordijnen waren dichtgetrokken tegen de zon, maar er schemerde nog steeds licht door, dat brandde op het bekraste houten tafelblad.

'Voordat we deze zaak gaan bespreken,' begon Mariam, met een blik op Zoë, 'wil ik eerst zeggen hoe opgelucht ik ben – hoe opgelucht we allemaal zijn – dat je er gisteravond zo goed van af bent gekomen.'

'Daar moet ik Joseph voor bedanken,' zei Zoë, naar hem opkijkend. De schok van het incident was nog vers, maar Zoë was vastbesloten zich niet uit het veld te laten slaan.

Mariam knikte. 'Ik zal het bespreken met de adjunct-commissaris.'

'Ik heb liever dat je daarmee wacht tot ik de daders heb gepakt,' zei Joseph.

'Wil je ze dan oppakken?' vroeg Zoë verrast.

'Als de tijd rijp is.'

Mariam glimlachte. 'Ter zake. We weten nog lang niet wat er precies met het meisje is gebeurd, maar dit zijn de feiten. Zaterdag voor middernacht is het meisje verkracht door een onbekende dader. Rond middernacht bracht hij haar naar een afgelegen steegje in Kanyama en liet haar daar achter. Het meisje heeft downsyndroom en sinds de verkrachting heeft ze geen woord meer gezegd. Na veel counseling kan ze ons misschien verder helpen, maar nu nog niet. We hebben een ooggetuige gesproken die zag dat de man haar achterliet. We weten slechts dat de man lang is en in een zilverkleurige suv reed met dit teken naast de nummerplaat.'

Mariam hield het stuk papier omhoog met een weergave van Dominics tekening.

'Doet me denken aan het verkeersbord voor een spoorwegovergang in de vs,' zei Niza, zich vooroverbuigend.

'Misschien is het een sticker van een politieke beweging,' opperde Sarge.

Joseph nam het woord. 'Ik heb het hoofdkwartier gebeld, maar ze hebben geen melding van een vermist meisje met downsyndroom binnengekregen. En als er al een melding is binnengekomen, kan het nog dagen duren voordat die is ingevoerd.'

'Zolang we haar familie niet hebben gevonden,' zei Mariam, 'moeten wij voor haar zorgen.'

Mwila knikte. 'Ik heb maatschappelijk werk gevraagd of ze bij de nonnen in het St.-Franciscus zou kunnen worden opgenomen. Ik vertrouw niemand anders in de omgang met gehandicapte kinderen. Ook heb ik contact opgenomen met dokter Mbao van de universiteit van Zambia. Ik heb nog nooit met haar gewerkt, maar Joy Herald geeft hoog van haar op. Met een verwijzing van dokter Chulu kan dokter Mbao naar het St.-Franciscus komen voor nader onderzoek.'

'Uit juridisch oogpunt,' zei Sarge, 'kunnen we nog niet naar de rechtbank, omdat we geen verdachte en geen afdoende bewijsmateriaal hebben. Bovendien weten we niet eens hoe oud het meisje is. Ze lijkt dan wel jonger dan zestien, maar dat is voor de rechter niet voldoende.'

'Haar familie weet vast wanneer ze is geboren,' zei Zoë. 'Het grote probleem is de bewijsvoering. Stel dat we een verdachte vinden, dan nog hebben we iets nodig dat hem in verband brengt met de verkrachting, niet alleen met het meisje. We hebben een ooggetuige van het delict nodig. Of anders DNA.'

'Alles goed en wel,' riposteerde Niza. 'Maar dit is Zambia, ja. We hebben geen lab en geen geld voor DNA-onderzoek. Dat zegt tenminste onze minister van Justitie.'

Zoë hoorde het knarsetandend aan. Niza was een eersteklas advocate, maar ook een cynicus.

'In Johannesburg is een lab,' wierp Zoë tegen. 'En er is geld voor, al beweert de overheid van niet. Als we eenmaal een verdachte hebben, hebben we alleen nog maar een rechter-commissaris nodig die een bloedtest en een DNA-profiel eist. Dat gebeurt standaard wanneer iemands vaderschap moet worden aangetoond.'

Mariam was het met Zoë eens. 'Je hebt gelijk. We hebben het bewijsmateriaal van het ziekenhuis. Deze zaak leent zich misschien uitstekend voor DNA-onderzoek.'

'We hebben nog een lange weg te gaan voordat we zover zijn,' zei Sarge. 'Eerst moeten we haar familie opsporen, dan een verdachte aanhouden en tot slot de openbare aanklager overtuigen. In die volgorde.'

Mariam knikte. 'Laten we woensdag weer bij elkaar komen. Misschien weet Joseph dan meer.'

Zoë stond op en liep door het doolhof van gangen naar haar kamer. Het kantoor van de CILA, een verbouwde bungalow uit de koloniale tijd, bestond uit twee delen. Het personeel van de receptie en de reclassering zat voor in het gebouw, het bestuur en de juristen zaten achterin. Zoë's bureau stond in een hoek van een lichte ruimte die was volgestouwd met dossiers, gebonden registers met Zambiaanse en Britse rechtszaken, en losse aantekenvellen – het decor van een advocatenkantoor.

Ze ging zitten en staarde naar haar laptop. Ze had nog vijftien minuten voordat Mwila naar het ziekenhuis zou vertrekken. Ze was van plan haar onderzoeksmemo aan te scherpen die ze samen met Sarge had geschreven, maar in plaats daarvan keek ze of ze nog mail had. Het eerste bericht was van Trevor. Volgens de datering was het om 8.02 uur binnengekomen – 2.02 uur in Washington. Haar broer werkte als advocaat voor een bureau in K Street dat A Brighter Tomorrow vertegenwoordigde – de privaatpolitieke fondsenwervende organisatie, ofwel SuperPAC, die de campagne van Jack Fleming steunde. Aan slapen leek hij niet toe te komen.

```
Ha, zus, ik mis je. Voor het geval je het niet op
internet hebt gelezen: papa komt over een paar
dagen jouw kant op. Het zal je wel niet kunnen
schelen, maar ik vond dat je het moest weten. En
nu naar bed, al was het maar voor een paar
uurtjes. Ciao!
```

Onder in het bericht had Trevor een link geplakt naar een artikel uit de *Washington Post*. Het las als een persbericht:

```
Op woensdag zal senator Jack Fleming, de koploper
in de presidentiële voorverkiezingen, na
campagnestops in North Carolina en Virginia, samen
met senator Lindsey O'Toole naar Afrika reizen om
```

de uitvoering van de Amerikaanse hulpprogramma's in
de Democratische Republiek Congo, Zambia en
Ethiopië te aanschouwen. Ook willen de senatoren
praten met ambassadeurs over de oorlog tegen
terreur. Een woordvoerder van senator Fleming
benadrukte dat de senator zich, zoals beloofd in
zijn campagne, onverminderd blijft inzetten voor
fiscale verantwoordelijkheid. Om veiligheidsredenen
zal zijn volledige reisschema niet vooraf bekend
worden gemaakt.

Zoë probeerde rustig te blijven. Een reis naar Congo en Ethiopië kon ze begrijpen. Maar Zambia? Hij was dus op weg naar haar. Ze scande de overige berichten in haar postvak. En daar was het – het bericht van haar vader. Ze keek om zich heen, uit vrees dat iemand haar geheim zou ontdekken. Behalve Mariam en een paar bestuurders van de CILA in Londen wist niemand dat ze de dochter van Jack Fleming was. Even later besefte ze hoe absurd haar gedrag was. Ze werd door niemand bespied. Ze vermande zich en opende het bericht.

Lieve Zoë, ik hoop dat je dit bericht in goede
gezondheid ontvangt. Ik bereid een lastminutereis
voor naar Afrika en zal vrijdag in Lusaka zijn.
Zou je het leuk vinden om met me te gaan eten? Ik
bedacht laatst dat het zo lang is geleden dat we
met elkaar waren, alleen wij saampjes. Wat vind je
van mijn voorstel?

Zoë las het bericht twee keer en sloot het mailprogramma af. Ze pakte haar rugzak en liep naar de dichtstbijzijnde uitgang, snakkend naar frisse lucht. Ze ging in de zon zitten onder de rode bloesem van een lampenpoetserstruik en sloot haar ogen.

De laatste keer dat ze haar vader onder vier ogen had gesproken, was na de buluitreiking op Yale Law School. Dat was niet goed afgelopen. Na het diner in het Union League Café, hadden ze een wandeling gemaakt door New Haven Green. Trevor en Sylvia, de tweede vrouw van haar vader, liepen een stuk achter hen te discussiëren over de rol van sociale media in politieke campagnes. Zoë probeerde beleefd te blijven tegen haar vader, maar de bodem van hun relatie was bezaaid met landmijnen en hij was er net op een gestapt.

'Je schrijft voor de *Yale Law Journal*,' had hij gezegd, 'en je bent als een van de besten uit jouw jaar afgestudeerd. Ik ben trots op je, Zoë.'

Terwijl ze haar trui om zich heen sloeg, had ze naar hem gekeken in het lantaarnlicht en er even op gehoopt dat zijn complimentje geen bijbedoelingen had. Al snel werd ze teleurgesteld.

'Luister, ik heb gesproken met rechter Anders,' ging hij verder. 'Een van zijn stagiaires is om gezondheidsredenen gestopt en nu zoekt hij een vervanger. Hij zou je dolgraag in dienst willen nemen.'

Edelachtbare Jeremiah Anders was de opperrechter van het Tweede Hof van Appel en een van de meest gerespecteerde juristen in de Verenigde Staten. Door velen werd hij gezien als een kandidaat voor het hooggerechtshof. Zoë had echter haar besluit al genomen. Haar hart lag in Afrika.

'Ik ga naar Johannesburg,' zei ze. 'Ik heb rechter Van der Merwe mijn woord gegeven.'

'Binnen een jaar zou je kunnen werken voor het hooggerechtshof,' antwoordde hij, alsof hij haar niet gehoord had. 'Daarna kun je overal ter wereld als jurist aan de slag.'

'Die eer gun ik dan een ander. Van der Merwe is een internationale deskundige op het gebied van mensenrechten. Het is de eerste keer dat hij een Amerikaanse jurist in dienst neemt.'

De senator zuchtte wanhopig. 'Alle deuren staan voor je open en jij kiest voor het Constitutionele Hof van Zuid-Afrika. Dit land is altijd te klein voor je geweest.'

'Ik hou van Amerika,' had ze tegengeworpen. Ze waren stil blijven staan voor de Center Church, zijn hoge toren gehuld in de duisternis van de nacht. 'Ik wil me er alleen niet toe beperken.'

Zoë opende haar ogen en zag Mwila met een bezorgde blik voor zich staan.

'Alles goed?' vroeg Mwila. 'Je zat er zo bewegingloos bij.'

Zoë knipperde met haar ogen, wakker wordend in het heden. Ze ademde diep. 'Ben je klaar?'

Mwila wees naar de Toyato Prado die stilstond op de oprijlaan. 'Maurice zit al te wachten.'

Ze stapten in de suv en de bewaker opende de stalen poort. Maurice reed de straat op en maakte vaart om het verkeerslicht bij de kruising van Church met Independence te halen. Het kinderziekenhuis was niet ver. Terwijl ze naar de ingang liepen zag Zoë Joy Herald staan bij een groepje Afrikaanse vrouwen met notitieblokjes – de dames van Maatschappelijk Werk.

'De formaliteiten zijn rond,' zei Joy, terwijl ze Zoë en Mwila begroette.

'Maar het meisje deed nogal moeilijk vanochtend. Ik wilde mijn iPod mee-nemen, maar die is door een van mijn kinderen uit mijn tas gepakt. Ik hoop dat jij de jouwe bij je hebt.'

'Ik heb vanochtend speciaal voor haar een afspeellijst gemaakt,' zei Zoë. Ze liep achter Joy aan naar de polikliniek.

Ze hoorde het kind al voordat ze haar zag. Haar schrille gejank, iets tussen een sirene en een jammerkreet, ging door merg en been. In de ziekenzaal zag ze het meisje in haar bed als een wilde tekeergaan. Drie verpleegkun-digen probeerden haar rustig te krijgen.

'Waar is dokter Chulu?' vroeg Zoë. Dit soort toestanden zou hij voorko-men, had hij beloofd.

'Dokter Chulu heeft geen dienst vandaag,' antwoordde Joy, die haar pro-beerde bij te houden. Snel nam ze de leiding over van de verpleegkundigen. 'Laat ons er eens bij,' zei ze.

Ze deden een pas naar achter. Zoë haalde haar iPod tevoorschijn en stop-te de dopjes in de oren van het meisje. Ze selecteerde de nieuwe afspeellijst, deed een pas naar achter en keek toe hoe de muziek een wonder teweeg-bracht. Als bij toverslag werd het meisje rustig terwijl ze luisterde naar de gevoelige akoestische klanken van John Denvers 'Leaving on a Jet Plane'. Ze legde haar handen op de oordopjes, alsof ze wilde dat het liedje nooit zou ophouden.

Joy ontblootte de benen van het meisjes en zwaaide ze over de rand van de matras. 'Help me even met tillen,' zei ze tegen Zoë.

De krachteloosheid maakte het meisje moeilijk te dragen, maar Joy en Zoë tilden haar samen op en zetten haar met beide voeten stevig op de vloer. Toen het kind eenmaal overeind stond, keek ze licht verward en met knip-perende ogen om zich heen. Joy hurkte voor haar neer en haalde de oor-dopjes uit haar oren.

'We moeten gaan,' zei ze zacht. 'Loop maar met me mee.'

Joy ging rechtop staan, pakte het kind bij de hand en trok haar zachtjes richting de uitgang. Het meisje aarzelde even, maar schuifelde toen achter Joy aan met de aap van dokter Chulu in haar vrije hand. Haar tred was traag en ze hinkte een beetje, steunend op haar rechterbeen. Zoë liep langzaam naast het meisje mee met de iPod in haar hand, en zorgde dat de kabel niet in de war raakte.

Even later stapten ze naar buiten in de zon. De auto stond klaar naast de stoeprand. Maurice opende het achterportier, en Joy en Zoë hielpen het meisje op de kunststof achterbank.

'Ik ga met jullie mee,' zei Joy. Ze schoof op de achterbank naast het meisje, en Zoë stapte na haar in.

Het meisje leek te schrikken toen het voertuig begon te rijden. Ze keek om zich heen en kreunde zacht. Joy pakte weer haar hand en kneep er zachtjes in. 'Dit is vast heel ongewoon voor haar,' merkte Joy op. 'Waarschijnlijk nam haar familie haar zelden mee uit.'

Toen Zoë vragend opkeek, legde Joy uit: 'Vanwege het stigma. Zambianen denken dat geestelijk gehandicapte kinderen een vloek zijn. Ze worden binnenshuis gehouden, zodat hun ouders er niet op worden aangekeken. Soms weten zelfs de buren niet van hun bestaan.'

Kindertehuis St.-Franciscus lag op een rotsachtig plateau in de buitenwijken van Lusaka vlak bij de internationale luchthaven. Telkens wanneer ze er kwam, verbaasde Zoë zich over het contrast tussen de dorre uitgestrektheid rondom het tehuis en de weelderigheid van het terrein zelf. De oprijlaan was omzoomd door bougainvilles en bij de ingang stond de grootste kerstster die ze in haar leven gezien had.

Maurice zette de Prado bij de ingang, en de dames van Maatschappelijk Werk parkeerden achter hen. Een grijsharige non in een groen met wit habijt stond voor het lage gebouw. Ze glimlachte toen ze Zoë zag.

'Zuster Anica,' riep Zoë. Ze schudde de vrouw de hand.

'Wat ben ik blij je weer te zien,' antwoordde de non met een licht Slavisch accent.

Ze keken om naar de Prado en zagen hoe Joy het meisje hielp uitstappen. Zoë ving zachte flarden op van 'Fields of Gold' uit de oordopjes. Joy hurkte voor het meisje neer en maakte haar oren vrij. Ze stopte de oordopjes en de iPod in de zak van het meisje.

'We zijn er,' zei ze. 'Je zult het hier leuk vinden.' Ze pakte het meisje bij de hand, stond weer op en begroette zuster Anica. 'Ze heeft nog steeds geen woord gezegd, maar ze is dol op muziek.'

De zuster glimlachte naar het meisje en knikte naar de dames van Maatschappelijk Werk. 'Deze kant op,' zei ze, wijzend naar een dubbele deur van rozenhout, die openstond en een briesje binnenliet.

Ze liepen achter zuster Anica aan door een met kindertekeningen versierde gang naar een binnenplein met een speeltuintje en een majestueuze acacia. Daar werd Zoë door zuster Anica voorgesteld aan een jong klein vrouwtje met tropisch blauwe ogen.

'Zuster Irina neemt het vanaf hier van me over,' zei ze. 'Wij maken ondertussen de papieren in orde.'

Nadat zuster Anica met Joy en de maatschappelijk werksters was vertrokken, hurkte zuster Irina voor het meisje neer. 'Ik heet Irina,' zei ze. 'Wil je mijn vriendinnetje zijn?' Het meisje liet haar hoofd verlegen hangen, en zuster Irina glimlachte. 'Geeft niet, hoor. Ik vraag het je nog wel een andere keer.'

Irina liep voor hen uit door een gangpad naar een vrolijk beschilderde ruimte met een grote verzameling speelgoed. Twee kinderen met downsyndroom zaten in de poppenhoek te spelen. Een ouder kind met spastische verlamming zat in een speciale stoel bij het raam te luisteren naar een verhaaltje dat een oudere zuster voorlas.

Op de vloer lag een keyboard naast een knuffelbeer. Zoë zette het instrument aan en sloeg een toets aan. Automatisch werd 'Für Elise' afgespeeld. Het gezicht van het meisje fleurde langzaam op, en ze maakte een piepend geluid dat deed denken aan een ballon waar langzaam lucht uit ontsnapt. Het meisje sloeg een toets aan en daarna nog een. Terwijl ze daarmee bezig was, nam zuster Irina Zoë apart.

'Dit is heel ongebruikelijk voor ons,' zei ze. 'Al onze kinderen zijn wezen. We moeten ervoor zorgen dat ze zich niet te zeer aan ons hecht voor het geval ze nog familie heeft.'

'We doen alles om haar familie op te sporen,' verzekerde Zoë haar.

De kleine non staarde naar de acacia, waarvan de takken zich aftekenden tegen de kobaltblauwe lucht. 'Wat mannen kinderen toch kunnen aandoen! Ons gebod zegt genadig te zijn. Maar dit... Ik durf het bijna niet te zeggen, maar ik wil wraak. Ik hoop dat jullie die man kunnen oppakken en gevangenzetten.'

Zoë keek haar aan. 'We krijgen hem wel,' beloofde ze.

Terug op het kantoor van de CILA probeerde Zoë zich te buigen over een bepaling in het Britse bewijsrecht waar de Zambiaanse gerechtshoven nog over moesten beslissen, maar in feite dacht ze alleen maar aan het mailtje van haar vader. Ze zat in de val en dat wist ze maar al te goed: ze moest reageren en kon zijn uitnodiging niet afslaan. Dan zou ze immers alle goodwill verspelen die ze had opgebouwd tijdens het etentje met hem en Sylvia in Zuid-Afrika ter afsluiting van haar stageperiode.

Ze zat bij het raam en peinsde over de tegenstrijdigheden in hun relatie. Elf jaar geleden had hij haar verraden met een kus en was ze van hem weggelopen, totdat ze besefte dat ze slechts de vlieger was aan het touwtje dat hij nog altijd in handen had. Ze kon nog niet beschikken over haar eigen liefdadigheidstrust, voortgekomen uit het testament van haar moeder, en de man die het beheerde was een marionet van haar vader. Atticus Spelling, een tachtigjarige vrek uit New York, die de afgelopen jaren veel van haar donaties had gedwarsboomd – uit bezorgdheid over de gebrekkige fiscale discipline van de organisaties die ze wilde begunstigen. Als haar vader niet had ingegrepen, had Spelling de financiering tegengehouden van een aantal kleine non-profits die in zuidelijk Afrika levensreddend werk verrichten, waaronder Special Child Advocates en kindertehuis St.-Franciscus. Zoë haatte deze kunstgreep, maar tot haar dertigste had ze geen keus.

Om vijf uur stuurde ze haar vader eindelijk een mailtje waarin ze zijn uitnodiging aannam. Daarna verliet ze het kantoor en stapte in haar Land Rover. Ze bleef nog even voor zich uit zitten staren voordat ze de motor startte. Ze zag de lavendelkleurige bloesem van de palissanderbomen dansen in de wind en probeerde niet aan vrijdagavond terug te denken. Even later startte ze de suv en reed ze het verkeer in over Independence Avenue richting Kabulonga.

Voor het appartementencomplex begroette ze de bewaker bij de poort en parkeerde haar wagen naast een haag van paradijsvogelplanten. Thuis in haar appartement wierp ze haar rugzak op de bank en liep naar de slaapkamer om haar badpak aan te trekken. De lucht was frisjes in de schemering, het water van het zwembad zou ijskoud zijn, maar daar kon ze wel tegen: ze had haar hele jeugd in de Noord-Atlantische Oceaan gezwommen.

De tuin was verlaten toen ze er aankwam. Over het zwembad lag een blauwe gloed, het wateroppervlak was bezaaid met verwaaide palissanderbloesem. Ze legde haar iPhone op een ligstoel en trok haar t-shirt en shorts uit. Met haar duikbril op nam ze een vlakke duik in het water. De kou omgaf haar lichaam, hamerde op haar zenuwen en benam haar de adem, maar ze zette het ongemak om in snelheid, het water bewegend met de kracht waarmee ze zich in haar studietijd had gekwalificeerd voor de zwemkampioenschappen van Stanford.

Na twintig baantjes hees ze zich uit het water. Gezeten op de rand van het bad genoot ze van de laatste zonnestralen. Een jeugdherinnering kwam naar boven, van toen ze veertien was. Haar moeder stond op het strand achter hun huis op de Vineyard en droeg een blauw-witte sjaal, die wapperde in de straffe wind. Wolken doemden op vanuit het zuiden, het wateroppervlak van de Eel Pond werd donkergrijs. De warme handdoek die haar omgaf toen ze uit het water kwam. De eerste druppels die vielen toen ze het huis in rende. De bliksem die knetterde in de lucht, het gedonder dat boven hen losbarstte. De lach van haar moeder, die klonk als de versierde noten in een refrein. Het was Catherines laatste dag op de Vineyard voordat ze naar Somalië vertrok.

Terwijl een schaduw over het zwembad kroop, droogde Zoë zich af en liep terug naar haar appartement, nadenkend over het avondeten. Net toen ze binnen was, ging haar iPhone. Het was Joseph.

'Mariam zei dat ik je moest bellen,' begon hij. 'Een vrouw in Kabwata heeft een verstandelijk gehandicapt meisje als vermist opgegeven. Ze noemde zich een vriendin van de moeder.'

Zoë vergat onmiddellijk haar honger. 'Ga je erheen?'

'Ik ben op vijf minuten rijden van je appartement.'

'Dan wacht ik bij de poort.'

De politie van Kabwata had een adres opgegeven aan Chilimbulu Road, niet ver van East Point, een trendy discotheek die bekendstond als springplank naar roem voor onbekende Zambiaanse bands. Ze parkeerden bij een complex van hoge flatgebouwen, en Joseph liep voor Zoë uit naar een appartement op de begane grond. De deur stond op een kier en toonde een glimp van de woonkamer. Een man van ongeveer Zoë's leeftijd lag op de bank tv te kijken, terwijl twee meisjes – het ene jongvolwassen, het andere nog een kind – en een vrouw in chitenge bij het fornuis in de keuken stonden. Het rook er sterk naar gekookte groenten en *nshima* – Zambiaanse maïs.

De man deed open nadat Joseph had aangeklopt. Eerst keek hij naar Joseph, daarna naar Zoë. Met haar duimen in de zakken van haar jeans beantwoordde ze zijn blik.

'Kabuta is mijn naam,' zei Joseph in het Engels. 'Ik ben op zoek naar Priscilla Kuwema.'

'Wat komt u hier doen?' vroeg de man met een zwaar Bembaans accent.

'Ik wil haar spreken,' antwoordde Joseph.

'En die muzungu?'

'Die hoort bij mij.'

De man haalde zijn schouders op, riep naar de vrouw en ging weer op de bank liggen. De vrouw keek verrast op en zei iets tegen de meisjes. Daarna liep ze naar de voordeur, haar gezicht in de plooi.

'Bent u Priscilla Kuwema?' vroeg Joseph.

De vrouw knikte langzaam.

'Klopt het dat u bij het politiebureau van Kabwata iemand als vermist heeft opgegeven?'

'Ja.'

Joseph pakte zijn camera en liet een foto van het meisje zien. De vrouw staarde naar het plaatje en richtte haar blik op de vloer. 'Waar is ze?' vroeg ze beschaamd.

'Op een veilige plek.'

'Wat is er gebeurd?'

'Twee dagen geleden hebben ze haar in Kanyama gevonden.'

De vrouw keek om naar de man op de bank.

'Is dat uw man?' vroeg Joseph.

'Nee, nee,' antwoordde ze nerveus. 'Mijn man zit in Kitwe. Hij werkt in de mijnen.'

Joseph trok zijn wenkbrauwen op. 'Ik heb een paar vragen voor u. Kunnen we even plaatsnemen?'

De vrouw aarzelde maar stemde toen toch in. Op verontschuldigende toon zei ze iets tegen de man. Hij reageerde boos en gaf haar op scherpe toon een verwijt terug. De vrouw liet haar hoofd hangen en haar reactie klonk Zoë als een smeekbede in de oren. De man keek haar dreigend aan en liep stampend naar buiten, tegen Zoë's schouder botsend.

'Het spijt me.' De vrouw zag er verslagen uit. 'Hij is een... neef. Hij denkt dat hij hier woont.'

Ze slaakte een diepe zucht, gebaarde naar de bank en bood water en bier aan.

'Een flesje Mosi zou er wel in gaan,' antwoordde Joseph. 'Ik zal het kort houden.'

'Water alstublieft,' zei Zoë toen de vrouw naar haar keek.

Even later kwam ze terug met een biertje en een flesje water, beide gekoeld. Ze ging op de bank zitten, legde haar handen in haar schoot en stak van wal.

'Ik liep met mijn... neef naar de markt. Bright, mijn oudste dochter, heeft een vriendje die ook in dit gebouw woont. Hij was hier op bezoek. Gift, mijn jongste dochter, was er ook. Kuyeya – zo heet het meisje – zat in de achterkamer. Bright beweert dat ze hooguit een minuutje met haar vriendje is weg geweest. Ik weet niet of ik haar kan geloven. Soms gaan ze even weg. Gift vertelde me dat ze op straat ging spelen. Ik begrijp niet waarom ze Kuyeya niet heeft meegenomen. Normaal doet ze dat wel.' De vrouw trok haar schouders op. 'De deur stond open toen ik thuiskwam. Kuyeya moet naar buiten zijn gegaan.'

'Hoe laat was dat?' vroeg Joseph.

'Rond zeven uur 's avonds. Na het eten.'

'En het was al donker,' zei Zoë ter verduidelijking, terwijl ze onderzoekend om zich heen keek. Achter de woonkamer en de keuken zag ze een gangetje met drie deuren, alle drie gesloten.

De vrouw knikte. 'Niemand van de buren heeft haar gezien.'

'Waarom woont Kuyeya bij u?' vroeg Zoë.

De vrouw meed haar blik. 'Haar moeder is twee jaar geleden overleden. Ze heeft verder niemand.'

Zoë wisselde een blik uit met Joseph en onderdrukte haar frustratie. 'En haar vader?'

De vrouw haalde haar schouders op. 'Geen idee.'

'Kuyeya heeft een lichte huid.'

'Net als Bella, Kuyeya's moeder.'

'Waaraan is Bella gestorven?' informeerde Zoë.

De vrouw wreef nerveus in haar handen. '*Va banthu*. Ze werd ziek en is nooit beter geworden. Ik weet het niet.' Ze keek naar de keuken. 'Excuses,' zei ze, waarna ze wegliep om in de nshima te roeren.

'Die vrouw vertelt ons niet alles,' fluisterde Zoë tegen Joseph.

'Waarschijnlijk heel veel niet,' antwoordde hij. 'Maar we moeten op het juiste spoor blijven. We zijn hier niet om over de moeder van het meisje te praten.'

Hij wachtte totdat de vrouw weer ging zitten en nam het gesprek over. 'Wat deed u toen u ontdekte dat Kuyeya weg was?'

De vrouw knipperde met haar ogen. 'Eerst vroeg ik mijn dochters waar ze was. Daarna alle bewoners van deze flat.'

'Bent u op straat gaan zoeken?'

Ze knikte. 'Natuurlijk.'

'Waar zou ze heen gegaan kunnen zijn?'

De vrouw schudde haar hoofd. 'Kuyeya is geen gewoon kind. Ik begrijp haar niet.'

'Heeft ze vriendjes in de buurt?'

'Nee. Ze zat meestal op haar kamer.'

'En uw neef,' vroeg Zoë, 'heeft hij vrienden in de buurt?'

De vrouw kneep haar ogen toe. 'Die weet van niets.'

Daarmee bedoel je precies het tegenovergestelde, dacht Zoë. 'Wat doet hij voor de kost?'

'Wat belangrijker is,' interrumpeerde Joseph, 'in wat voor soort auto rijdt hij?'

'Hij rijdt in een jeep,' antwoordde de vrouw. 'Een rode Toyota.'

'Kent u iemand met een zilverkleurige suv?'

De vrouw dacht even na. 'Ik geloof van niet.'

Dit was het moment waarop Joseph haar vertelde wat er was gebeurd. 'Kuyeya is verkracht. Heeft u enig idee wie de dader is?'

De vrouw keek oprecht aangedaan. Ze struikelde over haar woorden.

'Nee. Ik... Ze ging nooit... Hoe gaat het nu met haar?'

'Ze is herstellende.'

De oudste dochter, Bright, kwam er verlegen bij staan en zei iets tegen haar moeder in het Nyanja. Ze keek naar Joseph en Zoë en liep terug naar de keuken.

'Wilt u bij ons blijven eten?' vroeg de vrouw.

'Nee, dank u wel,' antwoordde Joseph. 'Bent u morgen thuis?'

Ze knikte.

'Dan kom ik terug.'

'Ze liegt over die neef,' zei Zoë meteen toen ze in de pick-up zaten. Ze bestudeerde in het donker zijn gezicht en vroeg zich af of hij bereid was zijn gedachten met haar te delen.

'Daar liegt ze inderdaad over,' zei hij. Hij schakelde en reed Chilimbulu Road op. 'Maar niet omdat hij iets met de verkrachting te maken heeft. Waarschijnlijk woont ze met hem samen. Ik vermoed dat ze ook over haar man liegt. Ik vraag me af of ze getrouwd is. Ze droeg geen ring en ik zag nergens foto's van een man.'

'Hoe weet je zo zeker dat die neef er niet bij betrokken is?'

'Pas op het einde van het gesprek begon ik over de verkrachting. Ze had geen reden om te liegen toen ze zei dat ze met hem naar de supermarkt was gegaan. Ook over zijn auto loog ze niet. Toevallig heb ik die rode jeep op de parkeerplaats zien staan toen we aankwamen. Het is waarschijnlijk dat het meisje, Kuyeya, gewoon de straat is op gegaan zoals de vrouw het vertelde.'

Zoë tuitte haar lippen. 'Dan zijn we geen stap dichter bij de dader.'

Joseph keek vluchtig naar haar om. 'Morgen zien we verder.'

'Mag ik met je mee?' vroeg ze gretig.

Hij wachtte even met zijn antwoord. 'Je hebt een goede intuïtie. En ik wil de buren spreken. Misschien kun jij dan mevrouw Kuwema uithoren over de moeder van het meisje.'

'Ik dacht dat ze er niet toe deed,' zei Zoë met een grimas.

Hij trok zijn schouders op. 'Dan heb je wat te doen.'

'In plaats van jou in de weg te zitten?'

'Precies.'

4

DINSDAG GING ZOË EEN UURTJE EERDER naar haar werk, via een omweg door Libala en Kabwata. Ze had een voorgevoel. Die nacht had ze slecht geslapen, geplaagd door dromen, die deels gebaseerd waren op herinneringen, deels op angsten – over de jongeman met de bandana en zijn bende branieschoppers en over Priscilla Kuwema en het meisje zonder familie. Toen ze wakker werd, zette ze het gebeurde in Kanyama uit haar hoofd en concentreerde ze zich op Priscilla en het kind. Het gedrag van de vrouw, hoe ze de man een 'neef' had genoemd en het achterkamertje van Kuyeya deden broeierige geheimen vermoeden.

Langzaam reed ze over Chilimbulu Road en parkeerde in de berm. Om halfacht 's ochtends waren er al zwermen voetgangers op de been – mannen die beltegoed verkochten, opgeschoten jongens achter winkelwagens volgeladen met blikjes, kinderen in uniform op weg naar school, moeders in chitenge met een baby op de rug. Ze werd benaderd door verschillende straatventers, maar negeerde hen en richtte haar aandacht op het appartementengebouw waar Priscilla Kuwema woonde. Ze wist niet wat ze zocht, maar had het gevoel dat de ochtend een ander verhaal vertelde dan de avond.

Aan de rand van het parkeerterrein stond een rode jeep. Ze noteerde het kentekennummer op haar iPhone en maakte foto's. Het vier verdiepingen tellende gebouw was opgetrokken uit gewapend beton en had een open trappenhuis en balkons waar nauwelijks een waslijn kon hangen. De ramen gingen schuil achter luiken en tralies, maar hier en daar kon Zoë naar binnen kijken. Bij het trappenhuis stond een groepje mannen te roken.

Een minuut later liep een meisje met een mand om haar schouder op de mannen af. Een van hen gaf haar geld, waarop het meisje een vettige zak uit haar mand haalde. Frita's, vermoedde Zoë. Daarna klopte het meisje aan bij Priscilla Kuwema. Zoë zette haar iPhone in de camerastand en zoomde in. Ze hoopte dat de neef zou opendoen. In plaats daarvan verscheen er een andere man in een hemd en een gekreukte broek. Met knipperende ogen keek hij naar het meisje, wrijvend over zijn stoppelbaard. Even later verscheen Priscilla Kuwema in de deuropening. Ze droeg een minirokje en een strak T-shirt. Ze gaf het meisje enkele biljetten, nam zes zakken aan en sloot de deur.

Zoë speelde het filmpje af. Aan de kleding van de man te zien had hij de nacht in het appartement doorgebracht. Had hij met Priscilla Kuwema geslapen? Zo ja, wie was dan die neef? En waarom had de man niet voor de frita's betaald?

Een kwartier later verliet de man enigszins gefatsoeneerd het appartement. Hij stapte in een bestelbus en reed weg. Even later ging de deur weer open en kwam de neef naar buiten met een mooi meisje achter zich aan. Hij droeg een roze overhemd en een spijkerbroek, het meisje was zwaar opgemaakt en droeg een blouse met een open kraag en hoge hakken. Ze kusten elkaar naast de rode jeep. Daarna reed de man weg en flirtte het meisje met de kettingrokers, een glimlach in ruil voor frita's.

Toen er een derde, wat oudere man samen met een schaars geklede vrouw uit het appartement kwam, bedacht Zoë dat het raadsel van Priscilla Kuwema twee oplossingen kon hebben: ze woonde ofwel samen met huisgenoten die regelmatig amoureus bezoek kregen, of ze was een *mahule* – een prostituee.

Zoë keek op haar horloge. Het was acht uur geweest. Ze had nog vijf minuten voordat ze moest vertrekken naar kantoor. Ze keek de straat in zag de frita-verkoopster afgaan op een motorrijder. Ze stapte uit, deed haar auto op slot en liep door de kluwen van voetgangers. Nadat de motorrijder was vertrokken stapte ze met geld in haar hand op het meisje af.

'*Muli bwange*,' zei ze.

Het meisje glimlachte met haar ogen. '*Ndili bwino. Kaya inu?*'

'*Ndili bwino*,' zei Zoë. 'Spreek je Engels?'

'Een beetje.'

'Voor vijftig pin koop ik een zakje frita's en vraag ik je antwoord te geven op een paar vragen.'

'Oké,' antwoordde het meisje.

'Ken je Priscilla Kuwema?'

Het meisje keek licht geschrokken. Zoë wees naar het appartement van de vrouw.

Het meisje trok een bedenkelijk gezicht. Ze tuurde de straat in. 'Zij zich anders noemen.'

Zoë bleef neutraal. 'Hoe noemt ze zich dan?'

'Doris.'

'Waarom gebruikt ze niet haar eigen naam?'

Het meisje slaakte een diepe zucht. 'Ik weet niet.'

Zoë schoof de biljetten weer in een broekzak. 'Als je met mij zaken wilt doen, moet je de waarheid vertellen.'

Het meisje aarzelde. 'De mannen,' zei ze, 'noemen haar Doris.'

'Waar is haar man?'

Het meisje tuurde naar de grond. 'Zij geen man hebben.'

'Wie zijn de mannen?'

Het meisje keek angstig. Ze gaf Zoë een zak met frita's. 'Zij uit de bar komen.'

'Is Doris een mahule?'

Het meisje knikte. 'Ik moeten gaan. Alstublieft.'

Zoë betaalde het meisje en liep terug naar de Land Rover, denkend aan de vele mogelijkheden. Was de moeder van Kuyeya ook een prostituee? Had ze in het appartement bij Priscilla Kuwema gewoond, bij Doris? Hoeveel klanten van Doris kenden Kuyeya? Was een van hen een pedofiel? Als Doris inderdaad een mahule was, waarom had ze Kuyeya dan zo snel bij de politie als vermist opgegeven? Joseph had gelijk en ongelijk. Doris wist niets van de verkrachting, maar het was ook zo dat de moeder van Kuyeya nauwelijks een rol in het onderzoek speelde.

Zoë arriveerde een paar minuten voor de stafvergadering op het kantoor van de CILA. Ze zocht naar Joseph, maar zag hem niet. Ze sloeg zich door de vergadering en de ochtend heen, zich bewust van de stapel werk die voor haar lag, maar volledig in beslag genomen door het raadselachtige geval van Kuyeya. Rond het middaguur vroeg Sarge hoe ver ze was met haar onderzoek naar het Britse recht. Improviserend gaf ze een overzicht, maar zelfs haar bijna feilloze opsomming van precedenten verhulde haar gebrek aan voortgang niet.

Sarge trok een wenkbrauw op. 'Ik wil het toch echt vandaag hebben.'

'Om vier uur vanmiddag ligt het op je bureau,' beloofde ze.

Ze ging achter haar laptop zitten en zette haar juridische brein in werking. Om vijf voor vier printte ze het verslag uit en legde de uitdraai op het bureau van Sarge, wijzend op haar horloge. Sarge was telefonisch in gesprek, maar bevestigde met een knikje de ontvangst. Ze haalde een glaasje water uit de keuken en liep terug naar haar bureau, waar ze Sarge hoorde bladeren. Ze voelde haar iPhone trillen.

'Het is Joseph,' riep ze naar Sarge. 'Ik neem buiten op.'

'Is goed,' antwoordde Sarge afwezig. 'Is goed...'

Ze beantwoordde het telefoontje bij een pergola die begroeid was door bloeiende klimplanten.

'Ik ben bijna bij het kantoorgebouw,' zei Joseph. 'Heb je tijd?'

'Je timing is perfect,' antwoordde ze, terwijl ze naar de poort liep. Ze stak de straat over en stapte in zijn truck. 'Ik heb een verrassing voor je.'

Hij keek over de rand van zijn zonnebril. 'Ik ben benieuwd.'

'Vanochtend voor ik naar mijn werk ging, heb ik een filmpje opgenomen.' Ze pakte haar iPhone en speelde het af. 'De vrouw werkt onder de naam Doris. Haar klanten komen uit bars. Ik heb gesproken met een meisje dat frita's verkoopt. Doris is haar beste klant.'

'Dat verandert de zaak,' zei Joseph. 'Misschien is de dader een klant van haar.'

Ze knikte. 'Doris heeft iets uit te leggen.'

Joseph voegde zijn truck in het verkeer op Church Road. 'Je hebt nuttig werk geleverd. Goed gedaan!'

Zoë greep haar kans en zei: 'Nog één ding. Ik zou Priscilla het liefst onder vier ogen willen spreken.'

Joseph nam de tweebaansrotonde bij het Zambiaanse hooggerechtshof en scheurde oostwaarts naar Nationalist Road. Zoë drong niet verder aan en liet hem zelf de beslissing nemen.

'Misschien praat ze inderdaad gemakkelijker met een vrouw,' zei hij. Hij wees naar haar telefoon. 'Kun je dat gesprek opnemen?'

'Met of zonder haar toestemming?'

Hij lachte. 'Ik wil geen getuige van je maken. Ik wil alleen maar weten wat ze zegt.'

Tien minuten later klopte Joseph aan bij Doris. Toen hij geen antwoord kreeg, klopte hij opnieuw, deze keer aanhoudender. Een oude vrouw keek vanaf een balkon op de derde verdieping op hem neer, maar trok zich terug toen Zoë haar zag. Joseph tikte met zijn voet, werd ongeduldig. Op dat moment zag Zoë twee schoolgaande kinderen, een jongen en een meisje, naar het trappenhuis lopen.

'Mag ik jullie wat vragen?' vroeg ze hun. 'Weten jullie of Doris thuis is?'

Het jongetje giechelde. Hij keek naar het meisje en zei iets in het Nyanja.

'Wat zegt hij?' vroeg Zoë aan Joseph.

'Ze hebben het over een dier, een soort civetkat. Zo'n beest dat 's nachts op jacht is en overdag slaapt.' Hij streek de jongen over zijn bol. '*Zikomo*,' zei hij, waarna de kinderen kwebbelend doorliepen naar het trappenhuis.

Opnieuw klopten ze bij Doris aan. Na een tijdje hoorden ze geschuifel van voeten en werd de deur op een kier gezet, waarin het gezicht van Bright verscheen. Het meisje droeg een pyjamabroek en een t-shirt. Ze keek bang. Joseph zei iets in het Nyanja.

'Haar moeder ligt in bad,' vertaalde hij voor Zoë. 'Waarom wacht je hier niet even? Ik ga een wandelingetje maken om wat vragen te stellen aan buurtbewoners.'

'*Muli bwange?*' zei Zoë toen Bright opendeed.

'Het gaat wel,' antwoordde het meisje terwijl ze naar de bank wees. 'Ga zitten.'

Nadat Bright was vertrokken, nam Zoë plaats en keek om zich heen in de kamer. De meubels waren eenvoudig en netjes. Bij de bank stond een bijpassende stoel. Op de vloer lagen geweven tapijten, voor het raam hingen gordijnen. Naast de deur hing een boekenplank met half versmolten kaarsen en uit hout gesneden jachtdieren ter decoratie. De muren waren kaal, op het ebbenhouten ceremoniële masker na dat boven de deur hing.

Eindelijk kwam Doris binnen en begroette Zoë met een nepglimlach. In haar traditionele chitenge-jurk leek ze nauwelijks op de verleidster die die ochtend zes zakken frita's had afgenomen. 'Waar is de agent?' vroeg ze.

'Die staat buiten te praten met de buren. Ik wilde u alleen spreken.'

Doris hield haar hoofd schuin. 'Wilt u een kopje thee?'

'Graag,' antwoordde Zoë.

Doris liep naar het fornuis en vulde de waterketel. 'Komt u uit Amerika?'

'Uit New York,' antwoordde Zoë.

'Ach,' klonk Doris' bijna weemoedige reactie. 'Dan moet Lusaka een dorp voor u zijn.'

Zoë trok haar schouders op. 'Hier kun je 's nachts de sterren zien.'

Ze praatten over koetjes en kalfjes tot de thee getrokken was. Doris gaf Zoë een mok en zakte in haar stoel. Zoë tastte in een binnenzak van haar colbert naar haar iPhone en startte de opname.

'Mevrouw Kuwema,' begon ze, 'ik hoop dat u beseft dat ik hier niet ben om onderzoek naar u te doen. Ik ben hier om na te gaan wat er met Kuyeya is gebeurd. Ik heb uw hulp nodig om haar verkrachter op te sporen.'

Doris knikte nerveus.

'Ik weet hoe u aan de kost komt,' zei Zoë, op gedempte toon om deze mededeling minder hard te laten aankomen. 'Ik weet dat u zich Doris noemt. Ik weet dat de man die hier gisteravond was niet uw neef is. Vanochtend heb ik mannen hier zien weggaan, en ook andere vrouwen.'

Doris staarde Zoë aan.

'Ik wil u niet in moeilijkheden brengen,' ging Zoë verder. 'Maar wél dat u zo exact mogelijk antwoord op mijn vragen geeft, zonder iets te verzwijgen. Bent u daartoe bereid, voor Kuyeya?'

De daaropvolgende stilte hield aan tot het onprettig werd. Toen Zoë op het punt stond haar verzoek te herhalen, nam Doris zacht en op vlakke toon het woord. 'Ik zal u vertellen wat ik weet.'

Zoë blies haar ingehouden adem uit. 'Mooi. Hoe oud is Kuyeya?'

Doris trok haar schouders op. 'Een jaar of dertien, veertien. Ik weet het niet precies.'

'Wanneer heeft u Bella voor het eerst ontmoet?'

Doris tuurde naar het plafond. 'Het was winter, in het jaar dat Chiluba werd gearresteerd.'

Zoë dacht hier even over na. Frederick Chiluba, de eerste Zambiaanse president sinds de invoering van het meerpartijenstelsel, was door zijn opvolger Levy Mwanawasa beschuldigd van corruptie en werd vervolgd – een gebeurtenis die het Zambiaanse patronaatssysteem op zijn grondvesten had doen schudden. Ze groef in haar geheugen naar het jaartal. 'Was dat in 2004?'

'Klopt.'

'Waar heeft u haar ontmoet?'

Doris legde haar handen in haar schoot. 'Op de Addis Ababa Drive, vlak bij Hotel Pamodzi.'

'U tippelde daar?'

Doris knikte. 'Ze was nieuw. De andere meisjes deden onaardig omdat ze zo mooi was; ze wilden geen klanten verliezen. Ik had met haar te doen. Ze deed me denken aan mijn zusje.'

'Waar woonde ze op dat moment?'

'Weet ik niet. Ik geloof in een flat in Northmead.'

Zoë nam weer een slok thee. 'Trok ze bij u in?'

'Ja. Kort nadat we elkaar hadden leren kennen. Ze hielp me de huur te betalen.'

'Was Bella haar werknaam?'

Doris knikte weer. 'Haar echte naam was Charity Mizinga.'

'Heeft ze u ooit verteld wanneer Kuyeya precies is geboren?'

Doris dacht na. 'Ik geloof dat ze in januari is geboren. Maar ik weet niet in welk jaar.'

'Waar kwam Bella vandaan?'

'Uit de Zuidprovincie. Haar moeder was een Tonga.'

Zoë voelde een sprankje hoop. 'Leven haar ouders nog?'

Doris schudde haar hoofd. 'Die zijn geloof ik overleden.'

'Heeft ze nog andere familieleden?'

'Dat weet ik niet. Ze sprak er nooit over.'

Zoë stuurde het gesprek een andere kant op. 'Wanneer Bella mannen mee naar huis nam, wat deed ze dan met Kuyeya?'

Doris stond op. 'Dat kan ik beter laten zien.'

Zoë liep achter haar aan door de gang naar een kamer aan de rechterkant. De ruimte was leeg op een matras en een ladekast na.

'Deze kamer was van haar,' zei Doris. 'Nu verhuur ik hem aan andere meisjes. Wanneer Bella hier aan het werk was, legde ze Kuyeya in de badkamer. Als ze uitging, mocht Kuyeya weer in deze kamer.'

Op een van de muren zag Zoë dunne krasjes staan, in groepjes van twee of drie. Ze hurkte neer om ze goed te bekijken. De ruimte tussen de streepjes deed vermoeden dat de krasjes met vingernagels waren aangebracht. Ze zag voor zich hoe het meisje de stand bijhield op de muur en dacht terug aan wat Joy Herald had gezegd over het stigma van een gehandicapt kind. De woede die ze daarover voelde, werd in toom gehouden door verdriet.

'Bella was populair bij de mannen,' zei Doris toen ze teruggingen naar de woonkamer. 'Maar ze had altijd geldgebrek. Ze gaf een fortuin uit aan *nganga's* voor Kuyeya.'

Zoë fronste haar wenkbrauwen. Een nganga was een traditionele genezer. 'Waarom ging ze niet naar een gewone arts?'

'Ze geloofde in de nganga's. Ze hielpen ons met soa's.'

'Hebben de mannen die Bella meenam zich ooit... aan Kuyeya vergrepen?'

Doris keek vol afschuw. 'Nee. Het kind was niet beschikbaar.'

Zoë slaakte een zucht. 'We denken dat de verkrachter misschien een klant van u of Bella is geweest. Kunt u zich iemand herinneren die interesse in haar toonde?'

Doris schudde haar hoofd. 'Kuyeya was als een schaduw. Een geest. Wanneer Bella haar in de badkamer legde, gaf ze haar een slaappilletje. De mannen lieten haar met rust.'

Zoë ging achterover in de bank zitten. De levenswijze van Doris en de geschiedenis van Bella waren interessant, maar brachten haar niet op het spoor van een verdachte. Ineens kreeg ze een idee. Het was bizar, meer dan vergezocht, maar ze had geen andere troeven meer.

'Hield u of Bella toevallig een klantenbestand bij?'

Doris keek peinzend voor zich uit en verdween naar de gang, om even later terug te komen met een spiraalblok. 'Bella hield van schrijven,' zei ze, terwijl ze Zoë het blok gaf. 'Ik kan niet goed lezen, maar ik heb het bewaard. Op Kuyeya na was dit haar meest dierbare bezit.'

Zoë bestudeerde het schrijfblok. De kaft was versleten, er zaten ezelsoren aan de bladzijden. Op de achterkant van de kaft had Bella in het Engels geschreven: 'Deel 3: APRIL 2004 –'

'Wanneer is Bella overleden?' vroeg ze zacht.

'In de winter van 2009. In juli, geloof ik.'

Zoë wees naar de tekst op de kaft. 'Hier staat "Deel 3". Zijn er nog meer dagboeken?'

'Dit is het enige wat ik heb gezien.'

'*Zikomo*,' zei Zoë. 'Het spijt me dat ik u moet lastigvallen met zoveel moeilijke vragen.'

'Het leven is moeilijk,' antwoordde Doris. 'Hoe gaat het met het kind?'

'Ze is in goede handen.'

Doris knikte dankbaar. 'Ik ben Bella iets verschuldigd wat ik haar nooit kan betalen.'

'Wat bedoelt u?'

'Vraag dat maar aan haar,' zei Doris met een gebaar naar het schrijfblok. 'Zij zal het u wel vertellen.'

Toen Zoë buiten het appartement stond, hing de zon laag en als gesmolten boven de horizon. Het verkeer op Chilimbulu Road stond praktisch stil. Ze keek op haar horloge en zocht naar Joseph op de drukke weg. Het was bijna halfzes. Hij was nergens te bekennen.

Leunend tegen een spatbord van zijn pick-up stond ze te wachten. Ze zag een groepje jongens achter een voetbal rennen. Een van hen gaf de bal een snelle trap – te snel voor de bedoelde ontvanger, waardoor de bal Zoë's kant op rolde. Ze raapte hem op en wilde de jongens naar Joseph vragen, toen ze hem aan zag komen lopen met een pop en een goedkoop brilletje in zijn hand.

'Waar heb je dat gevonden?' vroeg ze, terwijl ze de bal terug naar de jongens gooide.

'Dat kan ik ook aan jou vragen,' zei hij met een blik op het schrijfblok in haar handen.

'Ik was eerst.'

Hij grinnikte. 'Ik zal het je aanwijzen.'

Ze liep achter hem aan over de weg. Toen het verkeer weer in beweging kwam, ving ze een glimp op van een truck met een groepje jonge Zambianen in groene T-shirts. Ze greep Joseph bij zijn arm en zocht naar de bendeleider met de bandana. Het duurde even voor ze besefte dat het niet hetzelfde voertuig was – de kleur, het model, de chauffeur en de jongens in de achterbak, alles was anders. Haar ontzetting sloeg snel om in irritatie. Niet zo bang zijn, zei ze tegen zichzelf. Ze zijn onschuldig.

'Gaat het?' vroeg Joseph bezorgd.

Ze knikte en liep weer verder. 'Ik zal blij zijn als de verkiezingen voorbij zijn.'

Joseph bracht haar naar de ingang van een ommuurd steegje tussen twee appartementencomplexen. De steeg was doortrokken van bandensporen en lag bezaaid met afval en hondenpoep. 'Hier lag de pop,' zei hij, wijzend naar een kniehoge stapel holle bouwstenen. 'De bril lag ernaast.'

'Die kan van iedereen zijn,' opperde Zoë.

'Dat kan. Maar ik heb een meisje gesproken, een zekere Given, dat hier zaterdagavond om zeven uur een zilverkleurige SUV heeft zien staan. Hij stond precies op deze plek geparkeerd, zei ze. Ik heb navraag gedaan bij andere buurtgenoten, maar niemand claimt de bril. Hij had hier nog dagen kunnen blijven liggen zonder dat iemand hem had gevonden.'

Zoë keek hem indringend aan. 'Heeft Given de chauffeur gezien?'

'Alleen op zijn rug. Ze bevestigde dat hij lang was. Ik liet haar het symbool zien dat Dominic in het zand heeft getekend. Ze herkende het, maar wist niet wat het was.'

'Heeft ze Kuyeya gezien?'

'Nee. De man stapte in. Waarschijnlijk zat het meisje al in de auto.'

Zoë zuchtte. Alweer een getuigenis waar ze niets aan hadden.

Ze liepen terug naar Josephs pick-up, en hij gaf haar de pop en de bril. 'Ik hoop niet dat je haast hebt,' zei hij met een knikje naar het langzaam rijdende verkeer.

Ze schudde haar hoofd. 'Ik wilde nog even gaan zwemmen en dit dagboek lezen.'

Zijn ogen gleden naar het schrijfblok in haar handen.

Ze glimlachte. 'Ik vertel het je onderweg wel.'

Drie kwartier later zat Zoë op een stoel naast het zwembad. Haar huid tintelde na een frisse duik in het koude water. De zon was ondergegaan, het was donker in de tuin, maar de lucht gloeide nog na als sintels in een dovend haardvuur. Met lange halen zoog ze de zoete avondlucht tot diep in haar longen op. Boven in de palissanderboom naast het zwembad floot een rood-borstje een lied.

Zoë opende Bella's dagboek en las de eerste bladzijde, een brief die in het Engels geschreven was.

Beste Jan,
Gisteren weer ruzie met de meisjes. Ze vinden dat ik meer huur moet betalen. Ze luisteren niet als ik zeg dat ik geen geld heb. Kuyeya had koorts en de nganga bracht honderd pin in rekening voor medicijnen. Vorige week had ik al tweehonderd pin betaald. De blaren waren weer opengesprongen, en ik kon niet gaan werken. De meisjes hebben mijn schrijfblok gejat en in de wc gegooid. Er is niets meer van over. Dat is nu het tweede schrijfblok dat ik heb verloren. Eigenlijk zou ik moeten stoppen met schrijven. Maar het is het enige wat ik heb, afgezien van Kuyeya.
Ik heb meer geld nodig. De bars zijn te vol. De mannen betalen minder dan vroeger. Op Addis Ababa verdien je meer. Maar sommige meisjes gaan dood daar. Een meisje vertelde me over Johannesburg. Ze maakte video's en verdiende twee miljoen kwacha. Maar ik ben niet meer zo mooi als vroeger. Ik ben ouder en ziek. Soms droom ik dat ik doodga. Maar hoe moet dat dan met Kuyeya? Ik moet op zoek naar een andere woning.

Zoë sloeg de bladzijde om en vond nog een brief:

Beste Jan,
Gisteren ben ik naar Addis Ababa gegaan. Mannen blijven stilstaan om met me te praten. Een van hen was blank. Hij klonk Brits. We deden zaken in de auto. Het was pijnlijk, maar hij betaalde honderd pin. Later vroeg een gekleurde man of ik mee naar het Intercontinental wilde gaan. Hij gaf de conciërge een fooi en nam me van achteren. Er was nog een gekleurde man in zijn kamer. Ze deden me pijn en alleen een van hen heeft betaald.
Ik haat de straat. Maar Kuyeya moet geopereerd worden. Haar ogen zijn slecht. Ik liep naar het Pamodzi, op zoek naar een andere klant. Er stonden een paar meisjes. Ze scholden me uit en joegen me weg. Een van hen sloeg me met haar tas. Ik ging naar het Ndeke Hotel, waar ik door een oude man werd opgepikt. Hij vertelde dat hij uit Kinshasa kwam. Hij was vies, maar tenminste aardig.

Op de volgende pagina vond Zoë een derde brief aan 'Jan'. De brief leek op de eerste twee – een weeklacht over armoede, ziekte en geweld –, maar nu woonde Bella bij Doris. Kuyeya was weer ziek, deze keer had ze uitslag in haar gezicht. Een klant had haar om onbeschermde seks gevraagd en ze had daarmee ingestemd, maar hij had haar de condoomprijs betaald en geslagen toen ze daartegen protesteerde. Een andere klant, een van haar vaste, was de nacht bij haar gebleven en werd wakker met een verschrikkelijke kater. Toen hij Kuyeya's uitslag zag, schreeuwde hij naar haar en maakte het kind doodsbang.

Zoë las door tot ze het niet meer kon verdragen. Op elke bladzijde stond een ongedateerde brief, allemaal gericht aan ene Jan. Elke brief was op dezelfde zakelijke toon geschreven en meldde telkens dezelfde deprimerende berichten. Bella beschreef haar klanten in plaats van ze bij naam te noemen. Onder hen waren de 'vrachtwagenchauffeur uit Nairobi', de 'man in pinguïnpak', de 'jongen van AirTel', de 'man die dubbel betaalde voor de hele avond', en de 'minister die president wil worden'. Jan zelf bleef een mysterie. De enige onthullende verwijzing in de eerste tien brieven was een opmerking over *Mosi-oa-Tunya* – de Victoriawatervallen.

Ze ging naar binnen en warmde de restjes van de lunch van de dag daarvoor op: nshima en *ndiwo*, een pikant gerecht van pinda's, bonen en groene kool. Ze zette het voedsel op de eettafel, ontkurkte een fles Zuid-Afrikaanse pinotage en stak een kaars aan. Daarna zette ze muziek van Johnny Cash op en legde het schrijfblok naast zich neer. Ergens in de macabere aantekeningen van Bella lag een aanwijzing, Zoë wist het zeker.

Ze zou doorlezen tot ze die had gevonden.

5

WOENSDAGOCHTEND REED ZOË VOL INSPIRATIE naar kantoor. Haar bestudering van Bella's schrijfsels had geen enkele aanwijzing over een verdachte opgeleverd, maar de handgeschreven brieven gaven wel een opmerkelijk kijkje in Bella's verleden. Hoe meer ze erin had gelezen, hoe sterker ze ervan overtuigd was geraakt dat de open plekken in het verhaal van deze vrouw een licht op het onderzoek konden werpen.

Om negen uur kwam het responsteam in de vergaderzaal bijeen. Joseph legde de pop en de bril op de tafel, Zoë plaatste het schrijfblok ernaast.

'Er lijkt vooruitgang te zijn geboekt,' merkte Mariam op. 'Praat ons bij.'

Zoë keek naar Joseph, en tot haar verbazing gaf hij haar een knikje dat zei: begin maar.

Nadat ze haar gedachten had geordend, gaf ze het team een samenvatting van de gesprekken met Doris, de ontdekking van de pop en de bril en de vondst van een tweede ooggetuige, Given. Joseph vulde haar aan, maar liet het verhaal aan haar over.

Aan het einde van haar verslag hield Zoë het schrijfblok omhoog. 'In de laatste vijf jaar van haar leven heeft Bella 181 brieven geschreven aan een zekere Jan. Ze schrijft over het slechter worden van haar gezondheid, haar wanhopige pogingen om voor Kuyeya te zorgen en haar werk als prostituee. Joseph en ik houden het voor mogelijk dat Kuyeya met voorbedachten rade is verkracht. Als dat zo is, zijn de klanten de eerste verdachten. Helaas noemde Bella geen namen. Ze schreef in een codetaal over haar klanten. Bovendien heeft ze geen klant beschreven die iets met haar dochter wilde.'

Ze toonde de aanwezigen de binnenkant van de kaft. 'Dit schrijfblok is

het derde deel. Het eerste deel is blijkbaar zoekgeraakt, het tweede is vernietigd. We weten niets over Bella's leven van vóór april 2004. Bij gebrek
aan een betere oplossing, stel ik voor zelf de open plekken in te vullen. Ik
heb het vermoeden dat Bella ons kan leiden naar de man die haar dochter
heeft verkracht.'

Na een stilte nam Niza als eerste het woord. 'Ik heb die brieven nog niet
gelezen, maar ik vind het vreemd om in Bella's verleden naar een verdachte
te zoeken.'

'Mee eens,' zei Zoë. 'Maar als mijn vermoeden onjuist blijkt, leidt mijn
onderzoek in ieder geval wel naar een vaststelling van Kuyeya's leeftijd.'

Tot nog toe had Sarge zich achterovergeleund afzijdig gehouden. Toen
haar leeftijd werd genoemd, veerde hij op. Anders dan verkrachting van
een volwassene, was 'defilement' een kwestie van 'strikte aansprakelijkheid',
wat inhield dat de aanklager geen toestemming nodig had om te vervolgen
als was aangetoond dat het slachtoffer jonger dan zestien jaar was.

'Leg dat eens uit,' vroeg Sarge aan Zoë.

Zoë knikte. 'Bella schrijft opmerkelijk weinig over haar jeugd, maar het
is duidelijk dat ze is opgegroeid in de omgeving van Livingstone. Ze heeft
het over de Victoriawatervallen en het dorp van haar grootmoeder. Ook
schemert door dat ze voor verpleegkundige heeft gestudeerd. Het Algemeen Ziekenhuis van Livingstone verzorgt een verpleegkundeopleiding.
Volgens Doris zijn Bella's ouders waarschijnlijk overleden. Maar we kunnen
vast wel een familielid opsporen dat weet wanneer Kuyeya is geboren.'

Niza schudde haar hoofd. 'Zonder een verdachte in hechtenis heeft vaststelling van haar leeftijd geen zin. Het kan weken duren voordat je haar familie hebt opgespoord, en dan ben je nog geen stap verder.'

Zoë's ogen schoten vuur. 'Als we niets doen komen we helemaal niet verder.'

Mariam leek sceptisch. Ze richtte zich tot Joseph. 'Wat denk jij?'

'Daar zit wel iets in,' zei Joseph. 'Maar laten we een reisje naar Livingstone
nog even uitstellen.'

Zoë fronste haar wenkbrauwen. 'Heb je een beter idee?'

'Niet beter,' antwoordde hij. 'Maar wel urgenter.' Uit zijn zak viste hij zijn
digitale camera. 'Deze foto heb ik onderweg genomen,' zei hij toen hij haar
de camera gaf.

Zoë keek naar het plaatje op het scherm. Een zwarte bmw bij een hoog
hek. Vaag op de achtergrond was het logo van de British High Commission
te zien.

'Kijk eens boven de bumper,' zei hij.

Zoë's hart begon te bonzen. Naast de nummerplaat stond een logo met een hemelsblauwe wimpel en een X in het midden. De X was geen letter uit het alfabet, maar een plaatje van twee golfstokken kruislings over elkaar. Daaroverheen drie transparante letters: LGC.

'De Lusaka Golf Club,' zei ze zacht.

'Laat mij eens zien,' vroeg Niza. Ze pakte de camera uit Zoë's hand en staarde naar het schermpje, terwijl Sarge en Mariam om haar heen kwamen staan. 'Hoe weet je zo zeker dat dit het juiste symbool is?'

'Ik zal het door onze getuigen laten bevestigen,' antwoordde Joseph.

'Ga je een kijkje nemen bij de golfclub?' vroeg Zoë.

Joseph knikte.

'Mag ik mee?'

Hij glimlachte. 'Hoe meer zielen, hoe meer leut.'

Ze lachte. 'Je bedoelt "vreugd".'

Hij rolde met zijn ogen. 'Ook goed.'

Zoë wilde graag mee met Joseph naar Kanyama om Dominic te ondervragen over de autosticker, maar de gedachte aan de bendeleider met de bandana weerhield haar. Zolang de verkiezingstijd nog niet voorbij was, zette ze geen voet meer in de compounds. Nadat ze met Joseph een afspraak om twaalf uur had gemaakt, stapte ze in haar Land Rover, met de pop en de bril op de stoel naast haar. Als deze voorwerpen van Kuyeya waren, moest ze die aan haar teruggeven.

De rit naar het kindertehuis duurde een halfuur. Ze parkeerde de auto in de donkerrode schaduw van de kerststerstruik en zag zuster Anica in de passage van het binnenplein zitten. 'We boeken vooruitgang,' zei ze, en ze gaf de zuster de stand van zaken van het onderzoek. 'Ze heet Kuyeya.'

'Zo spreek jíj het uit,' antwoordde Anica. 'Maar zuster Irina zegt "Kuwia".'

Zoë wilde meteen alles weten. 'Is ze gaan praten?'

'Een beetje. Kom, ze zitten in de tuin.'

Zoë liep achter de non aan onder een pergola met bougainvilles door naar een keurig gazon dat omzoomd werd met nog jonge planten en kruiden. Ze zag het meisje rustig wiegend op een bankje naast zuster Irina.

'Ze kan hier uren zitten,' zei zuster Anica. 'Het is haar lievelingsplek.'

Zoë dacht terug aan de krassen in de flat van Doris. Nu leer je kijken bij daglicht, dacht ze. 'Heeft ze nog pijn?'

'Ze krijgt pijnstillers,' antwoordde de non, 'maar ze zal voorlopig nog niet kunnen rennen.'

Ze begroetten zuster Irina, waarna Zoë naast Kuyeya op het bankje ging zitten. 'Hallo,' zei ze, zich afvragend of ze wel Engels verstond. 'Weet je nog wie ik ben?'

Kuyeya perste haar lippen op elkaar en maakte het geluid van een leeglopende ballon.

'Dat doet ze altijd als ze blij is,' legde zuster Irina uit.

'Hoi, Zoë,' zei Kuyeya spontaan, op vlakke toon en een beetje slissend.

'Ik heb haar jouw naam geleerd,' legde zuster Irina uit. 'Ze vindt het leuk om die uit te spreken.'

Zoë lachte. 'Ik heb een cadeautje voor je, Kuyeya. Volgens mij hou jij wel van cadeautjes.'

Het meisje knikte en begon te glimlachen.

Zoë haalde de bril tevoorschijn en zette hem op haar hoofd. Hij paste precies. Het meisje keek naar de bougainvilles in de verte. Even later maakte ze het ballonnengeluid weer. Deze keer klonk er een lach in door. Ze is bijziend, dacht Zoë.

'Ik heb nog iets,' zei ze, en ze gaf haar de pop.

Toen Kuyeya haar oude knuffel zag, veranderde ze op slag. Ze pakte hem van Zoë af en wiegde de pop als een baby in haar armen, waarbij ze zacht kreunde. Ineens zei ze: 'Baby heeft pijn. Baby is niet stout. Baby heeft pijn.'

Zoë kreeg een koude rilling. 'Wie is de baby?' vroeg ze, maar Kuyeya leek haar niet te horen. Zoë keek naar zuster Irina. 'Heeft ze het al eerder over een baby gehad?'

De jonge vrouw schudde haar hoofd.

'Misschien is het projectie. Het kan zijn dat ze het over zichzelf heeft.' Zoë draaide zich naar Kuyeya om. 'Wie heeft de baby pijn gedaan?' vroeg ze langzaam.

Het meisje gaf geen antwoord en wiegde haar pop nog sneller heen en weer.

Zoë probeerde het nog eens. 'Wat is er met het baby'tje gebeurd?'

Kuyeya's ogen stonden even scheel en daarna weer recht. Eindelijk gaf ze antwoord. 'De man heeft baby pijn gedaan. De man is stout. Baby is niet stout.'

Ineens werd Zoë zich scherp bewust van de omgeving. Ze hoorde het geronk van een overvliegend vliegtuig, stemmen van kinderen, het gesuis van de wind in haar oren.

'Wie heeft de baby pijn gedaan?' probeerde ze opnieuw. Ze wilde dat Kuyeya meer zou vertellen, maar het meisje deed er het zwijgen toe. Ze knarste gefrustreerd met haar tanden. Je hebt zijn gezicht gezien, dacht ze. Weet je hoe hij heet?

Ze draaide zich om naar zuster Irina. 'We zouden graag willen weten wat ze allemaal zegt. Zou je aantekeningen willen maken?'

'Zeker,' antwoordde de non.

Zoë legde haar hand op Kuyeya's schouder. 'We willen dat je ons vertelt wat er is gebeurd. Alsjeblieft, vertel het ons.'

Nadat ze het St.-Franciscus had verlaten ging Zoë even naar huis en maakte twee lunchpakketten klaar. Daarna reed ze naar de golfclub om Joseph te treffen. Ze zette haar wagen onder een palissander aan de rand van het parkeerterrein. Vandaar had ze goed uitzicht op de ingang van het clubhuis, een compact en laag gebouw met het bekende blauwe vaandel boven de ingang. Ze tuurde over het terrein en zag minstens een tiental suv's staan, waaronder een die zilverkleurig leek, helemaal achterin in de hoek.

Joseph kwam net na twaalf uur aan en parkeerde zijn pick-up naast haar auto. 'Dominic heeft het bevestigd,' zei hij, terwijl hij naast haar in de Land Rover ging zitten. 'Dit is het logo dat hij heeft gezien.'

Zoë knikte. 'Hoe gaan we dit aanpakken?'

Joseph keek onderzoekend over het terrein. 'Ik loop wat rond. Jij blijft hier. Je gezicht valt hier te veel op.'

'Dat beschouw ik als een compliment. Helemaal achterin staat een zilverkleurige suv.'

'Die heb ik al gezien,' zei hij, terwijl hij uitstapte.

Zoë keek Joseph na terwijl hij onderzoekend tussen de geparkeerde auto's door naar de zilverkleurige suv liep. Hij keurde het voertuig nauwelijks een blik waardig voor hij het gebouw binnenliep. Een minuut later liep hij terug naar het terrein met sleutels in zijn hand, alsof hij iets vergeten was.

'Er zit geen sticker op,' zei hij toen hij instapte. 'Ik heb er maar een paar gezien op het parkeerterrein. De dame binnen zei dat ze niet meer worden gemaakt.'

'Dat maakt de zoektocht naar onze verdachte een stuk gemakkelijker,' zei Zoë. Ze stak haar arm uit naar de achterbank en reikte hem zijn lunchpakket aan. 'Ik heb een boterham voor je gesmeerd.'

Zijn mond opende zich in een lach. 'Wat aardig van je!'

De eetbare verrassing leek iets bij Joseph los te maken. Hij veranderde op slag in een gezellige prater en sprak met Zoë over zijn jeugd in de Zuidprovincie en over de verkiezingen. Naarmate de middag vorderde en de zon zijn boog naar het westen trok, waren er minstens vijfentwintig auto's gekomen en gegaan. Zoë bleef uitkijken naar een zilverkleurige suv, maar zag alleen maar wagens in normale kleuren voorbijkomen.

Rond vier uur kwam daar verandering in. Een zilverkleurige Lexus RX270 reed het terrein op en parkeerde in hun rij. Twee Zambiaanse mannen – de ene lang en slank, de andere klein en gespierd – haalden golfsticks uit de achterbak en wandelden naar het clubhuis.

'Hier ga ik achteraan,' zei Joseph, waarna hij uitstapte. Hij slenterde over het pad naar het clubhuis, waar hij vijf minuten later met een bezorgde blik uit kwam. Hij pakte zijn camera en maakte een foto van de Lexus. Daarna liep hij terug naar de Land Rover.

'De sticker zit erop, maar aan de verkeerde kant,' zei hij, terwijl hij haar de foto liet zien en de tekening van Dominic in zijn aantekenboek. De jongen had het vaandel links van het nummerbord gekrabbeld. Op deze Lexus zat het logo aan de rechterkant.

'Misschien wist hij het niet meer precies,' zei ze. 'Het was donker.'

Joseph keek bedenkelijk. 'Op dit moment is zijn geheugen het beste bewijsmateriaal dat we hebben. En er is nog iets. Ik heb die mannen gesproken. Ik vroeg of ze het afgelopen weekend hier hebben gespeeld. De lange man antwoordde dat hij voor zaken in Johannesburg was.'

Zoë zuchtte wanhopig. 'Dat moeten we nagaan. Ook moeten we Dominics geheugen nog eens opfrissen.'

Joseph knikte. 'Ik zal het kentekennummer checken.'

6

DE LEXUS BLEEK TE ZIJN VAN EEN ZOON van een ambtenaar op het ministerie van Financiën, die werkte voor Barclays. Joseph had zijn werkgever gebeld en kreeg bevestigd dat de man, tenminste voor zover men wist, op de avond dat Kuyeya was verkracht in Zuid-Afrika zat. Ook Dominic leek zeker te weten dat het logo op de SUV van de dader links van het nummerbord zat. De jongen maakte zelfs nog een schets in Josephs aantekenblok. Na een ingeving tekende Joseph de tekens van bekende automerken boven de nummerplaat, en de jongen omcirkelde de driepuntige ster van Mercedes Benz. Maar daar was hij minder zeker van.

Joseph keerde terug naar de Lusaka Golf Club, op zoek naar een andere zilverkleurige SUV. Ondertussen maakte Zoë lange dagen op kantoor om haar grote achterstand weg te werken. Er moesten nieuwe dossiers worden beoordeeld en statusrapporten worden ingeleverd bij Mariam; twee onderzoeksmemo's die ze voor Sarge en Niza had geschreven moesten worden herzien; een resumé dat Sarge had geschreven voor het Zambiaanse hooggerechtshof moest worden voorzien van voetnoten met bronvermelding en moest grammaticaal grondig worden opgepoetst. Ze checkte obsessief haar iPhone op een bericht van Joseph. Maar de tijd ging traag voorbij en ze betreurde het dat ze Mariam niet had kunnen overtuigen een reis naar Livingstone te fiatteren, ondanks Josephs bedenkingen. Of haar theorie steek hield of niet, een zoektocht naar Kuyeya's familie was veel interessanter dan dit saaie kantoorwerk.

Donderdagmiddag na haar werk zwom Zoë haar frustratie weg door zonder pauze dertig baantjes te trekken. Daarna ging ze op de rand zitten met haar voeten in het water, hijgend totdat haar hartslag en haar gedachten tot rust waren gekomen.

Op dat moment hoorde ze haar iPhone. Ze stond meteen op, in de zekerheid dat het een bericht van Joseph was. Ze kreunde toen ze zag dat het van haar vader was.

```
Zoë, ben gisteravond geland in Kinshasa. Ik zie
enorm uit naar ons etentje morgenavond. Laten we
om zeven uur afspreken in het Intercontinental. Ik
reserveer een tafeltje in de Savannah Grill. Het
lijkt me heerlijk om je weer te zien.
```

Ze beende het zwembad langs en trok nog eens tien baantjes. Toen ze uit het bad stapte was de zon ondergegaan en lag de tuin er donker bij. Ze droogde zich af en liep naar haar flat, langzaam deze keer, de schemering in zich opnemend. Ze overwoog Joseph te bellen, maar kon geen goed excuus bedenken. Terwijl ze haar woning binnenging, dacht ze terug aan een uitspraak van haar vader: 'Geduld is een noodzakelijk kwaad.'

Ze glimlachte om de ironie. De appel valt niet ver van de boom.

De avond daarna zat Zoë op de bank in haar flat naar de klok te staren en op te zien tegen het onvermijdelijke voortschrijden van de tijd. Ze sloeg haar benen over elkaar en bedacht dat de zwarte jurk en parelketting die ze had gekozen eigenlijk te formeel waren. Hoewel het Intercontinental een van Zambia's tophotels was en haar vader een pak zou dragen – ongetwijfeld een Zegna, met een rode das – was Lusaka geen Parijs of New York. Maar toch, haar vader verwachtte dat ze er zo zou uitzien, als de Zoë Fleming die haar docenten aan Stanford en Yale Law had betoverd, de dochter van de elegante Catherine. Ze deed haar horloge om, een met diamanten bezette Charriol die de senator haar na haar buluitreiking had gegeven, en voelde zich een verraadster.

Om halfzeven pakte ze haar handtas en liep naar buiten. De lucht was fris in de schemering, en boven de bomen in het westen gloeide een wassende maan. Chagrijnig reed ze naar het Intercontinental en wenste dat ze de uitnodiging van haar vader had kunnen afslaan. Ze had best een smoes kunnen bedenken – een belangrijke reis voor haar werk, een al geboekte vakantie met vrienden. Maar door de economische crisis was het St.-Franciscus een derde van zijn donoren verloren en de SCA vocht om zijn voortbestaan. Ze hadden haar steun nodig, net als de kinderen voor wie ze werkten, en haar vader was de enige die de problemen met Atticus Spelling kon oplossen. Voor de zoveelste keer vroeg Zoë zich af waarom haar moeder uitgerekend Spelling als haar zaakgelastigde had aangewezen. Hij was het tegendeel van Catherine – berekenend, ambtelijk en van nature kil. Het was een mysterie dat Zoë al tien jaar lang niet kon doorgronden.

Nadat ze haar auto op het terrein van het hotel had geparkeerd, liep Zoë de lobby in en vandaar door naar de Savannah Grill. Het restaurant bevond zich op een overdekt terras met uitzicht op het zwembad. Ze zag haar vader bij kaarslicht aan een tafeltje voor twee het menu bestuderen. Ook zag ze zijn beveiliging: twee in pak gestoken mannen, de een bij het hoge schuifraam, de ander met een onnozele blik gezeten aan het zwembad.

De senator stond meteen op toen ze binnenkwam. 'Zoë,' riep hij, waarna hij haar wangen kuste. 'Wat fijn dat je kon komen.'

Ze legde haar hand op zijn arm. 'Hoi, pap.'

Hij bood haar op formele wijze een stoel aan en ging weer op zijn plek zitten. Een kelner in uniform kwam aangesneld, en Jack bestelde een fles champagne.

Zoë bestudeerde zijn gezicht. 'Valt er wat te vieren?'

'Dat jij er bent, dat ik er ben. Heb ik een betere reden nodig?'

Ze verschoof haar horloge. 'Waarom ben je hier, pap?'

Even blikkerde er irritatie in zijn ogen. 'Is het een misdaad dat een man zijn dochter mee uit eten wil nemen?'

'Een interessante openingszet. Je zou dit gesprek ook op minder ruzieachtige toon kunnen beginnen.'

Hij dacht even na over wat hij had gezegd, en zijn blik werd duister. 'Dat was niet de bedoeling.'

Ze trok haar schouders op. 'Je hebt mijn vraag nog niet beantwoord.'

Hij trok een grimas. 'Ik ben in Afrika om...'

'Ik weet waarom je in Afrika bent,' onderbrak ze hem. 'Je bent hier om je kiezers ervan te overtuigen dat de bezuinigingen op ontwikkelingshulp "het donkere continent" geen greintje lichter zullen maken. Dus wat maakt het uit als een paar honderdduizend aidspatiënten een te vroege dood sterven?'

Hij keek gekwetst. 'Je beschuldigt me van harteloosheid. Je weet net zo goed als ik dat ik juist vóór PEPFAR heb gestemd, niet tegen. Ik wil dat wetsvoorstel heus niet van tafel vegen, hooguit een beetje beknotten.'

'Dat is niet de boodschap van je campagne,' riposteerde ze.

Hij wierp een berekenende blik naar haar. 'Ach, dat is pure politiek.'

'Precies,' zei ze.

Hij slaakte een diepe zucht. 'Het is nu elf jaar geleden. Ik dacht dat je er inmiddels wel...'

De woede in haar ogen leek zijn gedachtegang te onderbreken.

Inmiddels wat, pap? had ze bijna gezegd. Dat ze er inmiddels wel overheen zou zijn? Was hij echt zo naïef?

Ze liet hem nog even ongemakkelijk in zijn stoel draaien totdat de kelner de champagne inschonk. De senator pakte zijn glas en tuurde de tuin in. Zoë liet haar glas onaangeraakt op tafel staan. Toen de kelner vroeg wat ze wilden bestellen, schudde ze haar hoofd.

'Nog een paar minuten bedenktijd, alstublieft,' zei ze vriendelijk.

Ze staarde naar haar vader en vroeg zich af welke kant dit gesprek op zou gaan. Ze had gehoopt dat ze rationeel zou kunnen blijven, maar daarin had ze zich duidelijk vergist. Het probleem was, dat ze zijn steun nodig had. 'Hoe gaat het met de campagne?' vroeg ze in een poging het gesprek op gang te brengen. 'Volgens de BBC stijg je in de peilingen.'

Hij keek haar weer aan. 'De Britten hebben de neiging zich eufemistisch uit te drukken. We staan ver bovenaan.'

'Wat je komst nog raadselachtiger maakt,' kon ze niet laten te zeggen. 'Je hoeft niet meer te scoren met je bezuinigingsvoorstellen.'

'Ik zit in de subcommissie Afrikaanse Zaken,' zei hij.

Ze glimlachte. 'Ik ben je dochter. Je DNA is beter dan een leugendetector.'

Hij verkrampte. 'Wat wil je dat ik zeg?'

'Gewoon de waarheid, misschien?'

Haar vader keek haar met stomheid geslagen aan.

'Oké, laat me raden. Sylvia wil dat jij ervoor zorgt dat ik me gedeisd hou. Kom ik in de buurt?'

De senator trok wit weg. Het was geen geheim dat Zoë zijn tweede vrouw niet kon luchten. Maar hij begreep niet hoe goed zijn dochter kon raden wat er in Sylvia Martinelli omging.

'Ik dacht dat we een... afspraak hadden,' zei hij langzaam.

'Je bedoelt die suggestie die je deed toen ik zeventien was? Dat telt niet.'

Daar was de kelner weer, nerveus als een opgejaagd hert. Deze keer werd hij door de senator weggestuurd. 'Wil jij het daar nu echt over gaan hebben, hier in dit restaurant? Waarom?'

'Wat ik wil doen is niet per se hetzelfde als wat ik ga doen.'

Hij fronste zijn wenkbrauwen. 'We zitten hier niet in een universitair werkgroepje. Je krijgt geen studiepunten voor terughoudendheid.'

'Dat klopt, pap, maar ik vind het zo leuk om te doen.'

Hij keek weg van haar en nipte van zijn champagne. Tot haar verbazing gaf hij openheid van zaken. 'Je hebt gelijk. Sylvia zit hierachter. Maar het was ook een goed excuus er even tussenuit te gaan. Ik wilde je graag zien.

Ik dacht dat we in Kaapstad een hoofdstuk hadden afgesloten.'

Ze haalde diep adem. 'In zekere zin klopt dat. Je ging tegen haar in.'

Hij trok zijn schouders op. 'Het fonds is bijna van jou, en Atticus is nogal een Scrooge.'

'Beloof je me dat je hem ook dit jaar weer overhaalt?'

'Alleen als je deze maaltijd met me uitzit en geen oud zeer oprakelt. Ik wil weten hoe het met je gaat. Praat met me zoals vroeger, toen je nog wilde weten wat ik dacht.'

Hij zei het zo onomwonden, zo onsentimenteel, dat de emotionele lading erachter Zoë bijna was ontgaan. Toen zijn woorden tot haar doordrongen had ze het gevoel alsof ze een stomp in haar maag had gekregen. Hield ze nog steeds van hem, ondanks alles wat hij haar had aangedaan? Die vraag was te pijnlijk om bij stil te staan, laat staan om te beantwoorden.

'Oké,' ging ze akkoord. 'Dan houden we het bij koetjes en kalfjes.'

'En bij deze heerlijke, ouderwetse Afrikaanse braai,' zei hij met een glimlach.

De maaltijd verliep verder rustig. Zoë deed zich te goed aan biefstuk van de haas terwijl haar vader haar trakteerde op roddels uit het campagnecircuit – de media die naar schandaaltjes zochten, de rellen met de andere kandidaten, het gescharrel van de stagiaires; hij gaf zelfs een paar blunders toe. Ze verbaasde zich erover dat hij was uitgegroeid tot een raspoliticus. Haar vader was een man met aangeboren brille en charisma, iemand die uitsteekt boven andere leiders. Maar sinds hij zich uit de directie van zijn bedrijf had teruggetrokken, had zijn natuurlijke gevoel voor timing en overtuigingskracht er nog iets bij gekregen: glans. Op sommige momenten ging Zoë helemaal in hem op.

Met een espresso sloten ze de maaltijd af. Geflankeerd door zijn lijfwachten bracht de senator zijn dochter naar de parkeerplaats. Hij knikte naar de Land Rover. 'Gelukkig is de oude Atticus niet gierig als het gaat om jouw levensonderhoud.'

Zoë kon een glimlach niet onderdrukken. 'Alleen op dat gebied niet.' Ze aarzelde en kuste hem op zijn wang. 'Nog een fijne avond, pap. Bedankt voor de uitnodiging.'

Hij keek haar in de ogen. 'Ik wou dat ik de manier waarop we met elkaar omgaan kon veranderen.'

'Niet doen, alsjeblieft. Ik begon het bijna leuk te vinden.'

De pijn in zijn ogen was oprecht. 'Pas op jezelf,' zei hij, terwijl hij haar hielp bij het instappen.

Ze keek hem na terwijl hij terugliep naar het hotel met zijn lijfwachten in zijn kielzog, en stak de sleutel in het contactslot. Ze deed de koplampen aan en wilde wegrijden, maar zag toen iets bekends in haar ooghoek. Ze tuurde in het duister, op zoek naar de oorzaak. Plotseling verwerkten haar hersens wat ze had gezien: een zwarte Jaguar-personenauto met het blauwe vaandel van de Lusaka Golf Club op de bumper.

Ze speurde het terrein af en ontdekte de contouren van minstens twintig SUV's. Stel dat de verkrachter hier is? dacht ze huiverend. Ze stapte de Land Rover uit en liep langzaam over het pad, haar hakken tikkend op het asfalt. Ze liep voorbij twee zilverkleurige SUV's, maar op geen ervan zat de bekende sticker. Aan het einde van de rij zag ze nog een SUV staan in de hoek van het terrein. Ze keek om zich heen en nam de omgeving in zich op. Het was akelig stil op deze duistere parkeerplaats. Ze liep door de laatste rij met geparkeerde auto's naar de SUV.

Ze zag iets bewegen aan de rand van haar blikveld.

Verstijfd bleef ze staan, een en al alertheid. Ze tuurde in het donker. Iets klopte er niet, maar ze kon niet zeggen wat het was. Ineens dacht ze terug aan Johannesburg, 2010. Aan een avond waarop ze overgewerkt had, aan de lange weg naar haar auto, aan de bende die vanuit het niets was opgedoken, aan de op haar gerichte pistolen en de angst dat ze vermoord zou worden.

Ze onderdrukte haar angst en liep naar de zilverkleurige SUV, nu vijf meter voor haar. Om een of andere reden had de chauffeur de wagen achterstevoren ingestoken. Om de achterkant te zien, moest ze om eromheen lopen. Ze keek naar de motorkap en zocht naar het merkteken. Het was de driepuntige ster van een Mercedes Benz. Haar hart klopte sneller. Dominic had een Mercedes gezien.

Ze stapte om de SUV heen. Je kon haast geen hand voor ogen zien. Ze zocht in haar tasje, omdat ze de zaklamp-app op haar iPhone wilde gebruiken, maar hoorde ineens geschuifel over het asfalt. Ze draaide zich om en zag twee mannen gehurkt achter de wagen ernaast zitten. Een van hen had een voorwerp in zijn hand. Ze werd plotseling door angst overmand.

Ze wist zeker dat het voorwerp een geweer was.

Ze schopte haar pumps uit en rende blootsvoets over het terrein. Ze hoorde een gedempte schreeuw en begon harder te rennen. Ze had niet genoeg voorsprong om de geparkeerde auto's als scherm te gebruiken. Haar enige optie was het hotel. Ze rende door de rijen met voertuigen, voorbij haar Land Rover en sprintte naar de felverlichte ingang.

Nog zestig meter. Dertig meter.

Ineens besefte ze dat ze alleen haar eigen voetstappen hoorde. Ze keek achterom en zag niemand achter zich. Plotseling klonk het geronk van een motor en scheurde er een gele sportwagen over het terrein, haar kant op. Een seconde bleef ze als aan de grond genageld staan. Toen sprong ze opzij.

Langzaam drong tot haar door wat er aan de hand was. Dit waren geen straatrovers, maar autodieven.

'Alles goed?' vroeg een man, terwijl de sportwagen van het parkeerterrein racete en in de nacht verdween.

Ze draaide zich om en voelde zich enorm opgelucht. De man was rond de zestig en een beetje dik, al bleef zijn buik verborgen onder een elegant driedelig pak. Naast hem stond een magere jongeman in een roze overhemd en dure jeans.

Ze knikte. 'Volgens mij hebben ze zojuist die auto gestolen.'

De oudere man volgde haar blik. 'Gelukkig is er niets met je gebeurd.'

'Ik ga de politie bellen.'

'Dat kun je doen, maar dat heeft geen zin. De eigenaar van het hotel is een vriend van me. Ik zal hem vertellen wat er is gebeurd. De verzekering zal de gestolen auto vergoeden.'

Zoë fronste haar wenkbrauwen en dacht aan Joseph, maar besloot het advies van de man te volgen. Ze had de gezichten van de dieven niet gezien, en ze had geen informatie over de auto op de kleur na. De man wilde haar escorteren naar haar auto, waar ze mee instemde. Ze maakten een praatje, maar de man stelde zichzelf noch zijn metgezel aan haar voor. De jongere man zei helemaal niets.

Zoë sloot zich op in haar Land Rover, slaakte een zucht en liet het laatste restje angst uit haar lijf ontsnappen. Ze keek door de voorruit terwijl de mannen elkaar de hand schudden en vertrokken. De oudere man wierp een blik op de zwarte Jaguar die ze eerder had gezien, en de jongeman verdween in het donker. Plotseling dacht Zoë terug aan haar schoenen en de Mercedes suv. Nu de dieven weg waren en het terrein niet meer compleet verlaten was, durfde ze het aan om opnieuw een kijkje te nemen.

Ze reed haar vak uit en tufte tussen de rijen door over het pad dat ze eerder te voet had afgelegd. Aan het einde keek ze naar de laatste rij met auto's. Haar mond viel open toen ze de lege parkeerplaats zag. Een paar seconden later reed de zilverkleurige Mercedes haar voorbij. Achter het stuur zat de jongeman in het roze overhemd. Ze draaide met haar hoofd mee, maar kon in het donker de bumper niet zien. In een flits dacht ze: die man voldoet precies aan de beschrijving.

Ze keerde om en volgde de suv. De man sloeg links af naar Haile Selassie

Avenue en daarna rechts af over de Los Angeles Boulevard. Toen er ruimte in het verkeer kwam, gaf Zoë gas en naderde ze de suv. Ze volgde hem op twee autolengten afstand en bestudeerde de bumper. Het logo van de Lusaka Golf Club staarde haar aan in deze Afrikaanse nacht, links van de nummerplaat en onder het merkteken van Mercedes.

Ze pakte haar iPhone en opende de camera, zoomde in totdat de nummerplaat en het logo het frame vulden. Ze kreeg de nummerplaat niet scherp, maar de tekens waren leesbaar. Ze nam een paar foto's, belde Joseph en deed verslag van haar bevindingen.

Hij floot. 'Kom er niet te dichtbij. Ik zie je bij de Kabulonga-rotonde.'

'Schiet maar op!' Ze zette de achtervolging voort en veranderde van rijstrook.

De verdachte bleef rustig door de buitenwijk rijden en sloeg op de rotonde af naar Kabulonga Road. Zoë keek in haar spiegel en zag dat ze werd gevolgd. Dat is snel, dacht ze. Twee afslagen verder stopte de verdachte bij een bewaakte ijzeren poort. Zoë reed de poort voorbij en zag boven de met stroom beveiligde buitenmuur de bovenste verdieping van een villa in Europese stijl. Hij behoort tot de elite, dacht ze, en hij woont in mijn buurt.

Ze keek in haar spiegel en zag in de gloed van haar remlichten de contouren van Josephs gezicht. Aan het einde van de weg keerde ze om en langzaam reed ze terug naar de poort. Nadat ze haar lampen had uitgezet, parkeerde ze haar Land Rover in de berm, vijftig meter van de oprijlaan. Ze zag de bewaker in het licht van veiligheidslampen tegen de muur. Hij keek haar kant op en liep terug naar zijn stoel.

Zoë downloadde een satellietfoto van de locatie. Ze zoemde in totdat ze het gebouw achter de poort kon zien. Het terrein leek op een park met gazons, er stonden bomen om het huis en er waren twee bijgebouwen, waarvan er een de garage moest zijn. Naast het huis lag een zwembad.

Joseph parkeerde achter haar en zette de motor uit. Even later reed een ander voertuig de oprijlaan op. Het was de zwarte Jaguar die ze bij het hotel had gezien. De bewaker opende de poort en liet de personenauto het terrein op rijden. Zoë zag de oudere man weer voor zich, zijn indringende donkere ogen, zijn brede neus en zware kaken, de dikke buik en het maatpak, en vergeleek hem met de magere jongeman. Vader en zoon, gokte ze.

Haar telefoon ging. 'Hoe heb je hem gevonden?' vroeg Joseph toen ze opnam.

Ze vertelde het hele verhaal, zonder haar vader erbij te betrekken.

Hij zweeg een poos. 'Heb je een foto van hem kunnen maken?'

'Waarom zou ik?'

'Om aan de getuigen te laten zien,' bromde Joseph. 'Ik blijf hier nog even rondhangen.'

'Misschien gaat hij morgen pas weer weg.'

'Het zal niet de eerste keer zijn dat ik een nacht opblijf.'

'Wil je dat ik bij je blijf?'

'Nee, jouw wagen valt te veel op. Heb je het kentekennummer van de suv genoteerd?'

Ze vond de afbeelding op haar iPhone en las het nummer voor.

'Dank je wel. Morgen bel ik een vriend van me die voor de Rijksdienst Wegverkeer werkt.'

'Morgen is het zaterdag.'

'Hij is me wat verschuldigd.'

Ze bestudeerde de bewaker naast de poort. Hij zat niet ontspannen met zijn benen over elkaar geslagen, maar kaarsrecht met zijn handen op zijn knieën. 'Dat lijkt me geen gewone bewaker,' zei ze. 'Eerder een ex-militair.'

Joseph mompelde instemmend. 'En hij blijft buiten bij de muur staan, hij gaat niet binnen in het bewakershok zitten. Hij heeft duidelijk de opdracht zichtbaar te zijn.'

Zoë speurde opnieuw de buitenmuren af en zag een buisvormig voorwerp op een standaard op de hoek van het terrein. 'Ze hebben zo te zien ook camera's. Misschien woont hier een minister.'

'Of een industrieel. Men is duidelijk bang voor diefstal.'

'Diefstal komt in Kabulonga zelden voor,' wierp ze tegen.

'Maar als het gebeurt, vallen er vaak doden bij.' Hij slaakte een zucht en ademde uit. 'Ga maar naar huis, naar bed.'

'Beloof me dat je me op de hoogte houdt.'

Hij lachte droogjes. 'Ik bel je meteen als er iets bijzonders gebeurt.'

7

OM KWART OVER NEGEN ZATERDAGOCHTEND zat Zoë in de vergader-ruimte van de CILA ongeduldig met haar vingers op het tafelblad te trommelen, wachtend op Joseph. Op haar verzoek had Mariam het respons-team bij elkaar geroepen voor een spoedvergadering. Alle aanwezigen waren in vrijetijdskleding behalve Niza, en Zoë had hun ingelicht over de gebeur-tenissen van de avond daarvoor. Alleen Joseph was er nog niet. Ze had twee berichten ingesproken op zijn mobiel, maar hij had nog niet gereageerd.

Om halftien raakte Mariam geïrriteerd. 'Dit is niets voor hem,' zei ze met een blik op haar horloge. 'Ik stuur hem een sms'je.'

Op dat moment hoorde Zoë een claxon en zag ze de neus van Josephs pick-up het pad op komen. Even later wandelde hij met ongepaste opge-wektheid de vergaderruimte binnen.

'Sorry dat ik niks van me heb laten horen,' zei hij 'maar ik was druk bezig, zoals jullie zullen zien.' Hij pakte een lege stoel en keek iedereen glimla-chend aan. 'De naam van de verdachte is Darious Nyambo, de zoon van Frederick Nyambo, oprichter van Nyambo Energy Company bv. Darious is eenendertig en werkt als tv-producent voor ZNBC. Frederick was minister van Energie en Waterbeheer onder president Mwanawasa. Ik heb ontbeten met een vriend die voor het ministerie van Energie werkt en hij heeft me alles over de familie Nyambo verteld. Frederick is de belangrijkste privé-investeerder in kolen- en waterkrachtcentrales aan beide zijden van de Zambiaans-Zimbabwaanse grens. Zijn holdings en connecties met de over-heid maken hem tot een van de machtigste mannen in dit land.'

'Is hij toevallig familie van Patricia Nyambo?' vroeg Mariam.

'Dat is zijn vrouw.'

Zoë ging op het puntje van haar stoel zitten. 'Dat is toch een rechter van het hooggerechtshof?'

'Precies.' Mariam klonk ernstig.

Zoë's ogen stonden verbaasd. 'Vreemd dat ik nog nooit van die Frederick heb gehoord.'

'Hij houdt zich op de achtergrond,' antwoordde Joseph. 'Je hebt gezien hoe zijn huis wordt beveiligd. Volgens mijn vriend is hij meer een zakenman dan een politicus. Zijn invloed is onzichtbaar.'

'Heerlijk om over te roddelen,' onderbrak Niza hem, 'maar heb je ook iets om hem te verdenken?'

Joseph knikte. 'Ik heb foto's genomen van hem en zijn SUV en aan onze getuigen laten zien. Zowel Dominic als Given herkende de SUV, en Dominic had sterk het gevoel dat Darious de man is die ze heeft gezien. Given was daar niet zo zeker van, maar vond wel dat hij op die man leek.'

'Dat is waarschijnlijk voldoende voor een zaak,' zei Zoë, met een blik op Mariam.

Niza strekte haar handen voor zich uit alsof ze een trein wilde tegenhouden. 'Darious heeft misschien het kind opgepikt en later afgezet, maar dat bewijst nog niet dat hij de verkrachter is. We weten alleen dat hij haar misschien heeft meegevoerd en dat ze is verkracht.'

'We hebben dokter Chulu nog,' zei Zoë. 'En er is DNA.'

Niza rolde met haar ogen. 'Je doet alsof de zaak al rond is.'

'En jij alsof hij onoplosbaar is,' wierp Zoë vinnig tegen.

Mariam nam het woord. 'Sarge, wat denk jij?'

'De kindergetuigen vormen een probleem,' antwoordde hij kalm, 'en we weten nog steeds niet hoe oud het meisje is. Ik denk dat we vijftig procent kans hebben een rechter te treffen die een stokje steekt voor DNA-onderzoek in een zaak tegen de zoon van Patricia Nyambo.' Hij keek naar Mariam. 'Toch denk ik dat we de officier van justitie moeten inschakelen. Als hij het met ons eens is, gaan we over tot vervolging.'

'Wat?!' riep Niza uit. 'Eerst schiet je gaten in het vliegtuig, en nu laat je ons opstijgen! We hebben meer bewijs nodig, veel meer.'

Sarge knikte. 'Dat denk ik ook. Maar Joseph kan ondertussen gewoon de arrestatie verrichten. Daarna hebben we alle tijd om vóór het proces ons bewijs rond te krijgen.'

'Jij weet net als ik hoe laag hun trucjes zijn,' ging Niza verder. 'Ze zullen Benson Luchembe en zijn bende oplichters inschakelen. Ze zullen de rechter gek maken en zijn zakken vullen met zoveel kwacha dat zijn vrouw en kinderen naast hun schoenen gaan lopen. En dan heb ik het niet eens over de druk die de Nyambo's achter de schermen zullen uitoefenen.'

Sarge keek Niza aan. 'Maar jij houdt tóch van een robbertje vechten?'

Niza's ogen schoten vuur. 'Noem jij mij een lafaard?'

Sarge schudde zijn hoofd. 'Ik zeg alleen dat we hier zijn omdat we geloven dat het recht kan zegevieren. Als in deze stad een kind wordt verkracht, komen wij voor haar op. Er is geen ruimte voor sceptici aan deze tafel. Als je er niet in gelooft, wil ik dat nu weten.'

Niza liep stampvoetend de kamer uit en negeerde Mariam, die probeerde haar terug aan tafel te krijgen.

Sarge keek om zich heen. 'Mijn excuses. Ze komt wel tot bedaren.'

Mariam schraapte haar keel. 'Ik zal de officier van justitie thuis bellen en met hem de bewijsvoering doornemen.' Ze stond op met haar notitieblok in de hand. 'Moet er verder nog iets worden besproken?' Het bleef stil. 'Goed. Joseph, Sarge, jullie moeten oproepbaar voor me blijven. En Niza ook, als jullie haar kunnen vinden.'

'Ik ga wel naar haar toe,' zei Sarge.

Joseph wenkte Zoë, en ze liep met hem mee naar de keuken.

'Goed werk,' zei ze.

Hij trok zijn schouders op. 'Jij bent degene die Darious heeft ontdekt. Luister, ik weet niet of het relevant is, maar Darious heeft vannacht niet in het huis van zijn vader geslapen. Hij ging naar de Alpha Bar en rolde daar later met een paar mahules uit. Hij logeerde in een flat in Northmead. Vanochtend vroeg reed hij terug naar Kabulonga.'

'Als hij met prostituees omgaat...'

'Dan zou hij een klant van Bella geweest kunnen zijn. Het lijkt me nuttig om opnieuw met Doris te praten. En haar de foto's te laten zien die ik gemaakt heb, misschien kent ze hem.'

Ze keek hem onderzoekend aan. 'Mag ík dat doen?'

Hij knikte. 'Ze vertrouwt je.'

Zoë glimlachte. 'Stuur me die foto's, dan ga ik naar haar toe zodra ik hier wegga.'

Iets over tienen riep Mariam Zoë bij zich. Joseph, Sarge en een aangeslagen Niza stonden er al. Ze hadden net een conferentiegesprek gevoerd met Leviticus Makungu, de officier van justitie. Zoë had graag bij dit gesprek willen zijn, maar Mariam had haar geweerd vanwege haar status als expat. De officier van justitie wilde geen buitenlandse pottenkijkers in 's lands juridisch systeem.

Zoë ging zitten. 'En, hoe ging het?'

Mariam slaakte een zucht. 'Levy was geïnteresseerd én voorzichtig. Gezien de identiteit van de verdachte maakt hij zich zorgen om de bewijsvoering. Hij wil rapporten van ons zien.'

'Kunnen we verder nog iets van hem verwachten?' vroeg Zoë.

'We hebben alles al gebruikt om hem aan de telefoon te krijgen. Hij vond het niet leuk om op zaterdag te worden lastiggevallen. Het enige wat ik bereikt heb, was de belofte van een snel besluit.'

'Dus dan wachten we nog met de arrestatie?'

'Het lijkt me verstandig om zijn goedkeuring af te wachten,' antwoordde Mariam. 'Darious loopt niet weg.' Ze vouwde haar handen ineen. 'Ik vertel je wat ik zojuist tegen de anderen heb gezegd. Er zitten onlogische elementen in deze zaak. Waarom zou iemand uit zo'n prominente familie een meisje als Kuyeya verkrachten? Joseph heeft verteld waar Darious vannacht is geweest. Hij heeft vrouwen genoeg. Het is niet logisch, behalve...'

'Als seks niet het enige motief was,' vulde Zoë aan.

'Precies.' Mariam ontmoette haar blik. 'Als Darious de verkrachter is, moet hij Kuyeya om een bepaalde reden hebben aangerand. Als we daar achter komen, maken we meer kans de rechtbank ervan te overtuigen deze zaak serieus te nemen.' Ze slaakte een zucht. 'Jij wilde toch onderzoek doen naar het verleden van Bella? Daar krijg je nu toestemming voor. En Joseph vertelde dat je met Doris wilde gaan praten.'

Zoë knikte. 'Ik ga zo meteen naar haar toe.'

'Goed. Maar ik wil maandag een uitgebreid verslag.'

Twintig minuten later stond Zoë buiten bij de flat van Doris in Kabwata. De geluiden van het weekend klonken door het appartementencomplex – de stemmen van nieuwslezers die uit de ramen dwarrelden, jongens die luidruchtig op de parkeerplaats voetbalden. Ze klopte op de deur van Doris. Stilte. Ze klopte harder. Uiteindelijk deed een chagrijnig kijkende Bright in joggingbroek de deur open.

'Wat moet je?' vroeg het meisje.

'Ik wil weer met je moeder praten.'

'Die ligt nog in bed. Kom maar een andere keer terug.'

Zoë bleef staan. 'Het is belangrijk. Het gaat om Kuyeya.'

Het meisje stond besluiteloos te weifelen en verdween door de hal naar de woonkamer. Zoë ging naar binnen, hoorde een deur opengaan, vervolgens een bons en gekreun, daarna een luid gefluister.

Bright kwam terug en schudde nee. 'Ze kan niet komen. Kom over een paar dagen maar terug.'

Zoë had met het meisje te doen. 'Is er iets gebeurd?'

Bright knipperde met haar ogen en Zoë zag het begin van een traan. 'Is er iets aan de hand?' hield Zoë aan.

Het meisje bleef stijf staan, onzeker van zichzelf.

'Waar is Gift?' vroeg Zoë, nieuwsgierig naar het jongere zusje van Bright.

'Die is bij hem,' mompelde Bright.

'Bij wie?'

'Bij haar vader.'

'Is die hier?'

Bright schudde haar hoofd. 'Hij heeft haar meegenomen.'

Plotseling kwam Doris eraan, krom lopend als een oud vrouwtje. Ze ging op de bank zitten en tuurde naar de vloer. Zoë schrok ervan. Haar lippen waren gebarsten en ze had blauwe plekken in haar gezicht.

'Wie heeft dit gedaan?' vroeg Zoë geschrokken, terwijl Bright zich stilletjes terugtrok.

Doris wreef haar handpalmen tegen elkaar aan. 'Dat doet er niet toe,' antwoordde ze. 'Wat wil je weten over Kuyeya?'

Zoë ging op een stoel zitten. 'Het doet er wél toe. Mijn collega werkt voor slachtofferhulp. Ik kan hem bellen en dan maakt hij er melding van.'

'Dat haalt toch niets uit. Kom maar met je vragen.'

Zoë keek Doris verdrietig aan. Waarschijnlijk had ze gelijk: de politie erbij halen was dwaas in een cultuur waarin mannen het als een privilege, zelfs als een verplichting zagen vrouwen te misbruiken. 'Oké,' gaf ze toe. Ze liet Doris de foto zien van Darious Nyambo die Joseph had gemaakt. 'Herken je deze man?'

Doris verstijfde. 'Ja, die ken ik.'

'Waarvan?' vroeg Zoë.

'Hij is een klant van me geweest.'

'Wanneer heb je hem voor het laatst gezien?'

'Een paar weken geleden.'

'Waar was dat?'

Doris wees naar de deur. 'Hij zat in een truck op de weg.'

Zoë's hart begon te bonzen. 'Hield hij je appartement in de gaten?'

Doris trok haar schouders op. 'Dat weet ik niet. Ik ging snel naar binnen.'

'Je wilde niet door hem worden gezien.'

Doris wreef over haar gezwollen wang. 'Ik wilde niet meer voor hem werken.'

'Waarom niet?'

'Hij was gemeen. En hij was ziek.'

Zoë keek verrast op. 'Hoezo, ziek?'

'Hij had blaren in zijn mond en op zijn...' Ze knikte naar haar kruis. 'Ook was hij mager geworden. Vroeger was hij veel steviger.'

'Wanneer had je hem nog gezien voor die laatste keer?'

Doris aarzelde. 'Dat was twee jaar geleden. Kort nadat Bella was overleden.'

'Was Darious ook een klant van Bella?'

Doris knikte. 'Ze hadden iets samen. Maar toen ging het mis en kwam hij niet meer.'

Zoë voelde dankbaarheid. 'Wanneer hadden ze iets samen?'

'Dat is lang geleden, ik weet het niet meer. Nadat ze bij mij was ingetrokken.'

'Waarom gingen ze uit elkaar?'

'Dat heeft ze me niet verteld.'

'Wat bedoel je precies met "iets samen hebben"?'

Doris ging verzitten en verkrampte even. 'Hij nam haar mee uit, gaf haar beltegoed en andere cadeautjes. Hij was aardig voor haar.'

'Maar voor jou was hij niet aardig,' zei Zoë zacht.

Doris sloot haar ogen en wiegde heen en weer. Toen het stil bleef, besloot Zoë het over een andere boeg te gooien. Doris' openhartigheid had ze te danken aan een wankele vertrouwensbasis. Eén misstap en het vertrouwen was weg. 'Je hoeft me niet te vertellen wat hij met jou gedaan heeft,' zei ze. 'Maar misschien helpen we Kuyeya ermee.'

Na een poos deed Doris haar ogen weer open. Ze keek Zoë ontzet aan. 'De laatste keer dat ik hem als klant had, heeft hij me in elkaar geslagen. Daarna...' Ze verstomde en begon te huilen.

'Wat deed hij daarna?' vroeg Zoë voorzichtig.

Eindelijk kwam het eruit. 'Daarna heeft hij Bright verkracht.'

Deze bekentenis benam Zoë de adem. Ze leunde achterover in haar stoel en een vreemde, persoonlijke pijn deed haar maag omkeren. Bright was een jaar of zeventien; twee jaar geleden was ze rond de vijftien.

'Het spijt me,' zei Zoë na een lange poos. 'Heb je aangifte gedaan?'

Doris vermande zich. 'De politie luistert niet naar vrouwen zoals ik.'

Zoë wachtte even en vroeg: 'Heeft hij ooit zijn oog op Kuyeya laten vallen?'

Doris schudde haar hoofd. 'Hij negeerde haar. Het was alsof ze niet bestond.'

Ineens kreeg Zoë een ingeving. 'Had Bella een bijnaam voor hem?'

De vraag leek Doris te verbazen. 'Hij heette Darious.'

'Laat maar,' zei Zoë. Ze schoof naar de rand van de stoel en dacht aan Bella's dagboek dat in haar flat op de salontafel lag te wachten.

Daar wilde ze zo snel mogelijk heen.

8

HET WAS TWAALF UUR IN DE MIDDAG toen Zoë terugging naar haar flat. Ze belde Joseph en liet een bericht achter. 'Darious was inderdaad een klant. Maar er is nog iets. Darious heeft twee jaar geleden de dochter van Doris verkracht. Ook heeft hij waarschijnlijk aids. Ik weet niet of je er zin in hebt, maar misschien vind je in de Alpha Bar een meisje dat over hem wil praten. Ik wil weten hoe ziek hij is.'

Na deze boodschap smeerde ze een broodje, dat ze in de eetkamer opat. Daarna trok ze haar badpak aan en met haar rugzak en Bella's dagboek liep ze naar het zwembad.

De tuin lag er schitterend bij in het zonlicht, een uitspatting van lentekleuren – siernetels met spadevormige bloesem, uitbundig blauwe plumbagostruiken, groepjes varenachtige palmen en rozenstruiken in de knop. Haar buurvrouw, Kelly Summers, lag op een ligstoel te lezen. Kelly was de dochter van Zimbabwaanse boeren en getrouwd met Patrick Summers, een Britse consultant bij de Wereldbank. Zoë spreidde haar handdoek en ging naast Kelly zitten.

'Wat een prachtige dag weer,' zei ze, terwijl ze zonnebrandcrème op haar blanke huid smeerde.

'Kon niet mooier zijn,' stemde Kelly in. Ze legde haar boek neer.

Patrick kwam uit het water en gaf zijn vrouw een druipende zoen. 'Dag, Zoë.'

'Dank je wel, schat,' zei Kelly, terwijl ze hem wegduwde. Ze lachte naar Zoë. 'We willen vanavond een braai geven bij ons thuis. Hoef jij het niet te doen.'

Deze uitnodiging kwam als een verrassing. Achter haar zonnebrilglazen knipperde Zoë met haar ogen, verbaasd dat ze haar eigen traditie was vergeten. 'Dat hoeft niet hoor,' zei ze, haar opluchting verbergend.

'We hebben er zin in,' zei Kelly. Patrick nam opnieuw een duik. 'We merken dat je het druk hebt. Een nieuwe zaak? Een vriendje, misschien?'

'Een nieuwe zaak,' antwoordde ze.

'Wat jammer. Een vriendje zou zo leuk zijn.' Kelly wees naar Bella's dagboek. 'Wat heb je daar?'

Zoë sloeg haar ogen neer en keek naar het dagboek. 'O, iets van mijn werk. Een lang verhaal.'

'En vertrouwelijk zeker.' Kelly glimlachte. 'Moet je horen: er werkt een nieuwe analist bij de Wereldbank. Hij heet Clay Whitaker. Hij is ontzettend slim, net als jij afgestudeerd aan Yale, en heeft door heel zuidelijk Afrika gereisd. Hij komt vanavond ook op onze braai.'

Zoë was blij dat haar blik schuilging achter haar zonnebril. 'Ik vind het heel lief van je,' zei ze met een geforceerde glimlach, 'maar ik ben niet zoekende.'

Zoë staarde naar het golvende water en voelde zich plotseling misselijk. Het is maar een naam, een willekeurige reeks van vier letters, dus niet moeilijk doen, dacht ze. Maar het lukte niet. Telkens kwam de naam terug, alsof de naald van een platenspeler precies bleef hangen bij een valse noot. Clay... Clay... Clay. Plotseling voelde ze de zon op haar hele lichaam branden. Ze wapende zich tegen haar herinneringen: een picknick op East Beach in de nazomer; de ovenhete lucht op de Vineyard; de roep van de meeuwen, vechtend tegen de neerslaande branding; de jongen met de smaak van strandkiezels in zijn mond, de dichtregels die hij voordroeg, de rapsodie van verliefdheid, het verlangen getemperd door angst, de grens die ze trok, het 'nee' dat ze uitsprak en het moment dat hij haar overmande en zijn liefde veranderde in een leugen.

Ze voelde het gewicht van Bella's dagboek in haar handen en richtte al haar mentale vermogens op het heden. Maar dat was niet genoeg. Ze stond op, doorkliefde met een duik het wateroppervlak en ontspande zich volledig, zwevend in het water, drijvend op de lucht in haar longen. De rauwe schok van het koude water op haar warme huid verdreef haar hersenspinsels tot alleen de urgentie van het moment was overgebleven. Ze bleef in het water drijven tot ze haar adem niet meer kon inhouden. Ze vond de bodem en ging staan, knipperend met haar ogen tegen het weerkaatsende zonlicht.

'Alles goed?' vroeg Patrick, die naar haar toe waadde. 'Je was lang onder water.'

'Alles oké,' antwoordde Zoë.

Ze liep terug naar haar stoel, droogde zich af en voelde zich een stuk beter. Ze opende Bella's dagboek en bedacht een werkwijze. Als Bella een relatie had gehad met Darious nadat ze Doris had ontmoet, dan was het waarschijnlijk dat ze hem in de eerste helft van het dagboek noemde. Het probleem was dat ze in codes over haar klanten schreef. De aanwijzingen van Doris waren flinterdun: hij ging met haar uit en gaf haar cadeautjes. Zoë geloofde echter in de kracht van Gestalt – de waarheid die sprak uit de som der delen, niet uit de afzonderlijke delen.

Twee uur lang lag ze te lezen en stopte ze alleen maar om zich in te smeren. Ze ontdekte een aantal vaste klanten. Een van hen heette de 'Levi's-Man', maar die had haar op straat ontmoet en nooit een nacht met haar doorgebracht. Dan was er een zekere 'Mr. Niceguy'. Hij had niet alleen seks met haar, maar ging ook met haar uit. Een derde noemde ze 'Godzilla'. Hij betaalde haar het dubbele tarief, maar daarna zat ze onder de blauwe plekken. Tot slot was er 'Siluwe', een complexe, ontwikkelde klant, iemand die veel praatte. Maar Bella leek hem niet te vertrouwen. Uit haar beschrijvingen sprak zelfs angst voor hem.

Zoë sloot de Levi's-Man en Godzilla uit en woog Mr. Niceguy af tegen Siluwe. Doris had verteld dat Darious Bella cadeautjes gaf. Mr. Niceguy gaf alleen maar geld. Siluwe daarentegen leek soms wel de Kerstman. Siluwe is Darious Nyambo, concludeerde ze.

Ze hadden elkaar ontmoet in de Alpha Bar. Hij betaalde haar drankjes en was zo aardig voor haar dat ze de volgende dag vergat haar diensten in rekening te brengen. In vier achtereenvolgende brieven kwam hij voor. Bella noteerde zijn geschenken – een duur etentje, een mobiele telefoon – maar bleef gereserveerd. En plotseling verdween hij uit haar dagboek.

Zoë hoorde haar iPhone tjirpen in haar tas en zag een bericht van Joseph. 'Goed idee, naar de Alpha Bar. Geef je nog een braai vanavond?'

Ze typte haar antwoord: 'De buren koken. Geef dat maar door aan Sarge en Niza.'

Even later ontving ze zijn reactie. 'Doe ik. Ik ben er rond 18.00 uur.'

Zoë kreeg een ingeving. 'Zegt de naam Siluwe je iets?'

Hij antwoordde: 'Siluwe betekent luipaard in het Tonga. Waarom?'

Zoë huiverde. 'Dat vertel ik je wel bij het eten.'

Die avond trok Zoë haar lievelingsjeans aan en een zwart topje. Ze liep over de parkeerplaats naar het huis dat door Patrick en Kelly Summers werd gehuurd. Ze knikte naar Patrick bij de grill en zocht Kelly. Ze trof haar aan in de keuken, waar ze een kaasplankje klaarmaakte, samen met een blonde dertiger in een kakikleurige broek en een buttondownoverhemd.

'Jij bent zeker Zoë,' zei de man met een ongedwongen glimlach. 'Ik ben...'

'Clay,' vulde ze aan. 'De gemeenschap van expats is net een studentenvereniging. Een nieuw lid maakt nieuwsgierig.' Ze leunde tegen het aanrecht. 'Wat doe je hier in Afrika? Ben je een apostel van de Wereldbank of sta je kritisch tegenover hun ontwikkelingsprogramma?'

'Beide, denk ik,' antwoordde hij. 'Maar ik werk al zeven jaar voor de Bank.'

'Dan kun je niet heel kritisch zijn.'

Hij haalde zijn schouders op. 'Ik ben alleen maar kritisch op projecten die niet nuttig zijn.'

'O. Dan weet ik wel een project dat gegarandeerd nuttig is. Een DNA-lab in Lusaka. Laat de wereld maar eens zien dat de hervorming van het Afrikaanse rechtssysteem net zo belangrijk is als de infrastructuur en het bedrijfsleven.'

Hij krabde zich onder zijn kin. 'Interessante stelling. Maar ik zit in de energiesector.'

'Oké. Dus niet jouw pakkie-an.' Ze draaide zich om naar Kelly. 'Kan ik je helpen?'

Zoë's vriendin gaf haar een hakmes en wees naar een bosje groenten. 'Snijden en hakken,' antwoordde ze met een blik op Clay die met het kaasplankje naar buiten liep. 'Maar niet op hem.'

Om kwart over zes arriveerden de overige gasten achter elkaar. Het was een divers gezelschap – ontwikkelingstypes en ambtenaren in buitenlandse dienst, een Britse intellectueel en een uit de binnenlanden afkomstige vrijwilligerscoördinator van het Vredeskorps. Met onbewuste precisie gingen ze in gender-bepaalde groepjes staan – de mannen bij de grill met een biertje, pochend over hun oorlogservaringen, de vrouwen op de veranda, babbelend bij een glaasje wijn. Alleen Clay doorbrak het patroon. De vrouwen leken dol op hem, behalve Zoë, die steeds naar de poort keek, waar ze Joseph verwachtte.

Toen hij eindelijk arriveerde, ging Patrick rond met hamburgers en kip. 'Precies op tijd,' grapte ze, terwijl ze hem een papieren bordje gaf.

Hij glimlachte naar haar. 'Leuk je weer te zien.'

'Komen de anderen ook?'

'Sarge had familieverplichtingen, Niza was niet in de stemming.'

Nadat iedereen had opgeschept werd er gezamenlijk gegeten op de verlichte veranda; degenen die geen stoel hadden gevonden, zaten op de vloer. Tussen de happen in haar hamburger door, praatte Zoë Joseph bij over haar gesprek met Doris en haar ontdekking van Siluwe, de luipaard, in het dagboek van Bella.

'Zou Doris willen getuigen?' vroeg hij.

'Ik weet het niet. Ze haat Darious, maar is ook bang voor hem.'

'Siluwe. Interessante bijnaam. De luipaard jaagt in het donker.'

Zoë wilde juist iets zeggen toen de stem van Clay Whitaker haar gedachten onderbrak.

'De krachtcentrale in de Batoka-vallei wordt misschien eindelijk in gebruik genomen,' zei hij tegen een meisje met hertenogen van USAID. 'Het is echt heel bijzonder dat een particuliere onderneming garant staat voor de schuld van een soeverein land.'

Zoë mengde zich in het gesprek. 'Maar dat doen de Wereldbank en het IMF toch voortdurend? Geld lenen aan landen?'

'Klopt. Maar die fondsen komen van natiestaten. Niet van particuliere investeerders.'

'Wie is de investeerder in het Batoka-project?'

'Ooit gehoord van Nyambo Energy?' informeerde hij.

Ze staarde naar hem. 'Wat is het belang van Nyambo in de Batoka-vallei?'

'Ik weet niet precies wat de voorwaarden waren. Maar daar heb ik wel een theorie over.'

Zoë leunde nieuwsgierig naar voren. 'Goed, laat maar horen.'

'Je kent het verhaal van Batoka, neem ik aan,' begon hij. 'Zimbabwe en Zambia hebben een probleem; er is niet genoeg elektriciteit voor het net. De rivier de Zambezi is duidelijk de redder, maar Zambia wil niet investeren in een waterkrachtcentrale zolang Zimbabwe zijn Rhodesische schuld niet heeft afbetaald. Zimbabwe dreigt alleen verder te gaan, maar niemand gelooft dat Mugabe daar het geld voor heeft. Dan verschijnt Frederick Nyambo ten tonele met het aanbod de schuld te dekken en met de bouw te beginnen. Iedereen verklaart hem voor gek. Waarom investeren in een wankelende staat als Zimbabwe?'

'Behalve als die wankelende staat een aanbod doet dat je niet kunt weigeren,' zei ze. 'Bijvoorbeeld commissie uit de verkoop van stroom.'

Whitaker keek haar onderzoekend aan. 'Of een aandeel in de energiemaatschappij. Zimbabwe overweegt privatisering van de nutsbedrijven. Als Nyambo een meerderheidsaandeel kan krijgen...'

'Dan heeft hij recht op een groot deel van de winst.'

'Precies. Met deze slimme zet is hij al vijftien jaar bezig.'

Zoë kneep haar ogen samen. 'Hoezo?'

Whitaker vouwde zijn handen ineen. 'Zimbabwe gaf in 1996 voor het eerst opdracht voor een private krachtcentrale. Nyambo Energy was de aannemer. Toen het Batoka-project wegens schulden dreigde vast te lopen en de privatisering haperde, stimuleerde Frederick Nyambo als minister van Energie de vercommercialisering van Zambia's openbare nutsbedrijven. Ik denk dat hij van twee walletjes wil eten, door zowel bij de Zambiaanse als Zimbabwaanse regering erop aan te sturen het staatsbezit van de openbare voorzieningen te privatiseren en zichzelf als rechtmatige erfgenaam op te werpen.'

Zoë stond verbaasd. Frederick Nyambo was ofwel een financiële waaghals ofwel een van de gewiekste zakelijke visionairs in Afrika – of beide.

'Wil iemand nog iets drinken?' vroeg Kelly boven de verschillende gesprekken uit.

Whitaker hield zijn glas omhoog. 'Doe mij nog maar rood.'

Zoë keek Joseph aan. 'Zullen we even wandelen?'

Ze liepen door de tuin naar de poort en namen het pad dat naar het zwembad leidde. De tuin was verlaten, het donkere water roerloos.

'Batoka ligt vlak bij de Victoriawatervallen,' zei ze. 'Ik vraag me af of er een verband met Bella is.'

Joseph schudde zijn hoofd. 'Dat zou puur toeval zijn. Dat Frederick Nyambo een waterkrachtcentrale wil bouwen op de Zambiaans-Zimbabwaanse grens heeft niets te maken met zijn zoons voorkeur voor prostituees.'

'Mag ik je iets vragen? Op de man af.'

'Natuurlijk.'

'Zullen de hoven ons een eerlijk proces gunnen?'

Hij keek haar aan. 'Nyambo is niet onoverwinnelijk. Elke tegenstander heeft een zwakke plek.'

Ze staarde naar hem en verbaasde zich over de frappante overeenkomst tussen zijn woorden en die van haar vader lang geleden. 'Iemand heeft me ooit hetzelfde gezegd. Hij noemde dat de regel van Achilles.'

Joseph glimlachte. 'Wie dat ook was, hij had gelijk.'

DEEL TWEE

Een zuiver geweten vreest geen beschuldiging.
– Afrikaans gezegde

Bella

Lusaka, Zambia, juli 2004

*D*e lucht in de bar was warmer dan de nacht zelf. Er stonden zoveel lijven tegen elkaar aan op de dansvloer dat die aanvoelde als een zomerse enclave in hartje winter. Ze stond te dansen aan de rand, wat ze altijd deed wanneer ze op zoek was naar klanten. Iedereen kon haar daar zien. Ze was in het rood, haar lievelingskleur. Haar jurk zat strak, was niet geschikt voor de kou, maar trok wel de aandacht. Ze kende het nummer niet dat werd gespeeld, maar het had een stampende beat die haar moed gaf.

Bella kende iedereen in de Alpha: de barkeepers, de vaste klanten, de meisjes. Op zaterdagavond was er minstens één meisje voor elke man. De concurrentie was moordend, en Bella vertrouwde niemand, behalve Doris. Het tarief van de transactie werd door verschillende factoren bepaald: de duur van de ontmoeting, het gebruik van een condoom of niet, de noodzaak van een hotelkamer en de zichtbare welstand van de klant. Voor Bella was de klant het belangrijkst. Ze bracht buitenlanders meer in rekening dan Zambianen, kleurlingen meer dan negers, Zambianen met mooie horloges meer dan landgenoten zonder, enzovoort. Het systeem werkte omdat er veel vraag was naar haar diensten. Ze was al zevenentwintig, maar nog steeds een van de mooiste meisjes in de club.

Toen het nummer was afgelopen glipte ze naar de bar en bestelde een flesje Castle-bier bij de barkeeper, nadrukkelijk de blikken van de mannen om haar heen mijdend. Ze speelde het spel voortreffelijk. De mannen met geld wilden de illusie van een verovering – de ervaring van een vriendin. Ze wilden in de waan verkeren dat de aantrekkingskracht wederzijds was. Ze keek opzettelijk verveeld uit haar ogen en nam een slokje, wachtend tot een andere stampende househit de vloer zou veranderen in een korf vol met zwetende danslijven.

Het duurde niet lang voordat ze door een jongeman werd aangesproken. Hij was sportief gekleed, maar aan de snit van zijn leren jasje, de glans van zijn schoenen en het goud om zijn pols zag ze dat hij genoeg geld had.

'Dag schatje,' zei hij in het Nyanja, 'mag ik je op een biertje trakteren?'

Bella had deze zin de afgelopen jaren al talloze keren gehoord. Toen ze jong was en nog geloofde in een betere wereld, vond ze hem verschrikkelijk. Ze had een afkeer van bars en mannen, van intimiteit in ruil voor kwacha. Dat deel van haar – het meisje dat nog in de toekomst geloofde – was langzaam afgestorven en had alleen maar verdoofdheid en verlangen nagelaten. Avances betekenden niets voor haar. Het was business, werk waarmee ze Kuyeya en zichzelf in leven hield.

'Dat is aardig van je,' antwoordde ze, terwijl ze ruimte voor hem maakte.

De man legde wat kwacha op de bar en boog zich naar haar, schreeuwend boven de muziek uit. 'Waarom heb ik zo'n mooi meisje als jij nooit eerder gezien?'

Ze bestudeerde hem zorgvuldig. Ze schatte hem begin twintig en hoogopgeleid – een advocaat of zakenman. Zijn gezicht kwam haar vaag bekend voor, maar ze kon het niet plaatsen.

Ze lachte flirterig en negeerde zijn vraag. 'Hoe heet je?'

'Hoe heet jij?' vroeg hij.

'Bella,' antwoordde ze, het spelletje meespelend.

'Mooie naam. Vertel eens, Bella, wat doet een meisje als jij in zo'n bar als deze?' Hij gebaarde met zijn arm naar de overige aanwezigen. 'Dit zijn bepaald geen beschaafde mannen met klasse.'

Zijn neerbuigendheid verraste haar. De Alpha was een van de hipste tenten in Lusaka. Ze legde haar hand op zijn arm. 'We kunnen wel ergens anders heen, als je er niks aan vindt hier.'

'Maar je begint net aan je biertje.' Hij gebaarde de barkeeper hem een flesje Mosi te brengen en pakte haar handen. 'Ik heb ooit een meisje gekend dat Bella heette. Ze kwam uit een dorpje in Toscane. Weet je waar dat ligt?'

'Italië,' antwoordde ze meteen. Ze was niet achterlijk.

Hij lachte. 'Hoe ver ben je gekomen op school?'

'Ik heb mijn diploma gehaald,' antwoordde ze. De leugen was aantrekkelijker dan de waarheid. 'En jij?'

'Ik heb in Londen aan de universiteit gestudeerd.' Hij wees naar een tafeltje. 'Zullen we daar gaan zitten?'

Ze stond hem toe haar aan haar arm mee te voeren naar een tafel bij de *deur. Het tochtte er, al snel kreeg ze kippenvel. Opnieuw verraste hij haar door zijn jasje om haar schouders te hangen.*

'Jij hebt nog niet gezegd hoe je heet,' zei ze.

Hij glimlachte naar haar. 'Vind je dat belangrijk? Raad maar.'

'Er zijn ontelbaar veel namen,' wierp ze tegen.

'Ach,' zei hij, 'nu weet ik zeker dat je hier niet thuishoort.'

Lachend deed ze alsof ze zich gevleid voelde, en ze probeerde in zijn ogen te zien wat hij wilde. Dit was ze niet gewend, dat de klant de controle had. Ze wachtte tot de stilte ongemakkelijk werd en deed een gok. 'Richard?'

Hij schudde zijn hoofd. 'Maar je bent warm. Het is de naam van een koning.'

'George,' gokte ze opnieuw.

'Niet zomaar een koning. Een koning der koningen.'

'Alexander, weet ik veel.'

Zijn ogen glansden in het licht. 'De meeste meisjes vervelen me. Zelden tref ik er een die me boeit.'

Ze keek hem wezenloos aan en had ineens genoeg van het spelletje. Als hij niet wilde zeggen hoe hij heette, gaf ze hem zelf een naam: Siluwe. Hij had de sluwheid van een kat.

'Ik woon in een flat hier vlakbij,' zei hij, haar vingers strelend. 'Ik weet zeker dat je het leuk vindt.'

Ze aarzelde. In de regel ging een meisje nooit met een nieuwe klant naar zijn huis. Je kon seks hebben in een hotel, wc-ruimte of auto. Bij iemand thuis was de kans op geweld te groot.

'Wat is je prijs?' vroeg hij. Hij voelde haar terughoudendheid.

Ze vouwde haar handen ineen en voelde dat ze de ring niet om had. Die had ze thuis laten liggen bij Kuyeya, wat ze altijd deed wanneer ze uitging. Ze keek om naar de dansvloer, terwijl ze in haar hoofd begon te rekenen. Ze moest de rekeningen van de dokter betalen. Kuyeya had medicijnen nodig voor haar hart. Er zat een risico in het aanbod van de man, maar aan risico's was ze gewend. Iedere klant kon veranderen in een monster.

'Een miljoen kwacha,' antwoordde ze. 'Een uurtje maar, niet meer.'

Hij bleef haar een lange poos aankijken, en opnieuw kwam hij haar bekend voor. Iets in zijn ogen, zijn zelfverzekerdheid, wat was het? Ze kon er de vinger niet op leggen.

Uiteindelijk keek hij haar met een scheef glimlachje aan. 'Darious. Ik heet Darious.'

9

Lusaka, Zambia, augustus 2011

OP MAANDAGOCHTEND KWAM HET RESPONSTEAM opnieuw bij elkaar. Zoë zat tegenover Joseph, benieuwd naar zijn bevindingen. Zondag had ze hem in een voicemailbericht gevraagd naar zijn nachtelijke avonturen in de Alpha Bar, waarop hij cryptisch had gereageerd: 'Wie geduld heeft, krijgt het goede.'

Haar reactie daarop was: 'Dan hoop ik maar dat het goed is. Geduld is niet mijn sterkste kant.'

Nadat iedereen was gaan zitten, keek Mariam naar Zoë. 'Ik heb met de officier van justitie gesproken over Darious' relatie met Bella en de verkrachting van Bright. Uiteraard bleef hij op zijn hoede, maar hij gaat er vandaag naar kijken.' Ze wendde zich tot Joseph. 'Zoë zegt dat jij nieuws hebt.'

Hij knikte. 'Zaterdagavond heb ik in de Alpha Bar de avond doorgebracht met een paar meisjes.'

'Je hebt toch wel een condoom gebruikt?' merkte Niza droog op.

Hij lachte. 'Ik kan geen condoom over mijn oren trekken.' Hij legde zijn handen op de tafel. 'De meisjes noemen zich op straat Candy en Love. Ze kennen Darious. Hij woont zowat in de Alpha. Maar ze gaan niet meer met hem mee. Ze denken dat hij hiv heeft.'

'Gebruikt hij medicijnen?' vroeg Zoë.

'Dat wisten ze niet, maar volgens mij niet. Ik heb hem een tijdje in de gaten gehouden. Hij heeft huidlaesies en is broodmager. In één uur is hij vier keer naar de wc gegaan. Hij dronk veel, net als iedereen, maar volgens mij heeft hij diarree. Ik denk dat hij al behoorlijk ver heen is.'

'Hoe kun je dat weten?' vroeg Niza.

Joseph wachtte even met zijn antwoord. 'Mijn jongste zusje is aan aids gestorven.'

Zelfs Niza leek geschrokken door deze bekentenis. 'O, sorry,' fluisterde ze.

Zoë keek naar Joseph met hervonden begrip. Dit verklaarde voor een deel waarom hij zo toegewijd was aan zijn werk.

Mariam nam het woord. 'Het spijt me dit over je zusje te horen, Joseph. Maar ik ben benieuwd naar je theorie. Waarom gebruikt Darious niet gewoon virusremmers als hij aids heeft? We leven niet meer in de jaren negentig. De medicijnen zijn overal gratis beschikbaar.'

'De mythes leven nog,' reageerde Zoë.

'Net als het stigma,' stemde Sarge in.

Zoë knikte. 'Als een verlicht man als Thabo Mbeki zich durft af te vragen of aids daadwerkelijk door hiv wordt veroorzaakt, dan kan iedereen dat,' zei ze. Ze verwees naar de commotie die de opvolger van Nelson Mandela in Zuid-Afrika had veroorzaakt.

'Maar Mbeki heeft die discussie verloren,' wierp Mariam tegen.

'Jij en ik weten dat hij ongelijk had,' zei Sarge. 'Maar veel mensen zijn het met hem eens. Het vermoeden dat het Westen erachter zit, zit diep.'

'Sarge heeft gelijk,' zei Joseph. 'Of Darious vertrouwen in de medische wetenschap heeft of niet, hij maakt zich ongetwijfeld zorgen over wat zijn familie denkt. Dat deed mijn zusje ook. Toen ze het me vertelde was ze zo ziek dat ze nauwelijks nog overeind kon blijven. Zelfs toen nog moest ik zweren het geheim te houden. Mijn vader denkt dat ze aan een longontsteking is gestorven.'

Zoë kreeg een ingeving. 'Wacht eens,' zei ze. 'Kuyeya is een gehandicapt meisje. Vanzelfsprekend wordt aangenomen dat ze nog maagd is. Hoe zat dat met die mythe dat je door seks met een maagd van aids kon genezen? Darious wist waar ze woonde. Doris heeft hem een paar weken geleden gezien. Misschien heeft hij haar opgewacht.'

'Dat lijkt me wel heel vergezocht,' onderbrak Niza haar. 'Darious is te slim om in sprookjes te geloven. Ik geloof best dat hij zijn hiv-status wil verbergen. Maar dat hij een gehandicapt meisje zou verkrachten om zichzelf te genezen? Dat gaat te ver.'

Gefrustreerd keek Zoë naar Niza. 'Bright bewijst dat Darious geen moeite heeft met kinderverkrachting. En wanhopige mannen zijn lichtgelovig. Gisteren kreeg ik op straat een foldertje van een nganga met kuren tegen pech, hekserij, relatieproblemen, een kleine penis en aids. De folder was geschreven in het Engels, gericht op hoogopgeleiden. Op mensen als Darious.'

'Daar zit iets in,' zei Sarge.

'Het is beangstigend, maar het zou kunnen,' vond ook Joseph.

'Ben ik de enige nuchtere in dit gezelschap?' vroeg Niza. 'Hoe vergezocht jullie vermoeden ook is, stel dat het klopt: hoe gaan we dat in 's hemelsnaam ooit bewijzen?'

Een plotselinge stilte viel als een gordijn op het gezelschap neer. Iedereen staarde naar Niza, die defensief haar handen in de lucht stak. 'Is toch een redelijke vraag?'

'Klopt,' zei Sarge. 'Maar we hoeven ons voorlopig geen zorgen te maken over de bewijsvoering.'

'Ik zal eens navraag doen,' stelde Joseph voor. 'Er zitten veel nganga's in Lusaka, maar Darious zal hooguit een enkeling vertrouwen. Áls hij er een bezocht heeft, kom ik er wel achter wie dat is.'

Mariam keek naar de klok aan de muur. 'Het is halftien. Zoë en Niza, jullie helpen Sarge met de voorbereidingen op de aanklacht. Joseph, jij schrijft een verslag over je bevindingen. Ik zorg ervoor dat Mwila contact opneemt met dokter Chulu. Die zou moeten weten of Darious besmet is. Ik informeer jullie zodra ik nieuws heb van de officier van justitie. Laten we hopen op groen licht.'

Vlak voor drie uur 's middags kwam er een telefoontje van de officier van justitie. Dit keer nodigde Mariam Zoë uit in haar werkkamer, op voorwaarde dat ze haar mond hield.

'Dit is een zeer ernstig geval,' begon de officier. 'Is het kind al door een psychiater onderzocht?'

'Nee, nog niet,' antwoordde Mariam, 'maar we proberen een afspraak voor een onderzoek te maken.'

'En haar familie? Weet iemand haar geboortedatum?'

'We gaan af op haar uiterlijk, en we hebben de verklaring van Doris, bij wie ze woonde...'

'Ja, ja,' onderbrak hij haar. 'Maar de getuigenverklaring van die vrouw is pure suggestie. Ik wil niet moeilijk doen, maar ik ben en blijf jurist. De bewijsvoering is overduidelijk gebrekkig.'

'We hebben nog meer aanwijzingen,' ging Mariam verder. 'En we zullen iemand vinden die weet hoe oud ze is.'

De officier van justitie slaakte een zucht. 'Mariam, ik heb diep respect voor je team. Sarge en Niza zijn twee van de beste advocaten in Lusaka. Maar we hebben het hier niet over een of andere ongeletterde crimineel.

Het gaat hier om Darious Nyambo. Zijn vader is een ex-minister. Zijn moeder is rechter bij het hooggerechtshof.'

'Luister, Levy,' zei Mariam. 'Ik weet dat deze kwestie risico's voor jou met zich meebrengt. Zelf wil ik ook geen uitglijder maken. Maar we staan voor een dilemma. Zonder DNA krijgen we deze zaak niet rond, zonder gerechtelijk bevel kunnen we geen bloedmonster laten afnemen. Als we een gerechtelijk bevel willen, moet je ons tot vervolging laten overgaan.'

In de stilte daarop waren de twijfels van de officier bijna voelbaar. 'Waarom heeft Doris geen aangifte gedaan van de verkrachting van haar dochter? Dan was dit allemaal niet nodig geweest.'

Het was een retorische vraag, en Mariam gaf geen antwoord.

'Kun jij me verzekeren dat er niet geknoeid is met de monsters?' vroeg hij uiteindelijk.

Mariam knikte. 'Ze worden door dokter Chulu in het ziekenhuis bewaard.'

De officier van justitie schraapte zijn keel. 'De wet is dubbelzinnig, maar dat moet worden veranderd. Verkrachting komt veel te vaak voor in dit land. DNA is het enige beklijvende afschrikmiddel. Mariam, als jij je reputatie op het spel wilt zetten om Darious Nyambo's schuld te bewijzen, dan laat ik je dat doen. Maar als het mislukt, gaat alles waarvoor je hebt gewerkt misschien verloren.'

Nadat de officier van justitie zijn toestemming had gegeven, maakte Zoë's hart een sprongetje. Haar enthousiasme werd niet gedeeld door de overige aanwezigen aan tafel. Mariam en Sarge keken ernstig voor zich uit, Niza zag lijkbleek.

'Denk er nog eens goed over na en laat het me weten,' zei de officier voordat hij ophing.

Een poos lang bleef iedereen zwijgend en roerloos zitten. Zoë hield haar adem in, hopend dat iemand de stilte zou verbreken.

'Sarge?' begon Mariam uiteindelijk.

Met zijn handen in een driehoek tegen elkaar gedrukt keek Sarge op. 'Dit is dan wel Zambia, maar een misdaad blijft een misdaad. Ik geloof in het bewijs. Ik durf het aan.'

Mariam keek naar Niza. Voor het eerst zat de jonge juriste met haar mond vol tanden.

'Niza, kijk me aan,' zei Sarge op kalme toon. Hij wachtte op haar blik voordat hij verderging. 'Dit is onze kans om te doen waar politici alleen maar over praten. We kunnen een leven veranderen. We kunnen het systeem zelf veranderen. Maar daar hebben we jouw hulp bij nodig. *Ik* heb jouw hulp nodig.'

Eindelijk nam Niza het woord. 'Weten jullie hoe groot de offers zijn die mijn vader voor zijn principes heeft gebracht?' vroeg ze gekweld. 'Hij probeerde Robert Mugabe ervan te overtuigen te stoppen met het landhervormingsprogramma. Mugabe had hem laten afmaken als we niet naar Zambia waren gevlucht.'

'Je vader was moedig,' antwoordde Sarge. 'Hij handelde naar zijn geweten.'

Zoë zag Niza's gezichtsuitdrukking veranderen in een grimmige lach. 'Nyambo zal dit opvatten als een oorlogsverklaring,' merkte Niza op. 'Als we willen winnen, moeten wij dat ook doen.'

Mariam pakte de telefoon en stak de handset in de lucht. 'Zal ik dan maar bellen?'

Niza antwoordde namens iedereen. 'Ja, doe maar.'

Om zes uur die avond arresteerde Joseph Darious voor het huis van zijn vader in Kabulonga. Zoë zou er graag bij zijn geweest, al was het maar om de blik in Darious' ogen te zien op het moment dat hij door Joseph in de boeien werd geslagen. Maar dat mocht niet: ze was Amerikaans, vrouw en advocaat. Er gold een protocol. Ook was haar veiligheid in het geding.

Joseph voerde het verhoor uit op het politiebureau in Woodlands. Zoë kreeg het allemaal van hem te horen nadat hij Darious in de cel had gezet.

'Hij ontkent natuurlijk alles,' zei Joseph. 'Hij beweert dat hij bij zijn vader was op de avond dat Kuyeya werd verkracht. We hebben zijn suv doorzocht maar niets gevonden. Bella noemde hem terecht Siluwe. Hij is ongelooflijk berekenend.'

'Jij lijkt ervan te genieten,' zei Zoë op de bank in haar flat.

'Op een zaak als deze heb ik jarenlang gewacht. Luister, ik moet mijn verslag schrijven. Morgenvroeg lever ik het in bij de aanklager. Een vriend van me zal ervoor zorgen dat tot vervolging wordt overgegaan en dat het stuk rechtstreeks wordt doorgestuurd naar de hoogste districtsrechter. Het eerste verhoor zal eind deze week plaatsvinden.'

'Ik neem aan dat Darious op borg zal vrijkomen.'

'Daar is al voor gezorgd.'

'Heeft hij Benson Luchembe in de arm genomen?'

Joseph grinnikte. 'Natuurlijk. Hij is hier over vijf minuten.'

'Het is dus begonnen.'

'Ja,' zei hij. 'Maar niet te enthousiast worden. We hebben nog een lange weg te gaan.'

Joseph had gelijk. Al na drie dagen vond het eerste verhoor plaats. Op donderdagochtend. Zoë klom in de Prado van Maurice voor de korte rit naar de rechtbank. Niza schoof naast haar achterin, Sarge stapte voorin.

Het gerechtsgebouw, gebouwd in 2005 in opdracht van president Mwanawasa, zelf een voormalige rechter, was van een ongewone schoonheid in de stad die werd gedomineerd door grauwe, Sovjetachtige architectuur. Het statige bakstenen gebouw had een gewelfde lobby met glazen blokvensters en een tiental rechtszalen waar je via overdekte arcades heen liep.

Ze liepen de ontvangsthal binnen en troffen daar David Soso, de openbare aanklager van de politie die op deze zaak was gezet. In zijn krijtstreeppak en paarse das leek hij eerder een bankier dan een jurist. 'Ha, sergeant,' zei hij terwijl hij Sarge de hand schudde. 'We zitten in zaal 9. Bij rechter Thoko Kaunda.'

'Wie is dat?' vroeg Zoë aan Niza, achter Sarge en David lopend.

'Een jonge rechter,' antwoordde Niza. 'Hij werd meteen na zijn opleiding benoemd.'

Zoë schudde haar hoofd. 'Fraai. Een piepjong lid van de rechtbank die over het lot van Darious Nyambo beschikt. De zoveelste marionet.'

Ze wandelden door de arcade langs kleine gazons en vides. Zoë zag een groepje jonge advocaten voor de zaal wachten naast twee mannen met de air van oudere staatslieden. Een van hen was Benson Luchembe. De grote, corpulente advocaat met witte manen gedroeg zich als een dorpshoofd op een politieke bijeenkomst – een stroman die met veel vertoon het volk voor zich moet winnen. De andere was Frederick Nyambo. Hij was langer dan Zoë zich herinnerde van hun korte ontmoeting bij het Intercontinental, maar ze herkende zijn markante gezicht. In tegenstelling tot Luchembe had hij de hautaine blik van een vorst die met goddelijk recht heerste.

Luchembe keek schuin achterom, en Nyambo draaide zich naar hen om. Zoë ving zijn blik en lachte grimmig. We hebben elkaar al eens ontmoet, maar zoals je ziet laat ik me niet intimideren, dacht ze.

Sarge liep voor hen uit de rechtszaal in en zette zijn aktetas neer. Niza en David Soso gingen naast hem zitten aan de tafel van de aanklagende partij, en Zoë nam plaats op de voorste rij van de galerij. De in Britse stijl ingerichte zaal had een hoog plafond, een lambrisering, houten banken en een door een hekje afgeschermde beklaagdenbank. Zoë krabbelde wat in haar schrijfblok tot de verdediging binnenkwam. Ze keek op en zag Frederick Nyambo plaatsnemen achter in de zaal naast een mooie vrouw in een lichtgroene chitenge. Dat is zeker Patricia, dacht ze.

Joseph ging naast haar zitten en fluisterde: 'De jakhalzen zijn bijeengekomen.'

'En de leeuw en de leeuwin,' antwoordde ze met een hoofdbeweging naar het echtpaar Nyambo.

Hij knikte. 'Ze maken zich op voor een feestmaal.'

Plotseling ging de deur van de rechtszaal open en stapte Thoko Kaunda de treden van de verhoogde rechterstoel op met een stapel dossiermappen onder zijn arm. Hij ging zitten en legde de mappen op verschillende stapels, zoals een student bij een tentamen zijn potloden op een rijtje legt. Hij was nog geen vijfendertig, had een hoog voorhoofd en een bril met metalen montuur. Zoë kreeg het benauwd. Als je niet sterker bent dan je eruitziet, laat Luchembe niets van je heel.

Kaunda wachtte tot iedereen in de zaal was gaan zitten. Daarna las hij de aanklacht voor, zo zacht dat Zoë hem nauwelijks verstond. Hij wuifde naar een medewerker die Darious vanuit een wachtkamer naar binnen riep. Darious was magerder dan Zoë zich herinnerde. Ze bestudeerde hem en zag de beschadigingen op zijn huid. Hij nam plaats in de beklaagdenbank en staarde met katachtige ogen naar de rechter. Net als zijn vader had hij de onverschillige houding van een wezen dat zich superieur voelt.

Na een paar inleidende opmerkingen opende Kaunda de zitting. Monotoon las hij de aanklacht voor van een vel papier waarachter de onderkant van zijn gezicht verborgen bleef – een feitelijke beschrijving van de verkrachting. Pas toen hij het vel liet zakken keek hij op naar Darious. Bijna verontschuldigend trok hij zijn wenkbrauwen op.

'Bekent of ontkent u deze beschuldigingen?' vroeg hij.

'Ik ontken ze,' antwoordde Darious zonder een greintje bezorgdheid.

De rechter wendde zich tot de falanx van advocaten achter hun tafels. 'Gezien de ontkenning van de verdachte, dienen we een datum vast te stellen voor een proces.'

Sarge en Luchembe stonden tegelijk op, maar Kaunda knikte naar de advocaat en gaf hem als eerste het woord.

'Edelhoogachtbare,' begon Luchembe met een aanspreekvorm die meestal is voorbehouden aan gerechtshofrechters. 'Ik bied de rechtbank mijn verontschuldigingen aan. Mijn procesagenda zit tot december volgend jaar vol.'

Sarge schudde zijn hoofd. 'Edelachtbare, in deze zaak spelen kindgetuigen een rol. Hun geheugen is kort. We hebben niet meer dan vijf of zes maanden nodig om onze voorbereidingen af te ronden. Er is geen reden deze zaak tot hooguit april volgend jaar op te schorten.'

Kaunda rommelde in zijn papieren en opende een notitieblok. 'Als u de zaak binnen één dag kunt afronden, heb ik een paar data in juni. Als u meer tijd nodig heeft, geef ik u een datum in december. Aan u de keus.'

Terwijl Luchembe stond te glunderen, overlegde Sarge met Niza. 'Als het hof ons toestaat tot 's avonds getuigen op te roepen,' zei hij, 'kunnen we deze zaak in één dag afhandelen.'

De rechter fronste. 'De rechtbank sluit om 17.00 uur.'

Sarge leek wanhopig. 'Dan vragen we om twee dagen in december.'

'Deze zaak wordt ter zitting gebracht op 12 en 13 december 2012,' verklaarde de rechter. 'Zijn er nog andere kwesties die we op dit moment moeten behandelen?'

'De verdediging is tevreden,' antwoordde Luchembe.

'Er is nog een kwestie,' repliceerde Sarge terwijl hij Luchembe een aan elkaar geniet document gaf. 'We willen graag het biologische bewijsmateriaal dat dokter Chulu heeft verzameld in de nacht van het incident vergelijken met een DNA-monster van de verdachte. We dienen een verzoek in tot een juridisch bevel dat de verdachte dwingt een bloedmonster af te staan. Met alle respect verzoek ik u met de hoogste spoed in dezen te beslissen.'

Luchembe scande het document en ging in protest. 'Edelachtbare, dit verzoek druist in tegen de constitutionele rechten van mijn cliënt. Er bestaat in Zambia geen precedent voor dit verzoek...'

'Edelachtbare, er zijn wel precedenten,' onderbrak Sarge hem. 'Dergelijke bloedmonsters worden routinematig aangevraagd in zaken waarbij de gedaagde het vaderschap van een kind betwist. Bovendien staan de hoven in Groot-Brittannië en veel andere landen DNA-onderzoek toe in verkrachtingszaken. Het klopt dat wij de eersten zijn in Zambia die dit verzoek indienen, maar wij menen dat onze vraag direct kan worden beantwoord.'

Kaunda leek zich geen raad te weten met dit verzoek. Hij bleef roerloos zitten en bladerde door zijn papieren. 'Zijn de monsters van het slachtoffer,' zei hij uiteindelijk met een blik op Darious, 'volgens het protocol afgenomen?'

'Ja, edelachtbare,' antwoordde Sarge.

'Waar worden die nu bewaard?'

'Ze zijn in bezit van dokter Chulu.'

Luchembe deed een laatste poging. 'Edelachtbare, mijn cliënt heeft een aanzienlijke reputatie in Lusaka. Deze aanklacht is een leugen van een Britse organisatie die niet gelooft dat wij Zambianen onze eigen wetten kunnen handhaven. Dit hof oordeelt voortdurend in verkrachtingszaken. Daar is geen DNA voor nodig.'

Kaunda keek Luchembe over zijn montuur heen aan. 'Als er in mijn aanwezigheid een verzoek wordt ingediend, moet ik daarop ingaan. Ook wanneer dat verstrekkende constitutionele gevolgen kan hebben.' Hij pakte zijn notitieblok er weer bij. 'De verkiezingen worden de 20e gehouden. Ik denk

dat deze kwestie vóór die tijd kan worden beslist. Heeft de raadsman bezwaar tegen een hoorzitting op de 15e?'

'Nee, edelachtbare,' antwoordde Sarge.

Luchembes ogen spuwden vuur. 'De verdediging tekent bezwaar aan tegen deze gang van zaken.'

'Bezwaar ter kennisgeving aangenomen,' zei Kaunda. 'Ik zet de zaak op
de rol voor 15 september om tien uur. Daarmee wordt deze zaak opgeschort.'

Terwijl de juristen hun aktetassen inpakten, wendde Zoë zich met een
aarzelende glimlach tot Joseph. Uit een ooghoek zag ze dat Frederick Nyambo iets fluisterde tegen zijn vrouw Patricia. Zoë huiverde. Ze hebben de
rechter vooralsnog niet kunnen omkopen, dacht ze. Maar ze weten nu wel
hoe gemakkelijk hij om te praten is.

Alsof hij haar gedachten kon raden zei Joseph: 'Ik ben niet gerust op deze
rechter.'

'Ik ook niet,' antwoordde ze. 'Het is alsof hij geen controle heeft.'

Toen ze omkeek naar de Nyambo's, bleken die al vertrokken.

10

DE WEEK DAARNA GING VOORBIJ in een roes. Het team van Luchembe kwam vijf werkdagen na de uitspraak met een bezwaarschrift waarin de grondwettelijkheid, redelijkheid en het morele gehalte van DNA-onderzoek in verkrachtingszaken scherp werden aangevallen. Ondanks de internationale consensus pro DNA-onderzoek had Luchembe een in Zuid-Afrika genomen beslissing gevonden en verkeerd geïnterpreteerd waarin de effectiviteit van DNA-profielen bij kleine monsters werd betwist. Erger was dat Luchembe Kuyeya een 'mentaal gestoord kind' had genoemd, inspelend op de vooroordelen in Afrika tegen verstandelijk gehandicapten. Het bezwaarschrift was een meesterlijk voorbeeld van misleiding en vooringenomenheid – precies het spelletje waarmee iemand als Thoko Kaunda kon worden misleid tot een uitspraak tegen hen.

Zoë had Sarge nog nooit zo boos gezien na het lezen van het bezwaar. 'Het enige middel tegen deze verknipte retoriek, is iets waarmee je Kaunda kunt verleiden, iets om zijn ego te strelen.'

Niza's ogen begonnen te glanzen. 'Iets waarmee hij een soort vrijheidsstrijder wordt. Het zou me niets verbazen als hij zijn leven lang al fantaseert dat hij familie is van Kenneth Kaunda, de held van de Zambiaanse onafhankelijkheid. Laten we van DNA-onderzoek een wapen van vernieuwing maken.'

'Briljant!' riep Zoë opgetogen.

Sarge slingerde het bezwaarschrift op zijn bureau. 'Of het werkt of niet, ik vind het een goed idee.'

Twee dagen voor de zitting reed Zoë naar het St.-Franciscus voor het psychiatrisch onderzoek. Dokter Mbao stond bij de ingang van het kindertehuis op haar te wachten. Deze vrolijke, middelbare vrouw met haar stralende lach schudde Zoë de hand alsof ze beste vriendinnen waren. Ze troffen Kuyeya aan onder de gigantische acacia, terwijl ze opging in het poppenkastspel van zuster Irina.

'Hallo, Kuyeya,' zei Zoë terwijl ze naast haar ging zitten. 'Hoe gaat het met je?'

Kuyeya maakte weer haar ballonnengeluid. 'Dag Zoë,' zei ze. 'Je muziek is mooi.'

'Ze houdt van Johnny Cash,' zei zuster Irina.

'Johnny speelt gitaar,' zei Kuyeya.

Zoë lachte. 'Jij hebt een goede smaak.'

Tijdens het gesprekje hield dokter Mbao zich op de achtergrond. Nu deed ze een stap naar voren. 'Ik ben Margie,' zei ze vrolijk. Ze ging naast Kuyeya in het zand zitten. 'Leuk je te ontmoeten.' Ze wees naar de pluchen aap. 'Hoe heet jouw vriend?'

'Aap,' antwoordde het meisje, terwijl ze het pluchen beest tegen zich aan drukte.

De psychiater keek naar zuster Irina. 'Volgens Zoë hou jij een dagboek bij over haar taalkundige vorderingen. Heb je al een patroon ontdekt?'

'Ze praat veel over lawaai,' antwoordde de non. 'Als de kinderen aan het spelen zijn, zegt ze dingen als: "De kinderen schreeuwen. De kinderen zijn niet blij." Of ze zegt: "De kinderen moeten stil zijn. Ik hou van stil."'

'Heeft ze het wel eens over haar moeder?' vroeg de psychiater.

Irina knikte. 'Wanneer ik haar medicijnen geef, zegt ze: "Medicijnen, goed. Mamma geeft mij ook medicijnen." Maar als ik doorvraag naar haar moeder, klapt ze dicht.'

'En de pijn? Laat ze daar iets van blijken?'

Zuster Irina schudde haar hoofd. 'Gisteren struikelde ze over een losse steen en begon ze te huilen. Ik zag dat ze pijn had door de manier waarop ze over de binnenkant van haar dijen wreef. Maar toen ik ernaar vroeg, wilde ze er niet op ingaan. Ze maakte telkens hetzelfde geluidje, een soort gekreun.'

'Hmm,' zei de psychiater. 'Ik ben benieuwd naar je aantekeningen. Maar eerst wil ik even met haar alleen zijn.'

Zuster Irina stond op en liep met Zoë naar de overdekte passage. 'Volgens zuster Anica hebben jullie een verdachte gearresteerd,' zei ze. 'Wat is het voor iemand?'

'Hij komt uit een machtige familie,' antwoordde Zoë.

Zuster Irina tuurde over de binnenplaats. 'Is hij ziek?'

'Misschien. Dat weten we nog niet.'

De vrouw kreeg tranen in haar ogen. 'Ik bid dat ze beter wordt. Wanneer is de rechtszaak?'

Zoë's gezicht vertrok. 'Pas in december volgend jaar. De verdediging heeft de boel met succes kunnen rekken.'

'Tegen die tijd zal ze wel praten,' zei zuster Irina. 'Dan kan ze haar verhaal vertellen.'

'Volgens Joy Herald is dokter Mbao de beste. Hopelijk krijg je gelijk.'

In de ochtend van 15 september, vijf dagen voor de landelijke verkiezingen, reed Maurice met Zoë, Sarge en Niza naar de rechtbank. In de straten van Lusaka wemelde het van de demonstranten, zwaaiend met spandoeken en vlaggen, en de vele pick-uptrucks met jonge campagnevoerders hinderden het verkeer. De in het groen geklede aanhangers van het Patriottisch Front schreeuwden woedend leuzen tegen president Banda, terwijl de in het blauw gehulde aanhangers van de zittende partij *'Boma ni boma!'* (Regeren is regeren!) schreeuwden en met schorre stem strijdliederen zongen.

In de zee van groene t-shirts zocht Zoë naar het gezicht van de jongeman met de bandana, maar ze zag hem nergens. De aanranding in Kanyama was nu drieënhalve week geleden. De schok na het incident was overgegaan in een gevoel van permanente dreiging ergens aan de rand van haar bewustzijn. Meestal dacht ze er niet aan, maar wanneer ze een groepje aanhangers van het PF op straat zag, sloeg haar de angst weer om het hart.

Toen ze de hal van de rechtbank binnenliepen zag Zoë Joseph in gesprek met David Soso, de aanklager van de politie. Ze had al meer dan een week niet met Joseph gepraat. Volgens Mariam werd hij in beslag genomen door vergaderingen op het hoofdkwartier, maar Zoë had hem berichtjes gestuurd en geen antwoord ontvangen.

'Hé, zwerver,' zei ze, terwijl ze hem bij zijn arm pakte. 'Waar heb jij al die tijd uitgehangen?'

Joseph schudde nauwelijks zichtbaar zijn hoofd. 'Sorry dat ik afgelopen zaterdag niet bij de braai kon zijn. Het was leuk, heb ik gehoord.'

'We hebben je gemist,' zei ze. 'De impala was een succes.'

Ze liepen door de arcade naar zaal 9. Ook nu weer stond Benson Luchembe met zijn gevolg in een groepje bij de ingang. Frederick Nyambo was er deze keer niet bij. Luchembe keek afkeurend naar Joseph toen hij door hem en Zoë werd gepasseerd.

'Heb je die blik gezien?' vroeg Zoë.

'Darious is niet zijn eerste cliënt die ik achter de tralies heb gezet,' antwoordde Joseph.

Zoë zat naast Joseph in de galerij en keek naar Sarge en Niza, die hun aktetassen op de tafel uitpakten. Ze had de advocaten van de CILA nog nooit zo ernstig gezien. Deze hoorzitting was van cruciaal belang, en zelfs de onverstoorbare Sarge leek gespannen.

Rechter Kaunda verscheen iets na tien uur. Hij ging er gemakkelijk bij zitten en wierp een bedachtzame blik op de advocaten. Zoë keek om zich heen en besefte dat het echtpaar Nyambo niet in de zaal zat.

'Ik heb uw verzoekschrift gelezen,' zei de rechter tot Sarge. 'En uw bezwaar daartegen,' zei hij tot Luchembe. 'En ik ben bereid naar uw argumenten te luisteren. Ik neem de zaak in overweging en doe schriftelijk een uitspraak. Ik laat de verzoeker als eerste aan het woord.'

Sarge stond op en stak zijn handen uit. 'Edelachtbare,' begon hij, 'DNA is geen westers fenomeen. De wetten der genetica zijn niet alleen geldig in landen waar blanke mensen wonen. DNA bestaat ook in Afrika, ook in deze zaal. En daarin staat de waarheid geschreven. De waarheid die DNA ons vertelt, is geloofwaardiger dan de getuigenissen van ooggetuigen, die zaken verkeerd kunnen interpreteren of vergeten. De waarheid van DNA is overtuigender dan de getuigenis van de bekwaamste rechercheur. Het is een waarheid die overeind blijft ondanks emoties en partijdigheid, een waarheid die staat als een huis. In de rechtszaal, waar alles om waarheid en onpartijdigheid draait, verdient DNA een plaats.'

Met gedrevenheid in zijn ogen keek hij Kaunda aan. 'Heden ten dage, vijftig jaar nadat ons land onafhankelijk is geworden, zijn de meisjes in onze steden nog steeds niet vrij. Ze leven in angst. Ze voelen zich een doelwit, omdat bepaalde mannen het als een moreel recht beschouwen seks te hebben met het meisje van hun keuze. Het is aan ons, advocaten, rechters, handhavers van de wet, onze kinderen van deze angst te bevrijden.'

Sarge nam een goed getimede pauze, en Zoë keek vol bewondering toe. Hij leek geïnspireerd.

'Het zou een probleem zijn,' ging hij verder, 'als gezaghebbende bronnen tegen het gebruik van DNA zouden zijn in verkrachtingsgevallen. Het omgekeerde is echter waar. In veel landen maken gerechtshoven dankbaar gebruik van DNA-onderzoek en worden verkrachters gevangengezet. Ook in Zambia zal dit gaan gebeuren. Het zou lastig zijn als het Zambiaanse recht het afnemen van bloedmonsters zou verbieden. Maar dat is niet het geval. Het enige wat kinderen als Kuyeya scheidt van rechtvaardigheid – en van de afwezigheid van angst – is besluiteloosheid.'

Sarge verhief nadrukkelijk zijn stem. 'Let op mijn woorden. Op een dag wordt die beslissing wél genomen. Op een dag zal ook in deze rechtszaal DNA worden gebruikt om een kinderverkrachter te veroordelen. De enige vraag voor dit hof is of vandaag die dag zal zijn.'

Sarge keerde terug naar zijn plaats terwijl je een speld kon horen vallen in de zaal. Benson Luchembe stond langzaam op en nam met beverige stem het woord.

'Edelachtbare, ik moet denken aan een oud gezegde. Wat niet kapot is, hoeft niet gerepareerd. Kinderverkrachting is een misdaad die al decennialang in Zambia voorkomt. De wet biedt het hof vele instrumenten deze misdaad te vervolgen. DNA-onderzoek hoort daar niet bij. En er is geen reden dit te veranderen.'

In de tien minuten daarna herhaalde Luchembe de kernpunten van zijn bezwaar: dat de Zambiaanse grondwet burgers beschermt tegen onrechtmatige doorzoeking; dat het hof een verdachte aan medisch onderzoek kan onderwerpen om relevante zaken vast te stellen, maar dat 'onderzoek' niet automatisch het afnemen van bloedmonsters mag betekenen; dat een verplichte DNA-test niet alleen de constitutionele rechten van Darious Nyambo, maar die van alle verdachten in verkrachtingszaken zou schenden.

Het optreden van de verdediging was opvallend flets, en Zoë begon stilletjes te hopen dat Kaunda hun verzoek zou inwilligen. Ze keek naar Sarge en verwachtte dat hij Luchembe puntsgewijs van repliek zou dienen, maar zijn verweer was sober.

'Edelachtbare,' zei hij, 'de keuze waarvoor u staat is geen abstracte; het gaat om een kind. Kuyeya verdient gerechtigheid. Het hof heeft de macht haar die te geven. Ik vertrouw erop dat u dat zult doen.'

De rechter knikte. 'Ik dank de pleiters voor hun uiteenzettingen. Zoals beloofd neem ik de zaak in overweging. Laten we hopen dat de aanstaande verkiezingen vredig zullen verlopen.'

Nadat Kaunda zich had teruggetrokken, liep Benson Luchembe stampvoetend de rechtszaal uit, zijn gevolg beduusd achterlatend.

Zoë stond op en feliciteerde Sarge. 'Dat pleidooi had in het hooggerechtshof kunnen plaatsvinden,' zei ze.

Sarge keek naar de rechterstoel. 'Ineens werd deze zaak voor mij iets persoonlijks.'

Zoë glimlachte. 'Ik hoop dat de jonge Thoko dat gevoel ook heeft.'

11

DE VOLGENDE OCHTEND KWAM VIA E-MAIL de uitspraak van de rechter binnen. Zoë had Sarge nog nooit horen vloeken, ze schrok ervan. Hij stond op vanachter zijn bureau. 'Dit heeft Kaunda al voor de zitting geschreven,' riep hij uit. 'Hij deed maar alsof hij naar me luisterde.'

Toen Mariam hoorde dat de rechter het gebruik van DNA had verboden, riep ze het responsteam bij elkaar. Zoë liep met Niza de vergaderruimte in, even later kwam Joseph binnen. Hij keek haar even aan, maar zei niets. Uit zijn ogen sprak woede.

Mariam nam plaats en zei: 'Deze uitspraak is voor ons een nederlaag. Maar waar het om gaat is: hoe gaan we verder? Joseph, zijn er aanwijzingen dat Kaunda is omgekocht?'

Joseph knipperde met zijn ogen alsof hij uit een trance kwam. 'Ik heb hem geschaduwd. Hij heeft geen familieleden van Nyambo of personeel van Luchembe gesproken. Maar dat bewijst niets. Er kunnen uitwisselingen per telefoon of e-mail zijn geweest.'

Vandaar dat ik je zo lang niet gezien heb, dacht Zoë, je schaduwde de rechter.

'Dat betekent dat we twee opties hebben,' ging Mariam verder. 'Óf we leggen de DNA-kwestie voor aan het hooggerechtshof, óf we zetten de zaak voort zonder DNA-bewijs.'

'In hoger beroep gaan duurt maanden en zal Luchembe het excuus geven nog meer uitstel te vragen,' merkte Niza op. 'Het is ondenkbaar dat een rechter van het hooggerechtshof de zoon van Patricia Nyambo ten voorbeeld zal stellen. Ze zullen vast een formaliteit vinden op grond waarvan ze tegen ons kunnen beslissen.'

Sarge schudde zijn hoofd. 'De rechter moet zijn omgekocht. Je schrijft niet zo'n uitgebreid oordeel over zo'n belangrijk onderwerp voordat je iemand hebt gehoord.'

'Misschien heeft hij het gisteravond geschreven,' opperde Mariam.

'Dit is het meest uitgebreide besluit dat ik ooit van hem heb gelezen. Een zorgvuldig opgebouwd betoog van tien pagina's. Hij weet dat we nauwelijks kans maken in hoger beroep. Hij wil dat deze zaak bij hem voorkomt zonder DNA-bewijs. We moeten hem op een zijspoor proberen te zetten.'

'Dat kan alleen door hem te laten schorsen,' zei Mariam. 'Maar zonder een bewijs van belangenverstrengeling of corruptie kunnen we niet naar de hoogste districtsrechter.'

Joseph ging rechtop zitten. 'Ineens schiet me iets te binnen. Het zit me al vanaf het begin dwars. Hebben jullie gezien hoe Kaunda naar Darious keek tijdens de eerste zitting? Bijna verontschuldigend. Misschien kennen ze elkaar.'

'Nu je het zegt,' zei Zoë, 'dat viel mij ook op.'

Sarge fronste zijn wenkbrauwen. 'Alles goed en wel, maar ze moeten wel een substantiële relatie hebben wil er sprake zijn van belangenverstrengeling. De hoogste districtsrechter zal nooit tussenbeide komen als ze gewoon kennissen zijn.'

'Het is de moeite waard,' zei Mariam tegen Joseph. 'Zoek dat eens uit. Iets anders: wie stemt er vóór om in beroep te gaan?'

Iedereen schudde het hoofd.

'Goed,' zei ze. 'We gaan dus door in de veronderstelling het zonder DNA-bewijs te moeten stellen. Dan hebben we meer belastende feiten nodig. We hebben een volwassen ooggetuige nodige. En we moeten iemand vinden die weet wanneer Kuyeya is geboren. En als er een persoonlijk motief meespeelt, moeten we daarachter zien te komen.'

'Ik ben nog bezig met mijn onderzoek naar maagdenverkrachting,' zei Joseph. 'Ik zou meer onderzoek willen doen in Kanyama en Kabwata. Misschien vind ik iemand die ik nog niet gesproken heb.'

'Dan duik ik verder in het verleden,' stelde Zoë voor. 'Een reisje naar Livingstone lijkt me nu wel gepast.'

'Mee eens,' zei Mariam. Ze keek naar Joseph. 'Als je er een paar dagen tussenuit kunt, zou ik graag hebben dat je met Zoë meeging. We dekken de kosten.'

Hij keek Zoë aan met een ingehouden grijns. 'De watervallen zijn mooi in deze tijd van het jaar.'

Zoë ging aan haar bureau zitten en zette haar laptop aan. Ze kon haar enthousiasme nauwelijks bedwingen. De Victoriawatervallen waren een van haar lievelingsbestemmingen. Ze kocht twee retourtickets naar Livingstone, reserveerde een huurauto en boekte twee kamers in de Zambezi Safari Lodge. Rond het middaguur reed ze naar huis om haar koffers te pakken. Ze stopte kleren in een plunjezak en schoof haar MacBook en Bella's dagboek in haar rugzak. Vervolgens bereidde ze een lunch met druiven en kaas en at op het terras met de plattegrond van Livingstone.

Iets na enen stond Joseph met zijn pick-up bij de poort. Hij droeg een overhemd met korte mouwen, een bermudashort en sandalen. Ze wierp haar plunjezak in de achterbak, stapte in en zette haar rugzak tussen haar knieën. Hij glimlachte en gaf een dot gas, waardoor ze tegen de stoelleuning werd gedrukt.

'Heb je haast of zo?' vroeg ze.

'Ik heb in jaren niet meer gevlogen,' zei hij met een brede lach.

'Wat hebben mannen toch met mechanische dingen?' Ze rolde met haar ogen. 'Mijn broer verandert op elke luchthaven weer in een jongetje.'

Twintig minuten later parkeerden ze de auto bij de internationale luchthaven van Lusaka. In de vertrekhal stonden ze in de rij voor de luchthavenbelasting. Zoë keek om zich heen. De luchthaven herinnerde haar aan busstation Park Street in Johannesburg – een moderne grot met een weidse vloer en een onduidelijke rij met gates.

Plotseling viel haar iets op. Tien meter verderop stond een man tegen de muur geleund naar hen te kijken. Hij droeg een shirt met bloemetjesmotief en een zwarte zonnebril. Hij was stevig gebouwd, als een stier: een groot hoofd, geen nek en een uit spieren gebeeldhouwd lijf. Ze staarde naar hem tot hij wegkeek en vroeg zich af waar ze hem van kende. Ze kon hem niet plaatsen. Hij had een plunjezak bij zich. Waarschijnlijk was hij gewoon op doorreis, besloot ze.

Nadat hun vlucht was omgeroepen, stapten ze in een propellervliegtuig met twee motoren en gingen achterin zitten – Zoë bij het raam, Joseph bij het gangpad. De laatste passagier die aan boord ging was de man met de zonnebril. Hij wierp een steelse blik op hen en ging in de tweede rij zitten. Zoë bestudeerde zijn achterhoofd en kreeg een angstig voorgevoel. Ze overwoog het er met Joseph over te hebben, maar wilde geen paranoïde indruk maken.

Het vliegtuig steeg op en maakte een bocht naar het zuidwesten, klimmend door de wolkeloze lucht. Zoë zag Lusaka in de verte kleiner worden en uiteindelijk verdwijnen, als een droombeeld in de struiken van het hoogland. Ze pakte Bella's dagboek en begon de met plakkertjes gemarkeerde pagina's te herlezen. Ergens middenin kwam ze bij de enige brief die Bella niet in het Engels had geschreven. Daar had ze het nog met Joseph over willen hebben.

'Is dit Nyanja?' vroeg ze.

'Nee, Tonga,' zei hij. Hij las de brief snel door en keek bezorgd op.

'Wat is er?'

'Heeft Doris je verteld dat ze Bella geld verschuldigd was?'

Zoë knikte bevestigend. 'Wat staat erin?'

Hij parafraseerde de inhoud van de brief. Het was zomer, het jaartal was onduidelijk. Bella had op straat getippeld met Doris en een meisje dat Loveness werd genoemd. Op een avond vroeg een man in een Jaguar zwaaiend met een stapel bankbiljetten of ze zin hadden in een feestje. Hij nam ze mee naar een bungalow waar ze een groepje van zeven mannen aantroffen die een wit poeder aan het snuiven waren. Het duurde niet lang of ze werden gewelddadig. Ze hielden Loveness vast, dwongen haar een pil te slikken en verkrachtten haar herhaaldelijk. Bella werd naar een andere kamer gesleurd door twee mannen, die met messen zwaaiden en grapten haar te gaan besnijden. Doodsbang trapte Bella een van de mannen in zijn kruis en plantte zijn mes in de andere man. Ze vluchtte de kamer uit en zag Doris wijdbeens op de vloer liggen huilen. Loveness was nergens te bekennen. Op dat moment richtte Bella met het mes een bloedbad aan – haar beschrijving in het Tonga was summier. Daarna rende ze samen met Doris naakt naar buiten. Ze dwaalden een tijdje rond, verborgen zich achter de struiken wanneer er een auto voorbijkwam. Bij Kalingalinga ontmoetten ze een oude vrouw die zich om hen bekommerde en hun kleren gaf. Loveness hadden ze nooit meer teruggezien.

Zoë keek zwijgend voor zich uit na dit verhaal. Ze was diep aangeslagen. 'Doris zorgde voor Kuyeya omdat Bella haar leven had gered,' zei ze uiteindelijk.

'Daar lijkt het op.' Joseph staarde naar het dagboek. 'Weet je hoe Bella is overleden?'

Zoë knikte. 'Ik zal het je laten zien.' Ze bladerde naar het einde van het dagboek en keek over Josephs schouders mee terwijl hij Bella's laatste dagboekaantekening las.

Beste Jan,
Ik heb aids. In een vergevorderd stadium. Het aantal CD4-cellen is 42.
Vandaar dat ik zo ziek ben. Ik hoest al maanden, soms met bloed.

's Nachts heb ik koorts en zweetaanvallen. Ik zie afschuwelijke dingen in mijn dromen. De vrouw die me getest heeft, vertelde me wat ik al wist. Ik heb tb. Ze zei dat ik onmiddellijk medicijnen nodig had. Ik ging naar het ziekenhuis, maar er waren geen artsen of verpleegkundigen. Er speelde een politieke kwestie. Ik kon pas over een paar weken terugkomen. Ik weet niet of ik dan die tocht nog kan maken.

In mei heb ik mijn laatste klant gehad. Ik heb er de kracht niet meer voor. Mijn geld raakt op. Als ik Doris niet had, zou ik geen eten hebben voor Kuyeya. Ik maak me grote zorgen om haar. Wie zal er voor haar zorgen als ik dood ben? Ze is geen gewoon kind. Ze heeft speciale zorg nodig, heeft een zwak hartje, kan niet goed zien. Wie betaalt haar medicijnen en haar nieuwe bril? De mensen begrijpen haar niet. Ze zeggen dat ze vervloekt is. Ik ben bang dat ze zal worden misbruikt. Ik vertrouw Doris, maar niet de andere meisjes en de mannen die hier komen.

Ik weet niet waarom ik blijf schrijven. Wat halen deze woorden uit? Er is alleen maar pijn hier. En nu nadert de dood. Ik zal alles wat ik heb aan Kuyeya geven. Ik moet gaan. Ze heeft een nachtmerrie.

Zoë staarde naar de punt aan het einde van de laatste zin en voelde het verdriet weer opkomen. Bella's laatste brief was als haar leven – abrupt afgelopen, verstoken van daadkracht.

'Ze had gelijk over de mannen,' zei ze. 'Maar ze onderschatte Doris. De ironie is dat ze vanwege Doris zo lang gewacht heeft met zich te laten testen. Doris had geen vertrouwen in de medicijnen tegen aids. Ze geloofde dat het Westen aids had uitgevonden om de Afrikaanse bevolking uit te dunnen. Bella bezocht nganga's om Doris een plezier te doen. Toen ze eindelijk hulp zocht, waren de verpleegkundigen in staking.'

'Vanwege dat schandaal op het ministerie van Gezondheid,' zei Joseph zacht.

Zoë knikte. Iedereen in Zambia wist het nog. In de winter van 2009 had het ministerie van Gezondheid tientallen miljoenen dollars achterovergedrukt, waardoor internationale organisaties hun hulp introkken en het medisch personeel uit protest tot staken overging.

'De kleptocraten die er met dat geld vandoor gingen, beseften niet eens dat er doden vielen,' zei ze. 'Ze dachten alleen maar aan Ferrari's en Zwitserse bankrekeningen.'

Joseph kromp ineen toen ze dit zei. Het leek alsof hij iets wilde zeggen, maar het niet over zijn lippen kreeg. Even later schoof hij zijn stoel naar achter en sloot zijn ogen waarmee hij een abrupt einde aan het gesprek maakte. Zoë observeerde hem zorgvuldig, verbaasd om zijn reactie. Hij leek niet zozeer van slag te zijn door Bella's gevecht tegen aids, wat begrijpelijk zou zijn gezien de tragedie van zijn zus, maar meer door de zelfverrijking op het ministerie van Gezondheid. Maar waarom? Waarom leek hij dat schandaal zo persoonlijk op te vatten? Ze kon het niet verklaren en pakte een tijdschrift waarin ze bleef lezen totdat de piloot de landing bij Livingstone aankondigde.

Toen het vliegtuig stilstond voor de terminal stapte de man met de zonnebril als eerste uit. Hij tilde zijn plunjezak op en verliet het toestel zonder om te kijken. Toen Zoë voet op het asfalt zette, was hij al halverwege de terminal. Zijn haastige tred zette haar eerdere vermoedens overboord: hij was gewoon een passagier op doorreis.

Ze liep de hal in en regelde de huur van een Toyota-pick-uptruck, zonder naar Joseph om te kijken, die nog steeds niets had gezegd. De man achter de receptie liep met hen naar het parkeerterrein en overhandigde de sleutels.

'Jij rijdt,' zei Zoë, terwijl ze Joseph de sleutels gaf.

'Waar naartoe?' vroeg hij wrevelig.

'Naar het Algemeen Ziekenhuis van Livingstone,' zei ze. Ze bedwong de neiging Joseph te vragen wat er aan de hand was. 'Volgens mij is het verpleegkunde-instituut nog open.'

Tijdens de rit naar de stad staarde Zoë uit het raam naar de struiken. Het bleke waas eroverheen stond in schril contrast met de azuurblauwe hemel. Ze hoopte dat Josephs pesthumeur zou opklaren, maar hij bleef nors voor zich uit kijken, verzonken in zijn eigen wereld. Toen ze de grens van de stad naderden, sloeg hij rechts af over Mosi-oa-Tunya Road richting het centrum.

'Volgens mij moeten we hier afslaan,' zei ze. Ze had de weg gezien op de plattegrond die ze had bestudeerd.

'Je wilde toch dat ík zou rijden,' zei hij. Hij keek om en tot haar grote opluchting zag ze dat de donderbui was overgewaaid.

'Je ziet er gelukkig weer wat vrolijker uit.'

Hij gaf geen antwoord, maar zijn mondhoeken wezen naar boven.

Even later stonden ze op de parkeerplaats voor het ziekenhuis. Het ouderwetse, sobere gebouw van het Algemeen Ziekenhuis deed denken aan een negentiende-eeuws sanatorium dat naar Afrikaanse bodem was verplaatst. De bakstenen hadden de kleur van rivierklei, de bestofte luiken stonden open om frisse lucht binnen te laten. Ze liepen naar de receptie en begroetten een informeel uitziende, gezette vrouw. Toen ze vroegen naar het secretariaat, schudde de vrouw het hoofd.

'Het secretariaat sluit om 17.00 uur.'

Joseph herhaalde zijn vraag en merkte op dat het pas tien voor vijf was. Met tegenzin wees de vrouw naar een gang achter in de hal. Ze liepen langs een uitpuilende dossierkast naar het secretariaat van de verpleegkundeopleiding. Achter een houten bureau zat een dikke Zambiaanse vrouw in een iets te krap broekpak. Ze schudde hen de hand.

'Kombe is de naam,' zei ze in het Engels, met een accent. 'Ik schrijf de studenten in.'

Joseph stelde zich voor en gaf het woord aan Zoë, die de vrouw een nette versie gaf over het leven van Bella – Charity Mizinga.

'Wij vermoeden dat ze hier in 2004 heeft gestudeerd,' zei Zoë.

De vrouw voerde op haar toetsenbord de naam in. 'Iedereen die zich na 2001 bij ons heeft ingeschreven, staat in het systeem. Ze komt er niet in voor.'

'En studenten die zich vóór 2001 hebben ingeschreven?' vroeg Joseph.

'We hebben een papieren archief,' antwoordde de vrouw. Ze stond op en verdween om even later terug te komen met een bestofte map. Ze liet de map op haar bureau vallen en wuifde het opvliegende stof weg. 'De map is ingedeeld op jaar en achternaam. Als je achteraan begint, zie je de inschrijvingen uit het jaar 2000, daarna 1999, dan 1998, enzovoort.'

'Eigenlijk zijn we op zoek naar haar familie,' zei Zoë. 'Als ze hier heeft gestudeerd, zou iemand haar dan nog kennen? Een docent of een arts?'

De vrouw leidde hen naar de deur. 'Dokter Mumbi werkt hier al meer dan twintig jaar. Ik weet niet of hij dienst heeft vandaag.' Ze wees de gang in. 'U kunt op die stoelen aan het einde van de gang gaan zitten. Geef het inschrijfregister maar af bij de receptie. Als u nog vragen heeft: morgen ben ik er weer.'

Ze gingen op de klapstoelen zitten, en Joseph opende de stoffige map. Al snel hadden ze Charity gevonden, in het studiejaar van 1995. Er stond een sterretje bij haar naam, met een datum: 15 april 1996. Vóór in het boek vond Joseph een uitleg. Het sterretje verwees naar studenten die hun studie hadden afgebroken. Hij bladerde terug naar 1994, en daar werd Charity weer genoemd.

Hij fronste zijn wenkbrauwen. 'Ze is er in het tweede studiejaar mee gestopt.'

'Daar had ze vast een goede reden voor.'

Hij knikte. 'Laten we dokter Mumbi opzoeken.'

Ze liepen terug naar de ontvangsthal en wachtten tot de receptioniste haar telefoongesprek had beëindigd.

De vrouw trok haar wenkbrauwen op en keek naar het inschrijfregister in Josephs handen. 'Nu al terug?'

'*Inga ndayanda kwambaula chitonga. Ino yebo?*' zei hij. 'Ik spreek liever Tonga. U ook?'

Op het moment dat de receptioniste haar moedertaal hoorde, veranderde haar gezichtsuitdrukking.

Ze maakten een praatje, waarna Joseph zich naar Zoë omdraaide. 'Dokter Mumbi is vandaag aanwezig. Meestal bevindt hij zich op de zalen, maar hij is even weggegaan om een telefoontje te beantwoorden. Hij is nog niet terug.'

Terwijl Joseph de receptioniste bedankte, liep Zoë naar buiten waar ze een man in een witte doktersjas zag, pratend in zijn mobiel. Hij was tenger, droeg een bril en had een dikke bos wit haar. Nadat hij het gesprek had beëindigd, wandelde hij in gedachten verzonken naar de ingang.

'Dokter Mumbi?' vroeg Zoë.

De man keek verrast op. 'Het spijt me. Kennen we elkaar?'

Zoë stelde zichzelf voor en daarna Joseph, die naast haar was komen staan. 'We zoeken de familie van een meisje dat hier in 1996 verpleegkunde studeerde. We hebben gehoord dat u hier al twintig jaar werkt.'

'1996, dat is lang geleden,' antwoordde de arts. 'Hoe heet ze?'

'Charity Mizinga,' antwoordde Zoë.

Dokter Mumbi dacht hardop na. 'Charity Mizinga in 1996. In dat jaar hebben we een onderzoek naar aids bij kinderen afgerond. Ja, ik herinner me haar nog. Een begaafde studente, ze heeft haar studie afgebroken. Heel erg jammer.'

'Heeft u een paar minuten tijd?' vroeg Zoë. 'Het is uiterst belangrijk.'

Dokter Mumbi keek op zijn horloge. 'Ik moet terug naar mijn patiënten, maar ik heb wel een minuutje of twee.' Hij wees naar de deur. 'Kom. Binnen is het aangenamer.'

Hij liep voor hen uit door een doolhof van gangen en over twee trappen naar een kleine vergaderruimte met een tafel en stoelen. Het was een deprimerend kamertje, dat gelukkig een raam had waar het late middaglicht door naar binnen viel.

Dokter Mumbi ging zitten en wees naar het boek in Josephs handen. 'Dat is het inschrijfregister. Mag ik even?' Joseph gaf het boek en de arts scande de pagina's. 'Ik weet niet waarom, maar ik herinner me Charity nog heel goed. Ze was een studente aan wie je graag doceerde: intelligent, gemotiveerd, ze leek alles op te nemen.'

'Weet u waarom ze met haar studie is gestopt?' vroeg Zoë.

Dokter Mumbi staarde naar het plafond. 'Ik weet alleen dat het plotseling was. Ik geloof niet dat ze me er een verklaring voor heeft gegeven.'

'Weet u waar ze woonde toen ze hier studeerde?'

Hij knikte. 'Ze logeerde bij een oom in Dambwa North. Hij heette geloof ik Field.'

'Waar in Dambwa North?' vroeg Joseph.

Dokter Mumbi sloot zijn ogen. 'Ik weet niet meer in welke straat, maar ik herinner me nog vaag dat er een grote boom in de tuin stond, een mopane misschien. Ik heb haar een paar keer een lift gegeven.'

Zoë keek naar Joseph. 'We moeten Field ondervragen.'

Het huis van Charity's oom was snel gevonden. Iedereen in Dambwa North kende het huis met de gigantische, kandelaarvormige boom in de voortuin. Voor de deur zat een man met gesloten ogen en zijn armen slap langs zijn lijf. Zoë zag onder zijn stoel een stuk of vijf verfrommelde kartonnetjes *tu jilijili* liggen – de goedkoopste sterkedrank in Zambia.

'Ze zouden dat spul moeten verbieden,' zei ze toen ze naar hem toe liepen. 'Het is nog erger dan *moonshine*.'

'De drooglegging was in Amerika geen succes,' reageerde Joseph, 'en zou hier een lachertje zijn.'

Hij pakte de man bij zijn schouders en schudde hem door elkaar. 'Field,' riep hij. De man kwam in beweging, uit een mondhoek liep kwijl. Joseph schudde nog steviger. Eindelijk opende de man zijn bloeddoorlopen ogen. Hij vertrok zijn gezicht, mompelde iets en sloot zijn ogen weer. Joseph schudde zijn hoofd en klopte op de voordeur. Even later zette een vrouw de deur op een kier. Ze zei iets in het Tonga tegen Joseph en zette de deur verder open, terwijl ze op Field neerkeek.

'Bah,' riep ze uit, overschakelend op gebrekkig Engels. 'Tu jilijili heel slecht.'

Ze liet hen binnen in de schaars gemeubileerde huiskamer. De televisie toonde een Zambiaans nieuwsprogramma, maar het geluid stond zacht. Zoë en Joseph gingen op de bank zitten, terwijl de vrouw een schaal met knollen uit de keuken haalde.

'*Chinaka*,' zei ze, met een knikje naar de schaal. 'Thee?'

Joseph nam een knol en weigerde beleefd de thee. Zoë volgde zijn voorbeeld, waarna de vrouw neerplofte in een uitgezakte stoel bij de televisie en nerveus met haar handen friemelde.

'Bent u de vrouw van Field?' vroeg Joseph in het Engels.

Ze knikte. 'Hij en ik uit zelfde dorp. Hij toen nog niet altijd dronken.'

'Misschien kunnen we beter verder praten in het Tonga,' stelde Joseph voor.

Terwijl Joseph de vrouw ondervroeg, bestudeerde Zoë haar non-verbale communicatie. Ze was niet mooi en niet lelijk, sprak open als een dorps- meisje, maar haar gezicht was gerimpeld, getekend door de tijd. Toen Jo- seph de naam Charity liet vallen, verstijfde ze. Ze staarde naar haar handen en speelde met haar trouwring. Haar pijn klonk door in de cadans van haar woorden.

'Wat zegt ze nu?' fluisterde Zoë.

'Nog even geduld,' antwoordde Joseph.

Het gesprek duurde tot de buitenlucht van al het licht verstoken was. Zoë kauwde op de chinaka en luisterde naar de gedempte stemmen van de nieuwslezers met berichten over de verkiezingscampagne. President Banda beschuldigde het Patriottisch Front ervan op te roepen tot geweld in de ste- den. Michael Sata sloeg terug door Banda te beschuldigen van onvermogen en corruptie. Politiek is overal hetzelfde, dacht Zoë. Het Westen kan zijn lelijkheid alleen beter verbergen.

Even later stond Joseph op en zei: 'Kan ik je buiten even spreken?'

Zoë liep achter hem aan naar de pick-up. Naar boven kijkend zag ze het sterrenbeeld Schorpioen uitgestrekt over de nachtelijke hemel, en Sagitta- rius, de Boogschutter, verstrikt in de achtervolging. Ze was niet bijgelovig, maar deze hemelse strijd leek een voorbode.

'Field is de oom van Charity,' zei Joseph toen ze op de passagiersstoel schoof. 'Ze heeft nog een neef en een nicht, maar al haar andere familieleden zijn overleden – haar ouders, tantes, broers. Haar grootmoeder was de laat- ste in de lijn. Die is ongeveer vijf jaar geleden overleden.'

'Aan aids?'

Joseph reed naar de straat. 'Volgens Agatha, zo heet de vrouw, aan tuber- culose, longontsteking en hersenmalaria, maar het lijkt erop dat iedereen hiv had, behalve de grootmoeder. Charity's vader was vrachtwagenchauf- feur en reed van Tanzania naar Johannesburg. Hij ging als eerste. Ze had twee jongere broers die al voor hun vijfde zijn gestorven. Toen haar moeder overleed, bleef ze bij haar grootmoeder wonen. Later trokken nog een neef en een nicht bij hen in.'

'Ik heb veel gehoord over families die door aids zijn geveld, maar er nog nooit mee te maken gehad.'

'Charity woonde hier tijdens haar opleiding,' ging hij verder. 'Agatha was daar niet blij mee.'

Zoë dacht terug aan het moment waarop de vrouw verstijfde. 'Waarom niet?'

'Ze denkt dat Charity's familie is behekst.'

'Omdat iedereen is overleden?'

'Ze zei dat Field voor de komst van Charity nog niet zoveel dronk. Ze is ervan overtuigd dat het meisje een vloek naar haar huis heeft gebracht. Ze wilde haar eruit zetten, maar Field hield dat tegen.'

Maar waarom? dacht Zoë. 'Weet ze waarom Charity met haar studie is gestopt?'

'Omdat haar grootmoeder een beroerte had gekregen. Charity moest werk zoeken om voor haar neefje en nichtje te kunnen zorgen.'

'Weet Agatha iets over de verandering van Charity in Bella?'

'Daar zit de open plek in dit verhaal. Nadat ze naar Lusaka was vertrokken, werd het contact verbroken. Agatha wist niets over Kuyeya. Ze wist niet eens dat Charity is overleden.'

'Waar wonen haar neef en nicht nu? Zij vormen de laatste schakel met haar verleden.'

Joseph keek haar aan. 'De een woont in Copperbelt, de ander in Mukuni Village.'

'Waar ook Charity's oma woont,' merkte Zoë op, denkend aan een passage uit het dagboek.

Hij knikte. 'Misschien kunnen we daar morgen heen.'

Zoë sloot haar ogen, beduusd door het verhaal van Charity. De dood van mijn moeder was al zwaar genoeg, dacht ze. Hoe erg moet het zijn om bijna je hele familie te verliezen. Ze wreef over Catherines ring en de herinneringen stroomden naar binnen. New Canaan, Connecticut, 6 augustus 1996. De rinkelende telefoon die haar om drie uur 's nachts wekte. Slaapdronken dacht ze dat het inbrekersalarm was afgegaan. Ze wachtte op de voetstappen van haar vader, maar in plaats daarvan hoorde ze alleen zijn stem. Zijn antwoord klonk als geruis in de stille augustusnacht: 'Hallo? Ja, u spreekt met Jack Fleming.' Daarna hoorde ze de klap. Ze rende door de gang en trof hem op zijn knieën aan, naast de piepende hoorn.

Het was de enige keer in haar leven dat ze hem had zien huilen.

12

DE VOLGENDE OCHTEND REDEN ZOË EN JOSEPH na het ontbijt zuidwaarts richting de Victoriawatervallen. Er was weinig verkeer op de weg, en Joseph overschreed ruimschoots de snelheidslimiet. Aan de rand van het dorp stuitten ze op een kudde olifanten die de weg overstak. Het mannetje, een imposant beest met vergeelde slagtanden, hield de wacht terwijl de koeien en kalveren overstaken, een ravage van omgevallen bomen achter zich latend.

Vlak voor de ingang van de watervallen sloegen ze links af een zandweg op die liep door een landelijk weidelandschap met hier en daar een huisje. Afgezien van een majestueuze apenbroodboom in de berm, groeide er vrijwel niets in het golvende landschap. Plotseling doemde het dorp op, een groepje rondavels en moderne gebouwen op de helling van een wat grotere heuvel. Er waren veel voetgangers op de wegen, maar slechts enkele voertuigen.

Ze reden het centrum in en parkeerden de truck naast een wijdvertakte acacia. Zoë wilde Joseph vragen hoe hij het neefje van Charity – die Godfrey heette – dacht te zullen vinden, toen een mooie Zambiaanse vrouw in een chitenge op hen afliep, haar gewaad wapperend in de wind. Joseph draaide het raampje naar beneden en begroette haar.

'Ik ben Margaret, de dorpsgids. Bent u hier voor een rondleiding?' vroeg ze in vloeiend Engels.

Toen Joseph vertelde dat ze op zoek waren naar ene Godfrey, keek ze teleurgesteld. 'Dat is een vroege vogel. Meestal vertrekt hij vlak na zonsopgang naar de watervallen.'

'Wat doet hij daar?' vroeg Zoë.

Margaret keek haar onderzoekend aan. 'Hij verkoopt kaartjes. Wat wilt u van hem?'

Snel nadenkend antwoordde Zoë: 'We hebben nieuws van zijn nicht Charity.'

'U kent haar?' vroeg Margaret verrast.

Zoë knikte. 'Een beetje.'

Margaret klaarde op. 'Ik heb haar grootmoeder goed gekend, Vivian. Een goede en wijze vrouw. Ik kan wel aanwijzen waar Godfrey woont, nu u hier toch bent.'

Zoë keek naar Joseph. 'Waarom niet?'

Ze stapten uit de truck en Joseph gaf Margaret twintigduizend kwacha. 'Voor alles wat u weet over Godfreys familie.'

Met een brede glimlach ontblootte de vrouw haar grote witte tanden. 'Deze kant op,' zei ze.

Ze liepen door het dorp en uiteindelijk stond Margaret stil voor een groepje hutten. Ze wees met haar vinger. 'Daar woonde Vivian. Godfrey woont in de hut ernaast. Hij is de enig overgeblevene van zijn familie in het dorp.'

'Heeft Charity hier ook gewoond?' vroeg Zoë.

'Ze logeerde bij Vivian na de dood van haar moeder,' antwoordde Margaret. 'Daarna verhuisde ze naar Livingstone voor de middelbare school.'

'Weet u waarom ze naar Lusaka is verhuisd?'

Margaret tuitte haar lippen. 'Vivian werd ziek en kon haar manden niet meer maken. Ze vertelde me dat een man Charity een goede baan had aangeboden.'

Zoë werd meteen alert. 'Wie was die man?'

Margaret wist het niet. 'Dat moet u Godfrey vragen. Ik weet alleen dat hij rijk was.'

'Zegt de naam Jan u iets?'

Margaret dacht even na. 'Komt me bekend voor, maar ik weet niet waarom. Er komen wel eens witte dokters helpen in de kliniek.'

'Weet u hoe lang Charity die baan in Lusaka heeft gehad?'

De dorpsgids haalde haar schouders op. 'Tot drie jaar geleden stuurde ze geld. In dat jaar slaagde Godfrey voor zijn eindexamen. Meer weet ik niet.'

Van het feit dat Charity als prostituee werkte, waren ze dus niet op de hoogte in het dorp, dacht Zoë. 'Wist je dat ze een dochter had, Kuyeya?'

'Een kind? Nee! Hoe oud is ze?'

Zoë schudde haar hoofd. 'Dat weten we niet.'

'Wat bedoelt u? Waarom vraagt u dat niet gewoon aan...?' Plotseling besefte Margaret het. 'Is Charity overleden?'

Zoë knikte. 'Een paar jaar geleden.'

Margaret moest dit even verwerken. 'Maar net zei u dat u nieuws over haar had.'

Zoë keek naar Joseph. 'Dat nieuws gaat over Kuyeya,' zei ze aarzelend. 'Een paar weken geleden is het meisje verkracht. We vervolgen de man die dat gedaan heeft.'

Toen de boodschap tot haar doordrong, trok Margaret bleek weg. Ze staarde over de daken van het dorp en leek zich iets te herinneren. Even later zei ze: 'Er woonde ooit een medicijnman in de buurt van Vivian. Na het overlijden van haar man is ze door deze nganga verkracht. Ze vertelde het aan het dorpshoofd, maar die steunde de nganga. Toen de kinderen van Vivian vroeg stierven, werd gefluisterd dat de nganga haar familie had vervloekt. Alleen Godfrey en zijn zusje Cynthia leven nu nog.'

Zoë zag dat Joseph was aangeslagen door Margarets verhaal. 'Gelooft u daarin?' vroeg ze. 'Dat er hekserij achter die sterfgevallen zit?'

Margaret gaf een indirect antwoord. 'Ik ben christen. Ik bezoek geen nganga's. Maar ik heb ooit een gezegde gehoord: "Een raadsel van God kan niet worden opgelost." Dat denk ik over Vivian.' Ze zweeg even. 'Godfrey is een goede jongen. Ik hoop dat God hem een lang leven gunt.'

De wind deed Zoë huiveren. 'Dat hoop ik ook.'

Zwijgend reden ze naar de watervallen, het enige wat je hoorde in de cabine waren de motor en de wind. Dichter bij de rivier verloor de wind zijn rusteloosheid, tot bedaren gebracht door de hechte begroeiing rondom de watervallen. Joseph parkeerde de truck op het terrein naast een rij kraampjes waar van alles te koop was: uit hout gesneden neushoorns, olifanten en giraffes, sieraden van malachiet, tribale trommels. Ze liepen naar het receptiegebouw en gingen in de rij staan met toeristen die het park wilden bezoeken.

'Ik kwam hier als jongen,' vertelde Joseph. 'Mijn vader wilde dat we trots waren op het Zambiaanse wereldwonder.'

'Ik was tien toen ik hier voor het eerst kwam,' zei Zoë. 'Mijn moeder had me meegenomen. We logeerden aan de Zimbabwaanse kant.'

Vijf minuten later stapten ze naar binnen en zagen twee Zambiaanse mannen en een vrouw kaartjes en gidsen uitdelen. Zoë liep naar de jongste man. 'Ben jij Godfrey?' vroeg ze.

Hij keek nerveus naar zijn oudere collega. 'Ja.'

Ze legde twee biljetten van vijftig pin voor hem neer, meer dan genoeg voor twee kaartjes. 'Ik weet dat je het druk hebt, maar ik moet even met je praten over je nicht, Charity.'

Zijn ogen werden groot. 'Weet je hoe het met haar gaat? We hebben al twee jaar niets meer van haar gehoord.'

Ze knikte met een neutrale blik in haar ogen. 'Wanneer heb je tijd?'

'Om tien uur heb ik pauze,' antwoordde hij. Hij gaf haar de entreebewijzen en een plattegrond. 'Laten we elkaar treffen op het Knife Edge Point.' Hij ging verder met een Chinees echtpaar achter hen en deed alsof het gesprekje nooit had plaatsgevonden.

Nadat Zoë en Joseph alle kraampjes hadden gezien, volgden ze de bordjes naar het Knife Edge Point. Al snel maakte het dichtbegroeide bos plaats voor stug gras, en Zoë ving een glimp op van de oostelijke waterval aan de andere kant van de kloof. De majestueuze manier waarop het vele water over de basaltrotsen in de Zambezi ver beneden stortte, was van een adembenemende schoonheid.

Ze liep achter Joseph aan langs de rand van de klif en zorgde ervoor dat ze niet uitgleed. Een krakkemikkige houten reling vormde de enige bescherming tegen een dodelijke val. Ze staken de Knife Edge Bridge over, Joseph voorop, Zoë achter hem aan. De brug overspande een diepe kloof in het ravijn. Het hoogteverschil was minstens negentig meter. Aan de overkant beklommen ze een lange strook met rotsachtige treden naar de top van een heuvel, waarna ze de helling afliepen naar het winderige uitkijkpunt dat Knife Edge Point werd genoemd.

Omdat ze Godfrey nergens zag, liep Zoë naar de reling en keek het ravijn in naar de wolk van mist die voor de watervallen hing. Ze dacht terug aan de eerste keer dat ze daar met haar moeder was – Catherines enthousiasme in het regenwoud aan de andere kant van de rivier, de manier waarop ze onder de druipende bomen op en neer had gesprongen en Zoë in haar hand kneep toen er een regenboog boven de waterval verscheen. Zoë had zich eerst afstandelijk opgesteld tegenover haar moeder, verweet haar dat ze altijd op pad, zo weinig thuis was. Maar Catherines vreugde deed haar smelten en had een indruk achtergelaten die ze na twintig jaar nog steeds kon voelen. Het was op die reis, en op deze plek, dat ze voor Afrika was gevallen.

Ze draaide zich om en zocht met haar ogen het pad af naar Godfrey. Joseph stond naast haar tegen de reling geleund. De toeristen zwermden om hen heen, kwetterend in verschillende talen. Plotseling kneep Zoë haar ogen bijna dicht. Er stond een man naar hen te kijken vanaf de bergkam die het Knife Edge Point scheidde van de brug.

Het was de man met de zonnebril.

'Zie je die vent daar op de heuveltop,' vroeg ze aan Joseph. 'Hij zat bij ons in het vliegtuig, gisteren. Hij stond naar ons te kijken op de luchthaven van Lusaka.'

'Ik heb hem eerder gezien,' zei Joseph. 'Hij achtervolgt ons sinds ik Darious heb gearresteerd.'

'Wat?' riep ze uit. 'Wie is hij?'

'Ik ken hem niet. Ik heb een foto van hem naar Interpol gestuurd, maar ik heb nog niets van ze gehoord.'

'En daar heb je me niks van verteld!' riep ze verontwaardigd.

'Hij heeft nog niets gedaan. Het leek me niet zo belangrijk.'

Ze schudde haar hoofd. 'Ik vind het vreselijk als mensen iets voor me verborgen houden.'

Hij keek haar geheimzinnig aan. 'Dat zal ik onthouden.' Hij wees met zijn hand. 'Daar heb je Godfrey.'

Zoë draaide zich om en zag de neef van Charity voorbij de man met de zonnebril het pad af lopen. Aangekomen bij de reling keek hij hen onderzoekend aan. 'Wie zijn jullie?'

Zoë verborg haar ongerustheid en stelde zich voor.

'Waar kennen jullie Charity van?' vroeg hij.

'Ik ken haar dochter. We proberen haar te helpen.'

Hij sperde zijn ogen open. 'Ze heeft ons nooit verteld dat ze een kind heeft.'

Zoë's hart kromp ineen. Zelfs Kuyeya hield ze voor haar familie geheim.

'Hoe gaat het met haar?' vroeg Godfrey verder. 'We hebben elkaar jaren niet meer gesproken.'

Zoë vertelde de waarheid. 'Ze is in 2009 gestorven. Het spijt me.'

Hij stond verstijfd. 'Aan tuberculose?'

'Hoe weet je dat?'

'Ze hoestte veel tijdens haar laatste telefoongesprek. Waarom nam niemand contact met ons op?'

Zoë keek hem aan. 'We kenden haar toen nog niet.'

Nu was Godfrey degene die onzeker werd. 'Hoezo niet?'

Zoë vertelde kort over hun onderzoek, ook over hun bezoek aan Mukuni Village. Toen ze klaar was, hield hij zich vast aan de reling en keek naar de watervallen.

'Mijn familie heeft zoveel meegemaakt,' zei hij, plotseling bitter. 'Ze zeggen dat we behekst zijn, weten jullie dat? Alleen maar omdat mijn grootmoeder een nganga heeft aangegeven bij het dorpshoofd.'

In plaats van hierop in te gaan trok Zoë hem terug naar het heden. 'Je kunt ons helpen. Jij kent Charity beter dan wie ook.'

'Cynthia, mijn zus, weet meer,' zei hij. 'Maar ik ben er zeker van dat ze nog geen dochter had toen ze naar Lusaka vertrok. Dat was in 1996. Kuyeya is dus jonger dan vijftien.'

Zoë keek hem onderzoekend aan. 'Hoe weet je dat zo zeker?'

'Ze kon toch niet een kind verborgen houden voor mijn grootmoeder? Een zwangerschap, misschien, maar niet een baby.'

'Denk je dat ze toen zwanger was?' vroeg Zoë.

Hij wist het niet. 'Oma dacht van wel. Ze wist zeker dat de man die haar naar Lusaka had meegenomen de vader was. Ze kon geen andere reden bedenken waarom Charity haar opleiding had afgebroken.'

Zoë kon het niet geloven. 'Ik dacht dat ze voor een baan naar Lusaka was gegaan.'

'Dat was haar excuus, maar mijn oma geloofde haar niet. De moeder van Charity had een goede baan in Livingstone voordat ze stierf. Ze liet een spaarrekening na waarmee Charity's studie kon worden betaald. Mijn oma heeft inderdaad een beroerte gehad. Maar we hadden ons kunnen redden.'

'Weet je wie die man was, met wie ze naar Lusaka is getrokken?'

Hij schudde zijn hoofd. 'Ik was pas zeven. Ik herinner me alleen dat hij lang was en pakken droeg. Misschien weet Cynthia hoe hij heet. Van haar weet ik dit allemaal.'

'Ken je een zekere Jan? Volgens Margaret is hij misschien een blanke arts die in de dorpskliniek heeft gewerkt.'

Godfrey keek haar onderzoekend aan. 'Ik herinner me een blanke arts. Maar die werkte in het ziekenhuis, niet in de kliniek. Hij heeft me behandeld toen ik cerebrale malaria had. Het was zwaar, ik was er bijna geweest. Hij had blond haar en blauwe ogen, net als jij. Ik dacht dat hij een engel was.'

'In welk jaar was dat?'

'Dat was vlak voordat Charity vertrok. Ze liet hem naar het dorp komen.' Hij keek naar haar horloge. 'Hoe laat is het?'

'Bijna halfelf,' antwoordde ze. Ze had nog veel meer vragen voor hem.

Hij sprak gehaast. 'Ik moet terug. Neem contact op met Cynthia. Charity schreef haar brieven.'

'Brieven?' informeerde Zoë.

Hij knikte. 'Haar man heet Mwela Chansa. Hij werkt voor de Nkana-mijn in Kitwe.'

'Wat is je telefoonnummer?' vroeg Zoë, terwijl ze haar iPhone uit haar rugzak viste.

Hij gaf haar het nummer en rende over het pad naar de brug. Toen hij boven op de heuvel stond, merkte Zoë op dat er iets in het landschap ontbrak.

De man met de zonnebril was weg.

Ze werd weer nerveus en draaide zich om, turend naar de Zambezi die zich langs de rotsachtige tanden van de steile wand schuimend naar de bodem van de bedding stortte. 'Het spijt me dat ik je geen vragen heb laten stellen,' zei ze tegen Joseph.

'Daar begin ik aan te wennen,' zei hij met een droog lachje.

'We moeten Cynthia spreken over die brieven.'

Hij aarzelde. 'Je kunt haar bellen als je wilt, maar ik heb geen tijd om naar Kitwe te gaan. Ik moet verder met mijn onderzoek naar de relatie tussen de rechter en Darious.'

Zoë knikte. Ze probeerde haar teleurstelling te verbergen. 'We gaan dus naar huis.'

Joseph glimlachte geheimzinnig. 'Ons vliegtuig gaat morgen pas.'

Ze keek hem verward aan. 'Wat bedoel je?'

Zijn ogen glinsterden. 'Een duik in het water zou heerlijk zijn. En daarna een tocht over de rivier. Dat heb ik sinds mijn jeugd niet meer gedaan.'

Na een middagje luieren bij het zwembad kleedden ze zich aan en reden naar de oever van de Zambezi, waar ze iets voor vieren arriveerden. Ze liepen de trap af naar de aanlegsteiger en over de loopplank naar de MV *Makumbi*. De rivierboot was een elegant stuk antiek, met fraai houtwerk dat in de loop der jaren was verweerd. Ze beklommen de ladder naar het bovendek en gingen aan de achterkant zitten naast een groepje kletsende buitenlandse studenten.

Zoë ging met gesloten ogen in de zon staan en genoot van het licht dat over haar oogleden gleed. De wind boven de rivier speelde met haar haren en tilde de zoom van haar rok omhoog. Toen ze haar ogen opende zag ze dat Joseph naar haar staarde.

'Je zou bijna een Afrikaanse kunnen zijn,' zei hij nadat de rivierboot was uitgevaren.

Zoë was overdonderd. Ze wreef over het kleine moedervlekje boven haar wenkbrauw en herinnerde zich de vele keren dat haar moeder had gezegd dat de beste mensen die ze kende Afrikanen waren.

'Als het eenmaal in je bloed zit, krijg je het er niet meer uit,' zei ze.

'Wat bedoel je?'

'Als je hier eenmaal woont, wil je niet meer weg.'

'Maar dit is niet je thuis.'

'Ik weet niet of ik wel een thuis heb,' bekende ze, verrast door haar eigen openheid.

Hij fronste zijn wenkbrauwen. 'Je familie zal je wel missen.'

Ze keek naar de oever aan de overkant. 'Dat denk ik ook,' antwoordde ze, in de hoop dat hij zou overschakelen op een ander onderwerp. Maar haar aarzeling maakte hem alleen maar nieuwsgieriger.

'Wat doet je vader?'

'Dat is niet belangrijk.'

Hij hield zijn hoofd schuin. 'Een tijd geleden heb je mij hetzelfde gevraagd.'

Ze slaakte een zucht. 'Hij werkt voor de overheid.'

Even later vroeg hij: 'Je vader is toch zeker niet Jack Fleming?'

Verdomme, dacht ze, dat is precies waarom ik hier geen antwoord op wil geven. 'Daar wil ik nu echt niet over praten. Is dat oké?'

'Ja, hoor,' zei hij. Hij wees naar de boeg van de boot waar de gastheer, een Zambiaanse man van middelbare leeftijd in een overhemd en een vest, een fles wijn ontkurkte. 'Belieft u...'

De man verstomde en Zoë volgde zijn blik. Vanaf het benedendek kwam een grote man de ladder op. Haar adem stokte toen ze het bloemetjeshemd en de zonnebril herkende.

'Hoe is die man op deze boot gekomen?' fluisterde ze.

'Geen idee,' antwoordde Joseph. 'Ik heb er niet op gelet.'

'Hoe kon hij weten dat we hier zijn?'

'Goede vraag.'

Zoë keek toe terwijl de man een glas wijn kreeg aangeboden van de gastheer en aan de reling ging zitten. Hij keek niet naar hen, maar ze wist dat hij hen vanuit een ooghoek in de gaten hield. Haar angst sloeg om in woede. 'Ik ga naar hem toe,' zei ze, aanstalten makend om het dek over te steken.

Joseph legde zijn hand op haar arm. 'Er is geen enkele reden om hem lastig te vallen.'

'Je had nog zo gezegd dat hij geen kwaad kon.' Met haar hakken klikklakkend over de houten planken stapte ze op de man af. Toen ze ongeveer drie meter voor hem stond, keek hij naar haar op, maar hij draaide zich weer om naar de rivier. Zijn onverschilligheid maakte haar woedend.

'Hé,' zei ze. 'Waarom volgt u ons?'

De man nipte van zijn wijn en negeerde haar.

'Voor wie werkt u?'

Toen hij weigerde te antwoorden, verhief ze haar stem. 'Wilt u soms dat ik hier een scène trap? Wat doet u hier? Werkt u voor de Nyambo's?'

Eindelijk keek hij haar aan en zei met luide stem: 'Als ik jou was zou ik maar oppassen wie je beledigt.' Hij schuurde tijdens het passeren tegen haar schouder aan en liep naar de trap.

Ze keek hem na totdat hij onder het dek was verdwenen. Haar hart bonsde luid. Ze besefte dat iedereen naar haar stond te kijken – de gastheer, de buitenlandse studenten, de andere gasten. Uit schaamte draaide ze zich om naar de reling. Even later kwam Joseph bij haar staan met een flesje bier en een glas wijn.

'Jij kunt vast wel een drankje gebruiken,' zei hij zacht.

Zwijgend nam ze het glas aan en keek hoe de rivier bewoog in de wind. Bij de lisdodden aan de overkant sperde een nijlpaard zijn bek open. Uit een boom verderop vloog een reiger op. 'Mijn moeder zei altijd dat het licht van water muziek maakt,' zei ze om het moment te redden. 'Dat heb ik altijd een mooi beeld gevonden.'

Joseph bleef een poos zwijgen. 'Mijn moeder overleed toen ik vijf was. Ik kan me haar nauwelijks herinneren.'

Zijn spontane ontboezeming verraste Zoë. 'Ik was veertien,' zei ze. 'Ze was op een humanitaire missie in Somalië.'

Hij keek haar aandachtig aan. 'Afrika is jou dus iets verschuldigd.'

'Nee. Volgens haar heeft Afrika haar juist gered.'

'Weet je wat ze daarmee bedoelde?'

'Ze vertelde dat ze was opgegroeid in een glazen huis,' begon Zoë. 'Haar vader was een scheepsmagnaat. Ze zag hem bijna nooit. Haar moeder was een telg uit een oud geslacht in Boston. Een vrouw die erop los leefde en vele affaires had. Een oppervlakkig leven. Na haar studie begon mijn moeder te reizen en daarna ging ze met het Vredeskorps naar Kenia. Ze voelde zich als herboren. Als haar ouders niet waren omgekomen bij een bootongeluk was ze misschien nooit meer teruggegaan.' Ze zweeg een moment. 'Heb je wel eens gehoord van de Catherine Sorenson Foundation?'

Hij knikte. 'Is dat je moeder?'

'Ze heeft haar hele fortuin opgeofferd. Twee dingen heeft ze gehouden: een huis op Martha's Vineyard en deze ring.' Zoë hield haar hand voor de zon, waardoor de diamantjes glinsterden in het licht. 'Grappig. Bijna al mijn herinneringen aan haar zijn met Afrika verbonden. Ze was niet wat je noemt een huismus. Mijn broer Trevor en ik werden voornamelijk door kindermeisjes opgevoed. Maar toen ik oud genoeg was, mocht ik met haar mee. Haar passie voor dit continent werkte aanstekelijk.'

Joseph keek haar zwijgend aan.

'Waarom kijk je zo naar me?' vroeg ze ongemakkelijk.

'Mijn oma vertelde me eens dat de zielen van zieners als het gras van de savanne zijn. Het komt alleen op om te sterven. Maar als het gaat regenen, keert het weer terug. Als ik naar je kijk, vraag ik me af of ik naar haar kijk.'

Zijn opmerking sneed als een chirurgenmes door Zoë heen. Haar leven lang ontving ze van mannen complimentjes, maar hun woorden waren onbeduidend, en ze geloofde ze nooit. Met één inzicht had Joseph de betekenis van een compliment in ere hersteld. Ze keek weer naar de rivier in de hoop dat de blos op haar wangen niet opviel.

'Je hebt rechten gestudeerd,' zei ze. 'Wil je als advocaat gaan werken?'

Hij schudde zijn hoofd. 'Ik wil inspecteur-generaal bij de politie worden.'

Ze floot tussen haar tanden. De IG was de belangrijkste ordehandhaver in Zambia.

'Het systeem werkt zelden voor de armen,' legde hij uit. 'Dat zou ik willen veranderen.'

'Heel ambitieus!' zei ze. 'Waarom denk je dat dit jou gaat lukken?'

'Omdat ik een belofte heb gedaan.'

'Aan wie?'

Plotseling keek hij peinzend voor zich uit. 'Dat zal ik je ooit wel vertellen. Maar niet nu.'

Zoë keek naar de zon, die onderging in de nevel aan de horizon, en dacht aan Darious' zelfvoldane blik in de beklaagdenbank, aan Frederick Nyambo en zijn marionetrechter Kaunda en aan het dreigement van de man met de zonnebril.

'Op de rechtvaardigheid,' zei ze, toostend met haar wijnglas, 'tegen elke prijs.'

Hij tikte zijn flesje tegen haar glas. 'Daar drink ik op.'

13

Lusaka, Zambia, september 2011

OP DE DAG VAN DE VERKIEZINGEN werd Zoë wakker in een kluwen van bezwete lakens. Ze was die nacht – de afgelopen drie nachten zelfs – steeds weer uit dromen ontwaakt en vervolgens weer in slaap gevallen. Het onderzoek naar de raadsels uit Charity's verleden leek een verborgen ventiel in haar onderbewustzijn te hebben geopend waaruit een stroom aan herinneringen ontsnapte. Het ene moment stond ze op het jacht van haar vader samen met Trevor het grootzeil te hijsen, dan weer liep ze door de straten van Johannesburg, bang om te worden beroofd, of reed ze in Josephs pickup door Kanyama en sloegen hooligans met hun vuisten op het dak. De genadeslag – die nog nadreunde in haar gedachten – waren de handen van Clay Randall, die haar op de Vineyard in het hete zand duwde.

Ze sloeg het muggennet opzij en strompelde naar de badkamer. Niet meer aan denken, nam ze zich voor, terwijl ze naar zichzelf keek in de spiegel. Na de douche trok ze een korte broek en een linnen bloesje aan over haar badpak. Vanwege de verkiezingen had Mariam iedereen die dag vrij gegeven. Ze at een kom ontbijtgranen en belde Joseph. Ze had hem na Livingstone nog maar één keer gezien. Toen hij niet opnam, liet ze een boodschap achter.

'Hoi, ik ben het, Zoë. Ik ben heel benieuwd naar nieuws over de rechter. Bel me.'

Ze draaide een ander nummer en luisterde naar de wachttoon. Schiet op, Godfrey, neem eens op, dacht ze. Maar hij nam niet op. Ze sprak een bericht in – het derde in evenzoveel dagen – en stuurde een sms'je, waarin ze vroeg naar het telefoonnummer van Cynthia. Daarna googelde ze de Nkana-mijn. Ze belde het nummer en kreeg te horen dat de personeelschef niet op kantoor was. Ze liet een bericht achter waarin ze vroeg om de contactgegevens van Mwela Chansa, Cynthia's echtgenoot.

Omdat ze niet stil kon zitten nam ze een duik. Ze trok tien baantjes in een kalm tempo om de onrust in haar hoofd te verdrijven. Toen ze er genoeg van had, bleef ze nog even watertrappelen in het diepe gedeelte. Ineens schoot haar iets te binnen. Ze was iets vergeten, iets belangrijks. Nadat ze zichzelf uit het water had gehesen, droogde ze haar handen af aan haar handdoek, pakte haar iPhone, googelde iets en belde het nummer van het Algemeen Ziekenhuis van Livingstone.

'Heeft dokter Mumbi dienst vandaag?' vroeg ze aan de receptioniste.

'Hij heeft zaaldienst,' antwoordde de vrouw kortaf. 'U kunt het ook aan mij vragen, hoor.'

'Het is dringend, ik wil hem vandaag nog spreken. Wilt u me zijn mobiele nummer geven?'

'Nee, dat doen we niet.'

'Ik sprak laatst met hem over een meisje dat ik wil helpen,' legde Zoë uit. Kon Joseph het gesprek maar overnemen in het Tonga, dacht ze wanhopig. 'Wilt u alstublieft een boodschap voor hem achterlaten?'

Er viel een stilte aan de andere kant. Zoë hoorde de vrouw de hoorn neerleggen en op gedempte toon met iemand praten. Even later was ze terug, de lijn kraakte.

'Uw naam en telefoonnummer, alstublieft. Dan geef ik het door.'

Zoë gaf haar gegevens en hing op. Ze was kwaad op zichzelf om haar onnadenkendheid, maar dankte het koude water voor het opfrissen van haar geheugen. Op bijna elke pagina in Bella's dagboek kwam zijn naam voor: Jan. Als een verteller in een negentiende-eeuwse roman zat hij achter elke gedachte die Bella had opgeschreven. Het hele relaas over haar uitbuiting als prostituee was aan hem gericht.

Een paar minuten later ging haar mobiel. 'Hallo?' zei ze.

'Mevrouw Fleming?' vroeg een Afrikaanse man beleefd.

Dokter Mumbi! 'Ja, daar spreekt u mee. Dank voor het terugbellen.'

'Graag gedaan. U wilt me iets vragen over een kind?'

'Nou, ik help een meisje. Maar ik wil weten of er in 1996, toen Charity Mizinga bij u studeerde, een arts in het ziekenhuis werkte die Jan heette.'

'Ja, dat was dokter Jan Kruger. Hij heeft twee jaar bij ons gewerkt aan een onderzoek naar hiv en kinderziekten. Hij is nu een autoriteit op het gebied van aids in Afrika.'

Zoë's hart bonsde van opwinding na deze ontdekking. 'Heeft dokter Kruger Charity gekend?'

'Jazeker. Charity was een van zijn assistenten bij het onderzoek.'

Mijn god, dacht Zoë. 'Waar is hij nu?'

Dokter Mumbi slaakte een zucht. 'Hij ging bij ons weg voor een baan aan de universiteit van Kaapstad. Daar werkte hij mee aan het onderzoek in Khayelitsha.'

'Dat onderzoek van Artsen zonder Grenzen?' vroeg ze. Zoë had ooit een artikel gelezen over een baanbrekend onderzoek van Artsen zonder Grenzen naar de verstrekking van aidsremmers in de grootste krottenwijk van Kaapstad.

'Dat klopt. Volgens mij werkt hij daar nog steeds.'

'Komt hij uit Zuid-Afrika?'

'Nee, uit Zimbabwe. Maar hij heeft geloof ik wel familie in de buurt van Kaapstad.'

'Dank u wel. U heeft me enorm geholpen.'

De arts zweeg even. 'Heeft u nog familie van Charity gevonden?'

'Ja,' antwoordde ze kort. Ze wilde niet dieper op deze vraag ingaan.

'Gelukkig maar. Als u dokter Kruger spreekt, doe hem dan de groeten.'

Zoë bedankte hem en hing op. Ze typte een vraag in over hiv-onderzoek aan de universiteit van Kaapstad en pleegde een telefoontje naar het Desmond Tutu HIV Centre.

'Dokter Kruger, ja,' zei de vrouw die opnam met een zwaar Zuid-Afrikaans accent. 'Die is verbonden aan het Instituut voor Infectieziekten en Moleculaire Geneeskunde. Maar momenteel werkt hij mee aan een multinationale studie over hiv/aids aan de universiteit van de Witwatersrand in Johannesburg.'

'Kan ik hem daar bereiken? Het gaat om iets zeer belangrijks.'

De vrouw zette haar in de wacht en kwam een minuut later terug. 'Dokter Johannè Luyt leidt het hiv-onderzoek aan de Wits. Ik weet zeker dat ze u met dokter Kruger in contact kan brengen.'

Zoë liep om het zwembad en vroeg zich af hoe ze dokter Luyt zou moeten benaderen. Van dokter Mumbi had ze begrepen dat Jan Kruger een epidemioloog van naam was. Bella's dagboek daarentegen was een staalkaart van verschrikkingen. Hun band was vijftien jaar geleden ontstaan, toen Bella nog Charity Mizinga heette en een veelbelovende verpleegkundestudente was. Haar neergang en dood waren niet bepaald feiten om hem mee te overvallen. Of juist wel?

Ze hoorde haar telefoon weer gaan. Ze liep om het zwembad heen en pakte haar iPhone van de stoel. Ze glimlachte toen ze Josephs naam op het schermpje zag staan.

'Dank je wel voor het terugbellen,' zei ze. 'Waar zit je?'

'In de Lusaka Golf Club,' antwoordde hij.

Ze hoorde stemmen op de achtergrond. 'Dit is zeker geen goed moment om bij te praten?'

'Niet echt. Wat doe je met het eten?'

'Nog niet over nagedacht.'

'Laten we elkaar treffen in Arcades, al zal alles gesloten zijn op deze verkiezingsdag.'

'Je kunt ook naar mij komen,' zei ze, terwijl ze vlinders in haar buik voelde opfladderen.

'Bij jou thuis, bedoel je?'

'Ja. Je weet dat ik lekker kan koken.'

Hij aarzelde. 'Hoe laat?'

Haar glimlach verbreedde zich. 'Wat denk je van zes uur?'

'Oké. Dan sta ik bij je voor de deur.'

Zoë legde haar mobiel weer neer en begon opnieuw te ijsberen. Ze worstelde niet alleen met haar dilemma over Jan Kruger, maar ook met haar gevoelens voor Joseph. Ze peilde haar hart en vroeg zich af of, en wanneer, haar respect voor hem was omgeslagen in een verlangen naar hem. Ze wist het antwoord niet en bleef stil in het zonlicht staan, genietend van het kriebelende gras tussen haar tenen en zich afvragend hoe ze haar gesprek met dokter Kruger over de treurige afloop van Charity's leven moest aanpakken. Ze staarde naar het wateroppervlak en kreeg langzaam een idee.

Ze had weer een vliegticket nodig.

Joseph arriveerde aan het begin van de avond. Met een schort om deed Zoë open en liep voor hem uit naar de keuken. Toen ze zag dat hij gewoon een poloshirt en kakikleurige broek droeg, was ze blij dat ze een capribroek en trui had aangetrokken in plaats van een sexy jurkje.

'Ik hoop dat je van Indisch houdt,' zei ze. 'Het lukte me niet om voor de verkiezingen nog naar de supermarkt te gaan, maar ik had alles in huis voor kerriekip met rijst.'

'Heerlijk,' antwoordde hij.

'Wil je bier of wijn?'

Hij grinnikte. 'Ik neem wat jij neemt.'

Ze roerde de kip nog een keer om, draaide het gas uit en legde haar schort op het aanrecht. 'Kom, we eten op het terras. Ik neem alles mee.'

Terwijl Joseph naar buiten ging, pakte Zoë twee borden en zette die op een dienblad naast een broodmandje en twee glazen chardonnay. Ze nam het blad mee naar het terras, waar ze Joseph zag uitkijken over de tuin. Ze verdeelde het eten en de wijn en stak de kaarsen aan. Toen ze eenmaal tegenover elkaar zaten zei Zoë: 'Bon appétit!'

'Dit is echt heel lekker,' zei Joseph. Hij at met smaak.

Ze glimlachte. 'Heb je nog iets ontdekt in de Lusaka Golf Club?'

Hij schudde zijn hoofd. 'De rechter is geen lid. Ik ben ook naar de universiteit van Zambia gegaan, misschien was hij een studiegenoot van Darious. Maar Darious heeft daar niet gestudeerd.'

Ze nam een stukje kip, genietend van de kerriesmaak. 'Weet je iets over hun jongensjaren? Misschien waren ze vriendjes op de lagere school.'

'Of op de middelbare school. Misschien waren ze buren, waren hun ouders met elkaar bevriend, heeft Darious ooit verkering gehad met Kaunda's zus, als hij een zus heeft. De mogelijkheden zijn legio.'

Ze nam een slok wijn. 'Ik heb Godfrey gebeld voor het telefoonnummer van Cynthia, maar nog niets van hem gehoord.'

Joseph trok zijn schouders op. 'Dat verbaast me niks.'

'Denk je dat hij bang is?'

'Zou jij dat niet zijn als bijna je hele familie was overleden en iedereen in je dorp denkt dat je vervloekt bent?' Hij legde zijn vork neer. 'En misschien heeft de man die ons achtervolgde op hem ingepraat. Op de terugweg zat hij niet in ons vliegtuig.'

Haar gezicht vertrok. Na het tochtje op de rivierboot hadden ze de man met de zonnebril niet meer gezien. Ze was hem al bijna vergeten. 'Ik heb de Nkana-mijn gebeld en gevraagd naar de man van Cynthia. Er was niemand vandaag vanwege de verkiezingen.'

'Ik vraag me af of zij ons wel zal helpen,' zei hij. 'Ik weet zeker dat Godfrey met haar gesproken heeft.'

Zoë tuitte haar lippen en zei: 'Morgen ga ik naar Johannesburg.'

'Hoezo?' vroeg hij met een frons.

'Ik heb Jan gevonden, de man uit Bella's dagboek,' zei ze. Ze genoot van zijn verbouwereerde blik. 'Hij is epidemioloog aan de universiteit van Kaapstad, maar werkt nu aan een onderzoek aan de Wits in Johannesburg.'

Joseph leunde achterover in zijn stoel. 'Hoe heb je dat...'

'Met een beetje geluk en een beetje speurwerk.'

Nadat ze hem het hele verhaal had verteld, schudde hij zijn hoofd. 'Interessante conclusie, dat geef ik toe. Maar hoe weet je zo zeker dat ze Jan niet gewoon in Lusaka heeft ontmoet?'

Ze glimlachte. 'Die gedachte kwam ook bij mij op. Maar vanmiddag heb ik het dagboek weer eens doorgelezen. Ik besefte dat haar beschrijvingen doorspekt waren van medische details. Je zou kunnen volhouden dat dit een overblijfsel was van haar studietijd. Maar dat geloof ik niet. Ik denk dat ze schreef in een taal die hij goed begreep, ook al ging ze er niet van uit dat hij haar dagboek ooit zou lezen.'

Hij keek haar onderzoekend aan. 'Een fascinerend inzicht.'

Ze draaide zich om en wist niet wat te zeggen.

Na een poos vroeg hij. 'Waarom heb je me uitgenodigd?'

Ze voelde dat ze begon te blozen. 'Jij was toch degene die mij uitnodigde, weet je nog?'

'Maar bij jou thuis is anders dan in een restaurant.'

Ze keek in zijn ogen bij het kaarslicht. 'Ik geniet van je gezelschap.'

Zijn gezicht klaarde op door zijn glimlach. 'Dan kunnen we elkaar de hand schudden.'

14

DE VOLGENDE DAG BRACHT JOSEPH Zoë vroeg in de ochtend naar de luchthaven. Het was akelig rustig in de straten van Lusaka de dag na de verkiezingen. Er waren geen straatventers te zien, die normaal gesproken de wegen bevolkten, en er waren verbazingwekkend weinig voetgangers. Wie de verkiezingen had gewonnen was nog niet bekend en bij gebrek aan nieuws herhaalden de media de saaie beelden van stemlokalen.

'Ik vrees de reactie van het Patriottisch Front als Banda wint,' zei Zoë. 'Ze zullen de uitslag niet accepteren.'

Joseph fronste. 'Als de MMD aan de macht blijft, gaat het PF misschien over tot geweld, al zal dat beperkt blijven tot de krottenwijken. Zambianen zijn vreedzaam.'

'Dat zeiden ze ook over de Kenianen,' riposteerde ze. 'En ineens spatte dat land uit elkaar.'

Ze arriveerden bij de luchthaven terwijl de zon boven de vlakte opkwam. Joseph reed naar de afzetplek en stopte bij de stoeprand. Hij keek haar zwijgend aan, en ze zag dat hij niet wist wat hij moest zeggen. De avond daarvoor was hun relatie veranderd. Ze voelde zich meer op haar gemak bij hem, maar tegelijk ook kwetsbaar, alsof ze een psychische kledinglaag van zich had afgeschud nadat ze hem verteld had dat ze zich tot hem voelde aangetrokken. Aan Josephs blik te zien was het wederzijds.

'Ik bel je wanneer ik mijn retourticket heb gekocht,' zei ze. Ze aarzelde, kuste hem zacht op zijn wang en stapte uit.

Na de paspoortcontrole ging ze in de vertrekhal zitten wachten. Op een gegeven moment werd haar aandacht getrokken door een tv-toestel aan het plafond. Een nieuwslezer van de BBC bracht nieuws over de voorverkiezingen in de Verenigde Staten. In de aanloop tot het debat in Orlando was de voorsprong van haar vader van vijftien naar acht procentpunten teruggelopen. Een nieuwe concurrent, de gouverneur van Kansas, voer mee op een golf van sentimenten tegen het establishment. Er waren beelden te zien van de senator zwaaiend naar een juichende menigte, terwijl de commentaarstem van de nieuwslezer de vraag opwierp of hij zijn voorsprong wel kon behouden. Zoë schudde haar hoofd. Het was onwerkelijk om haar vader te zien worden bewonderd en verguisd.

De vlucht naar Johannesburg duurde twee uur, waarvan ze het merendeel sliep. Toen de landing werd ingezet, kwam de stad langzaam door een bruinige smoglaag in beeld. In de verte zag ze de hoge afgetopte bergen mijnafval van de Witwatersrand opdoemen, en ze glimlachte. In het jaar dat ze had doorgebracht in de juridische loopgraven van rechter Van der Merwe, had ze de stad in al zijn facetten leren kennen – het gruizige stadscentrum, de niet volledig geïntegreerde townships, de groene buitensteden en weelderige parken –, en er een grote liefde voor opgevat. Johannesburg, hoewel onbehouwen en gevaarlijk, was de bron van de opstand in Soweto tegen de apartheid en de schatkamer van het mooiste juridische juweel van het continent: de Zuid-Afrikaanse grondwet.

Om halftien landde het vliegtuig op OR Tambo International Airport. Een uur later verliet ze de luchthaven in een sportieve Volkswagen-coupé. Ze reed naar de N12 en belde dokter Johannè Luyt. Aanvankelijk stond de epidemioloog argwanend tegenover haar verzoek, maar ze ontdooide toen Zoë haar vertelde dat dokter Kruger het leven van Godfrey had gered. Ze noteerde Zoë's nummer en beloofde terug te bellen.

Het verkeer naar het stadscentrum was een chaos van auto's in slakkengang, knipperende lampen en loeiende claxons. Terwijl Zoë in de file stond ging haar iPhone over.

'Ik heb dokter Kruger gesproken,' zei dokter Luyt. 'Kunt u naar de Wits komen?'

'Natuurlijk. Waar zullen we afspreken?'

'Ik sta buiten bij de trap van het academiegebouw.'

'Ik ben er over een halfuurtje.'

Zoë arriveerde een paar minuten voor de afspraak bij de oostelijke campus van de universiteit van de Witwatersrand. Ze kreeg een bezoekerspas en zette haar auto op de parkeerplaats op de heuvel, waarna ze over een pad naar de terrasgewijs aangelegde perken van het gebouw liep. Het was een levendige drukte op de campus – studenten haastten zich naar college, professoren discussieerden en rugbyfanaten worstelden in het gras. Ze liep naar het indrukwekkende gebouw dat de Great Hall werd genoemd. Een tengere, middelbare vrouw in een witte doktersjas stond bij de trap.

Zoë zwaaide. 'Bent u dokter Luyt?' vroeg ze met uitgestoken hand. 'Ik ben Zoë Fleming.'

De arts schudde haar kort de hand. 'Dokter Kruger is vandaag op pad.'

'Is hij er morgen?' vroeg Zoë.

Dokter Luyt keek haar onderzoekend aan. 'Misschien kan ik een ontmoeting regelen, maar ik wilde u eerst even spreken. De resultaten van ons nieuwe onderzoek hebben een lawine aan aandacht veroorzaakt, we moeten zuinig zijn met onze tijd.'

Zoë verborg haar onwetendheid met een smoes. 'Ik ken het onderzoek, maar de conclusies nog niet.'

Dokter Luyt stak enthousiast van wal. 'We hebben onderzoek gedaan naar hiv-discordante paren – dat wil zeggen, een positieve en een negatieve partner – en dienden in een vroeg stadium aidsremmers toe, ter preventie, dus niet als behandeling. Slechts één persoon is besmet geraakt tijdens de onderzoeksperiode – een verbijsterend resultaat. We denken nu dat met vroege behandeling met aidsremmers en prenatale behandeling van seropositieve zwangere vrouwen het mogelijk is virusoverdracht op een volgende generatie te voorkomen.'

'Voorkomen?' riep Zoë uit. 'Dan spreek je van een toekomst zonder aids.'

'Dat is nog toekomstmuziek, maar inderdaad. De enige vraag is of de politiek ons onderzoek wil financieren.' Ze liepen over een pad onder bloeiende bomen. 'Vertel eens wat meer over die jongen wiens leven door dokter Kruger is gered.'

In de pas met dokter Luyt lopend vertelde Zoë het hele verhaal over Godfrey. Toen ze klaar was, pakte de arts haar mobiele telefoon. 'Ik moest dokter Kruger bellen als ik zeker wist dat hij jou zou willen ontmoeten.'

Het werd een kort telefoongesprek. Toen dokter Luyt ophing keek ze weer naar Zoë. 'Aan de rand van Cosmo City zit een koffiebar, Sun Garden. Daar wacht hij op je.' Ze schudde Zoë de hand. 'Sorry voor de rompslomp.'

Zoë knikte. 'Ik hoop dat jullie de financiering rond krijgen. Het aanzien van Afrika zal erdoor veranderen.'

Met een plotseling sombere blik zei dokter Luyt: 'Dat denk ik ook.'

De koffiebar bevond zich in een tuincentrum midden in een voorstad in het noordwesten van Johannesburg. Ze parkeerde haar auto op het kiezelterrein en liep door de showroom, waarna ze plaatsnam op een bankje onder een pergola met wijnranken. Om elf uur 's ochtends waren er nog weinig klanten. Ze bestelde een cappuccino.

Tijdens de rit had ze bedacht hoe ze het gesprek met dokter Kruger zou aanpakken, maar ze was er niet enthousiast over. Ze voelde zich zelfs behoorlijk schuldig. Ze hoorde haar naam weerklinken op Kuyeya's lippen, waarna het schuldgevoel plaatsmaakte voor verdriet. Als Charity haar opleiding had afgemaakt, als ze Darious nooit had ontmoet en als ze zich tijdig had laten behandelen, had ze dokter Kruger nu niet hoeven lastigvallen.

Ze zocht in haar rugzak en haalde Bella's dagboek tevoorschijn, dat ze voor zich op het tafeltje legde. De serveerster bracht koffie, waarvan ze een slokje nam, turend naar de ingang. Een paar minuten later zag ze hem. Hij zag eruit zoals Godfrey had beschreven: een blonde man met blauwe ogen. Kordaat stapte hij op haar af.

'Mevrouw Fleming,' zei hij, met een blik op het dagboek. 'Aangenaam kennis met u te maken.'

'Bedankt voor uw tijd, dokter Kruger,' antwoordde ze.

Hij ging tegenover haar zitten. 'Hoe gaat het met Godfrey tegenwoordig?' vroeg hij. Hij had de uitspraak van een hoogopgeleide Rhodesiër.

'Hij weet het hoofd boven water te houden,' zei ze. 'Bijna zijn hele familie is overleden.'

Een waas van somberheid viel over het gezicht van de dokter. 'Het spijt me dat te horen. Waaraan...?'

'Aan aids, de meesten.'

Hij schudde zijn hoofd. 'We hebben nog een lange weg te gaan.'

Ze zuchtte diep om haar zenuwen te bedwingen. 'Ik zou het graag met u over Charity Mizinga willen hebben.'

In de stilte daarna bestudeerde ze zijn gezicht, op zoek naar tekenen van verdriet of spijt, maar ze vond niets. Je bent ofwel een heel goede acteur, of je hebt je hierop voorbereid, dacht ze.

'Charity,' zei hij na een poos, 'was een begaafde studente.'

'Dat heb ik vaker gehoord.' Ze knikte naar het dagboek. 'Ze heeft u iets nagelaten.'

Dokter Kruger knipperde met zijn ogen, maar herstelde zich snel. 'Wat bedoelt u?'

Ze gebaarde naar het schrijfblok. 'Kijkt u zelf maar.'

Hij staarde naar haar en negeerde het dagboek. 'U heeft me laten komen onder het voorwendsel dat u over Godfrey wilde praten. Ik word niet graag om de tuin geleid.'

Zoë probeerde haar opkomende woede te onderdrukken. 'Had u dan liever gehad dat ik u meteen had verteld dat de studente die u zo hoog aansloeg de laatste jaren van haar leven heeft moeten werken als prostituee in Lusaka? Had u liever dat ik u vertelde dat ze honderden brieven over haar neergang aan u heeft geschreven? Ze zijn allemaal aan u gericht. Ik ben benieuwd waarom.'

Aarzelend richtte hij zijn blik op het dagboek. Uiteindelijk sloeg hij het open. Vluchtig las hij een paar pagina's en legde daarna het dagboek weer terug. 'Ik heb geen idee waarom ze dit heeft geschreven,' zei hij kalm.

'Wanneer heeft u haar voor het laatst gezien?'

Hij raakte met zijn vingers het dagboek aan. 'Ze stopte met haar studie in het tweede jaar. Ik weet niet meer in welke maand. Het kwam voor iedereen als een verrassing.'

'Ze vertelde u niet waarom?'

'Ze heeft niet eens afscheid genomen.'

'Toch schreef ze u honderden brieven.'

Hij haalde zijn schouders op. 'Sommige studenten worden nogal snel verliefd. U begrijpt vast wat ik bedoel.'

Zoë keek hem sceptisch aan. 'Heeft u ooit beseft dat ze gevoelens voor u had?'

De dokter schudde zijn hoofd. 'Onze relatie was zuiver platonisch.'

'Hoe goed was u met haar bevriend?'

'We zagen elkaar bijna elke dag. Ze was heel erg betrokken bij het onderzoek. Toen Godfrey malaria kreeg, hielp ze mij zijn leven te redden. Ik kende haar behoorlijk goed.'

'Wist u dat ze een dochter had?'

'Wat?' Hij leek oprecht geschokt. 'Had ze die al toen ze nog in Livingstone woonde?'

'Dat zou ik graag van u willen weten.'

Hij schudde zijn hoofd. 'Ze heeft het in die tijd nooit over een kind gehad.'

'Dus haar dochter is geboren nadat ze met haar studie was gestopt.'

'Hoe kan ik dat weten? Hoe oud is het kind?'

Zoë keek hem zwijgend aan. 'Dat is precies wat ik wil weten.'

Hij leunde achterover en straalde een diep wantrouwen uit. 'Wie bent u eigenlijk?'

'Charity's dochter is in Lusaka verkracht,' antwoordde ze, open kaart spelend. 'We verdenken een zekere Darious Nyambo, zoon van Frederick Nyambo, de industrieel. Ik ben een van de advocaten die aan deze zaak werkt.'

Toen Zoë dit zei, besefte ze dat ze hem kwijt was.

Woedend stond hij op. 'U heeft niet alleen mij, maar ook dokter Luyt bedrogen. Het is verschrikkelijk wat er met dit meisje is gebeurd. Maar ik heb daar niets mee te maken.'

Knarsetandend liet Zoë al haar voorzichtigheid varen. 'Heeft u een affaire met Charity Mizinga gehad? Schreef ze u daarom al die brieven?'

Zijn ogen glansden van woede. 'Hoe durft u me hiervan te beschuldigen? Alstublieft, doe Godfrey de groeten van mij, maar neem nooit meer contact met me op.'

Met die woorden stond hij op en vertrok.

Zoë nam de snelweg terug naar luchthaven Tambo en kocht een ticket voor de middagvlucht naar Lusaka. Na de landing ontmoette ze Joseph bij de ophaalplaats en stapte in zijn pick-up, antwoord gevend op de vraag in zijn ogen.

'Dit reisje was een totale mislukking. Zo, dat is eruit.'

Hij zweeg totdat ze voorbij het luchthavencomplex waren. 'Heb je er dan niets van opgestoken?'

'Alleen dat ik soms maar beter mijn mond kan houden. O, en ik heb geleerd dat een groepje epidemiologen heeft bewezen dat we binnen één generatie een einde aan de aidsepidemie kunnen maken, mits de politiek het niet verknalt door alle buitenlandse hulp te verkwanselen.'

Hij grinnikte. 'Je bent wel recht voor zijn raap. En wat ben je over die Jan te weten gekomen?'

Ze kwam tot rust. 'Volgens mij verbergt hij iets. Zijn verklaring voor het dagboek was dat Charity als een tienermeisje verliefd op hem was. Ik denk dat ze samen iets hebben gehad, maar dat kan ik niet bewijzen.' Ze keek Joseph aan. 'Jij vindt het zeker maar raar. Jij denkt dat er geen verband is met de zaak.'

Hij schudde zijn hoofd. 'Als je een vermoeden hebt, moet je erachteraan. Ik heb veel zaken opgelost door dat te doen.'

Ze slaakte een diepe zucht, dankbaar voor zijn vertrouwen. 'En wat heb jij gedaan vandaag?'

Hij wierp een blik op haar. 'Ik heb een connectie gevonden tussen de rechter en de Nyambo's.'

'Ga weg!'

Hij glimlachte. 'Ik heb geluncht met een vriend van het ministerie van Energie. Toen ik Thoko Kaunda noemde, vertelde hij me dat Kaunda's vader een hoge ambtenaar is op het ministerie van Watermanagement. Hij was aangenomen door een minister van Energie.'

Haar ogen schitterden. 'Frederick Nyambo!' riep ze uit. Er schoot haar nog iets te binnen. 'Met Nyambo's belang in de Batoka-vallei vraag ik me af of de connectie nog steeds bestaat.'

'Het zou kunnen. De connectie is niet zo sterk als een persoonlijke vriendschap, maar roept wel twijfels op over de onpartijdigheid van de rechter. Mariam legt het geval morgen voor aan de officier van justitie.'

Zoë keek naar buiten en zag dat het opvallend rustig op de weg was. 'Is de verkiezingsuitslag al bekend?'

'Sata staat voor, maar het is een nek-aan-nekrace. Het PF zal een hoop ophef maken over fraude.'

'Als het in Woodlands uit de hand loopt, kun je bij mij logeren. Het zal in Kabulonga veiliger zijn dan waar ook.' Ze keek hem aan en zag de vermoeidheid in zijn ogen. 'Je ziet er moe uit. Slaap je wel genoeg?'

'Waarschijnlijk niet.'

'Komt het door deze zaak?'

Hij verstevigde zijn greep op het stuur. 'Ik droom veel. Ik word er wakker van.'

'Waarover?'

'Over mijn zusje.' Hij knipperde met zijn ogen alsof hij de herinneringen van zich af wilde schudden. 'Een veel te lang verhaal.'

'Niet bij een etentje. Volgens mij is Arcades vanavond wél open.'

Hij schudde zijn hoofd. 'Ik wil er liever niet over praten.' Toen verraste hij haar met een grijns. 'Maar een etentje sla ik niet af. Wat vind je van Plates?'

Ze lachte. 'Goed idee.'

15

DE VOLGENDE OCHTEND NAM ZOË PLAATS aan de ronde tafel in de werkkamer van Mariam. Joseph, Sarge en Niza zaten er al. Mariam belde het nummer van de officier van justitie op de speakertelefoon. Na drie wachttonen nam Levy Makungu op. Hij was hoorbaar uit zijn hum.

'Ik weet wat er beslist is in de DNA-kwestie. Ik neem aan dat jullie in hoger beroep gaan.'

'Nou, nee,' antwoordde Mariam. 'We menen dat er sprake is van een verborgen belangenconflict. De familie van de rechter heeft een band met de familie van de verdachte.'

De officier van justitie zuchtte diep. 'Ik weet niet of ik dit wil horen.'

Mariam ging verder. 'We zouden een verzoekschrift om terugtrekking kunnen indienen, maar we geloven niet dat Kaunda zich vrijwillig buitenspel zal laten zetten.'

'Wacht even,' zei Makungu. Hij legde de hoorn neer. Even later hoorde Zoë een deur dichtgaan. De officier van justitie nam de hoorn weer op. 'Als jullie geen concreet bewijs van belangenverstrengeling hebben, hang ik op en vergeet ik dit gesprek.'

'Onze agent zit erbij. Joseph, vertel Levy wat je hebt ontdekt.'

Joseph rolde met zijn bureaustoel naar de telefoon en deed verslag van zijn bevindingen en zijn bron.

Makungu bromde wat. 'Dat wil ik wel bevestigd zien.'

'Ik kan u zijn nummer geven,' zei Joseph. 'Hij wil vast met u praten.'

De officier van justitie wachtte even met zijn reactie. 'Mariam, wat vind jij dat ik moet doen?'

Mariam verschoof in haar stoel. 'Deze informatie doorgeven aan de hoogste districtsrechter. Die weet wel wat hij ermee moet.'

'Ik heb veel respect voor Flexon Mubita, maar hij is wel degene die Kaunda op deze zaak heeft gezet. Stel dat hij het al wist?'

'Ik vertrouw hem meer dan wie ook bij de rechtbank. Maar je hebt gelijk. We nemen een risico.'

Makungu schraapte zijn keel. 'Als het verhaal van de agent klopt, neem ik contact met Flexon op.'

Mariam leek opgelucht. 'Dank je, Levy. Ik ben je iets verschuldigd.'

'Wel meer dan iets,' antwoordde hij voordat hij ophing.

De rest van de ochtend werkte Zoë aan een conclusie die ze had geschreven in een andere kinderverkrachtingszaak. In dit geval was de cliënt een elfjarig meisje uit de Ng'ombe Compound, dat door een oudoom was gemolesteerd. Pas jaren daarna durfde ze het aan haar moeder te vertellen, die aangifte had gedaan. Nadat hij eerst het kind had bedreigd, had de oudoom een advocaat in de arm genomen, en de advocaat had op zijn beurt de moeder bedreigd. Op Niza's verzoek had Zoë aangestuurd op minachting voor de rechtbank, maar ze verwachtte dat de rechter dat zou verwerpen. De verdachte en zijn advocaat ontkenden de dreigementen, en de moeder van het kind was een arme weduwvrouw die zich alleen maar op haar woord kon beroepen.

Rond lunchtijd zei Joseph dat hij zin had in nshima, en met een glimlach pikte Zoë de hint op. Ze reden de straat uit naar Pamela's, een onder advocaten populair eettentje in het regeringskwartier, en liepen over het gazon naar het buitenbuffet. Een gezette Zambiaanse vrouw nam hun bestelling op en schepte nshima, kip, pindasaus en boontjes op. Nadat ze hadden betaald gingen ze aan een tafel zitten op een vrijwel uitgestorven grasveld.

'Waar is iedereen toch?' vroeg Zoë, om zich heen kijkend.

'Er waren rellen in Ndola, hoorde ik op de radio. Het PF denkt dat de MMD geknoeid heeft met de uitslagen. Veel mensen blijven thuis vandaag.'

'Zijn er in Lusaka rellen geweest?'

Joseph schudde zijn hoofd. 'Het is onrustig in de compounds, maar er is nog niets voorgevallen.'

'Ze moeten snel de uitslag bekendmaken,' zei ze wrevelig.

Ze aten en genoten van de zon en de rust. Na een poos vroeg Zoë: 'Wat ga je doen zolang we nog niets van de officier van justitie hebben gehoord?'

Joseph slikte een hap nshima door en zei: 'Ik wil een paar nganga's interviewen over hiv. Ook ga ik praten met bewoners in de buurt van Abigail in Kanyama. Volgens mij kende Darious daar de weg goed. Anders had hij

Kuyeya veel dichter bij Los Angeles Road afgezet. Hij heeft een opvallende auto. Ik vind vast nog iemand die hem heeft gezien.'

Ze fronste, deels voor de grap. 'Jouw werk is zoveel sexyer dan het mijne.'

Hij grinnikte. 'Interessante woordkeus.'

'Zo bedoelde ik het niet.'

Hij keek weer serieus. 'Als je zo graag iets wilt doen, dan weet ik wel iets. Een paar jaar geleden werkte ik aan een andere zaak. Twee opgeschoten jongens hadden een meisje naar hun huis gelokt en verkracht, hun ouders waren niet thuis. Na de daad lieten ze haar met veel dreigementen gaan. Ze was moedig, en ze had geluk. Haar ouders deden aangifte, en de dienstdoende commandant gaf de zaak aan mij.'

Zoë's maag kromp ineen bij dit verhaal. 'Zijn ze veroordeeld?'

'Ja. Een buurvrouw zag het meisje het huis binnengaan. Haar getuigenis overtuigde de rechter. Ik vraag me af wat Darious met Kuyeya deed vanaf het moment dat hij haar oppikte in Kabwata tot het moment dat hij haar in Kanyama afzette. Vijf uur is lang.'

'Denk je dat hij haar ergens mee naartoe heeft genomen?'

Joseph knikte. 'Misschien naar zijn huis.'

Ze keek hem sceptisch aan. 'Hij heeft zijn sporen bijna volledig gewist. Waarom zou hij dan in zijn eigen huis een misdaad plegen?'

'Omdat hij daar de volledige controle heeft. Ik ben niet binnen geweest, maar ik vermoed dat hij een eigen woning, of een gedeelte voor zichzelf heeft. Of misschien waren zijn ouders niet thuis. Stel dat hij haar heeft meegenomen naar zijn huis, haar daar verkracht heeft en daarna naar Kanyama heeft gebracht. Dat zal de buren en de bewakers niet zijn opgevallen. Slechts één persoon zou mogelijk iets gezien kunnen hebben.'

'Wie dan?'

Joseph glimlachte. 'De huishoudster.'

'Hoe weet je dat...? Ja, natuurlijk hebben ze er een, maar dan nog is het een grote gok.'

'Misschien heb je gelijk,' zei hij en hij haalde zijn schouders op. 'Maar jij kon zo goed overweg met Doris. Misschien wil je ook eens met haar praten.'

'Hoe pak ik dat aan?'

'Je wacht bij het huis tot ze naar buiten komt. Ik weet zeker dat ze regelmatig naar de supermarkt gaat. Ze zal door een chauffeur worden gebracht, maar de boodschappen doet ze waarschijnlijk in haar eentje.'

Plotseling voelde Zoë echte angst. 'Waarom zou ze tegenover mij een boekje willen opendoen over haar werkgever?'

'Misschien wil ze dat niet. Maar misschien heb je geluk.'

Even later stemde ze in. 'Ik zal het er met Mariam over hebben.'

Terug op het kantoor van de CILA bleek iedereen verdwenen, behalve Sarge, die in de vergaderkamer op zijn laptop zat te werken. Hij keek naar hen op en zei: 'Er zijn onlusten in Copperbelt. Het bureau is gesloten tot de uitslag bekend is.'

'Wat doe jij hier dan nog?' vroeg Zoë, die opnieuw angstig werd.

'Ik heb volgende week een zitting in het hooggerechtshof. Ik ben iets aan het afronden.'

Zoë liet Sarge verder met rust en liep achter Joseph aan naar buiten. Ineens besefte ze hoe stil het was. Normaal gesproken drong het verkeerslawaai door tot in het kantoorgebouw, dat in een van de drukste wijken van Lusaka stond. Deze middag was het er zo rustig als in een botanische tuin.

'Nou,' zei ze. 'Ik kan je geen riviercruise aanbieden, maar wel een zwembad.'

'Goed idee, een duik in het water,' antwoordde Joseph. 'Als je ook maar een radio hebt.'

Ze reden naar Zoë's flat en brachten de hele middag luierend aan het zwembad door, net als de helft van de andere bewoners van het complex, die allemaal een vrije dag hadden. Toen de schaduwen over het grasveld langer werden en de zon achter de bomen verdween, nodigde Zoë Joseph uit voor een geïmproviseerde maaltijd met broodjes ham en appels – het enige wat ze nog in de koelkast had liggen. Daarna keken ze in de woonkamer naar een film, terwijl Zoë's iPhone op de Zambiaanse NBC-zender bleef afgestemd.

De tijd tikte onmerkbaar door, de avond ging over in de nacht. Tijdens de aftiteling van *District 9*, een sciencefictionfilm die zich afspeelt in Johannesburg, keek Zoë gapend op haar horloge. Het was voorbij middernacht. Net toen ze naar de badkamer wilde gaan, hoorde ze de stem van opperrechter Ernest Sakala van het Zambiaanse hooggerechtshof op de radio. Ze zette de tv uit en draaide het volume van haar iPhone omhoog. Met ingehouden adem luisterden ze naar de rechter, die de verkiezingsuitslag voorlas.

'Michael Sata van het Patriotic Front: 1.170.966 stemmen,' las Sakala voor. 'Rupiah B. Banda van de Movement for Multiparty Democracy: 987.866 stemmen. Hichilema Hakainde van de United Party for National Development (UPND): 503.763 stemmen...'

Zoë keek naar Joseph en slaakte een diepe zucht van verlichting. 'Het is goddank voorbij. En het PF heeft niets te klagen.'

Joseph wierp haar een raadselachtige blik toe. 'De mensen willen verandering. Maar kozen voor een oude man. Ik ben benieuwd wat ze over vier jaar van Sata zullen vinden.'

Zoë stelde zich president Banda voor in zijn paleis, peinzend over het einde van twee decennia MMD-bestuur. Hoeveel vrienden van hem hadden van zijn privileges geprofiteerd? Ze kreeg een beangstigende gedachte. Het leger stond nog steeds tot Banda's beschikking. In Afrika waren stemmen van papier geen partij voor mannen met geweren.

'Zal Banda aftreden?' vroeg ze. 'Stel dat hij het leger inzet om een hertelling af te dwingen.'

Joseph keek verbaasd naar haar op. 'Wat ben je toch bezorgd. Meestal heb je er wel vertrouwen in.'

'Ik weet het niet,' gaf ze toe. Ze voelde zich kwetsbaarder dan ooit.

'Er kan van alles gebeuren,' zei hij laconiek. 'Maar het leven gaat door. Ook een president kan geen ijzer met handen breken.'

Deze simpele geruststelling maakte iets bij Zoë los. Haar hart ging sneller kloppen en ze schoof naar hem toe. Ze kon zich niet herinneren wanneer ze zich zo op haar gemak had gevoeld bij een man. Haar vorige relaties waren van voorbijgaande aard geweest, gebaseerd op tijdelijke aantrekkingskracht, niet op echte liefde of gelijkgestemdheid. Wanneer ze haar vriendinnen bij het altaar de trouwring zag aannemen, dacht ze vaak dat er iets in haar gebroken was. Telkens wanneer ze zich in hen verplaatste, voelde ze weer de handen van Clay Randall die haar in het zand drukten. Bij Joseph voelde ze zich veilig. Uit zijn donkere ogen sprak alleen maar goedheid.

Ze legde een hand op zijn borst en schurkte tegen hem aan. Hij schaafde langs haar wang, een aanraking die haar deed sidderen van genot. Vlak voordat ze elkaar kusten, sloot ze haar ogen en vroeg ze zich af hoe het zou zijn om met hem de liefde te bedrijven.

Plotseling voelde ze zijn vingers op haar lippen. 'Nog niet,' zei hij zacht.

Ze opende haar ogen. 'Waarom niet?' fluisterde ze.

Hij bekeek haar aandachtig. 'Goede dingen moet je niet overhaasten.'

Ze wist niet wat haar in toom hield, maar de boosheid die ze voelde, verdween even snel als ze was opgekomen. Als hij wil wachten, dan wacht ik gewoon, dacht ze. Ze nestelde zich in zijn armen.

Een poos later liet ze hem uit en gaf hem een kuise zoen. 'Pas goed op jezelf.'

'Het was een fijne dag,' zei hij, en hij draaide zich om naar de trap.

Die nacht had Zoë een van de meest beeldende dromen in haar leven. Ze stond op Los Angeles Road in Kanyama te kijken naar de bendeleider met de groene bandana en honderd andere jongeren die de overwinning van het PF vierden. Een legerkonvooi kwam tot stilstand en de soldaten, gewapend met AK-47's, sprongen naar buiten. Er werd over en weer geschreeuwd, waarna het leger het vuur opende op de feestvierders. Toen de straat even daarna bezaaid lag met lijken, keek de bendeleider haar grijnslachend aan en zei: 'Dit is nog maar het begin.'

De volgende ochtend werd Zoë angstig wakker. Ze opende haar Mac-Book en keek op de pagina van ZNBC in de overtuiging dat er die nacht rellen waren geweest. Ze was verbijsterd door het nieuws. Rupiah Banda had een persconferentie aangekondigd en men verwachtte dat hij een afscheidsrede zou geven. Ongelovig las ze het artikel, verbaasd dat zo'n bittere verkiezingsstrijd zonder bloedvergieten kon aflopen.

Na het ontbijt belde ze Mariam en vernam dat het CILA-kantoor pas om twaalf uur open zou gaan. Denkend aan Josephs suggestie de vorige dag, vroeg ze wat Mariam ervan vond als zij contact zou opnemen met de huishoudster van de Nyambo's. Mariam aarzelde, maar stemde uiteindelijk in.

'Wees wel voorzichtig,' zei ze. 'Als er iets gebeurt, bel dan meteen Joseph op.'

Zoë schoot in een spijkerbroek en een trui, deed haar blonde haar in een paardenstaart en zette een zonnebril en baseballpet op. Aarzelend stond ze voor de spiegel. De bril verborg haar blauwe ogen, maar voor de rest bleef ze onmiskenbaar een blanke vrouw. Ze tilde haar rugzak van de vloer en stouwde die vol met leesvoer voor een paar uur. Daarna sloot ze haar flat af en reed in haar Land Rover de poort uit.

Nauwelijks een minuut later had ze haar bestemming bereikt. Zoals eerder, parkeerde ze de wagen in de berm, zo ver mogelijk van het huis, maar met uitzicht op de ingang. Ze bestudeerde de bewaker bij de buitenmuur. Hij was net zo gespierd als de nachtwaker, maar leek minder gefixeerd op zijn taken. Achterovergeleund zat hij in zijn stoel, verdiept in de krant.

Zoë pakte haar iPhone en downloadde opnieuw een satellietfoto van het pand. De vorige keer had ze nauwelijks op de bijgebouwen gelet, maar nu bestudeerde ze die zorgvuldig. Het grote bijgebouw stond aan de oprijlaan en leek op een garage; het kleinere gebouw stond tegen de buitenmuur onder een boom – waarschijnlijk was dat de woning van de huishoudster. Het huisje stond aan de achterkant van het huis en keek over het zwembad direct uit op het grote bijgebouw.

Ze stuurde Joseph een bericht om hem te laten weten waar ze was.

Hij antwoordde snel: 'Pas op voor de bewaker. Vlucht meteen als je ziet dat hij argwaan heeft. Bel me als je hulp nodig hebt.'

Ze keek de straat in. De bewaker had zich geen moment op zijn stoel verroerd. Ze zette de radio aan en draaide het volume omlaag. Ze wilde Banda's persconferentie horen, maar niet de vele commentaren daarop. Ze pakte haar exemplaar van *De kant van Swann* en zonk weg in Proust.

Rond negen uur kwam president Banda op de radio. Hij richtte zich tot het volk. Er klonk verdriet door in zijn stem, maar zijn toespraak was genereus en verzoenend. Geroerd sprak hij over het land dat had gekozen voor zijn aartsrivaal, en hij riep alle Zambianen op mee te werken aan een vreedzame overgang.

Na de toespraak stonden de tranen in Zoë's ogen. Nog nooit had ze een Afrikaanse politicus met zoveel waardigheid zijn nederlaag horen toegeven. Grote namen flitsten door haar heen: Idi Amin, Joseph Mobutu, Charles Taylor, Muammar Al-Gadaffi, Robert Mugabe – de zelfbenoemde dictatorkoningen van Afrika. De lijst was lang en besmet met doden. Door toe te zien op een ordentelijke machtsovergang had Banda niet alleen een bloedbad in de compounds weten te voorkomen, maar ook de cynici de mond gesnoerd in wier ogen Afrika een verloren continent is.

Zoë ging zo op in het moment dat ze bijna niet merkte dat er een personenauto van het terrein van de Nyambo's reed. Ze knipperde met haar ogen in het felle zonlicht en besefte wat ze zag. Er zaten twee mensen in het voertuig, een man achter het stuur en een oudere vrouw achterin, gehuld in een chitenge. De auto reed de poort uit en sloeg links af naar Bishop's Road. Zoë startte de motor en hield haar blik gericht op de bewaker, bang dat hij haar zou kunnen horen wegrijden. Maar hij leek haar niet op te merken.

Ze begon sneller te rijden en volgde de personenwagen, meanderend door de voorsteden. Tien minuten later sloeg de wagen af naar winkelcentrum Manda Hill, het ultramoderne mekka van het Afrikaanse consumentisme. De chauffeur reed naar de stoeprand voor supermarkt Shoprite, waar de oude vrouw met haar handtas uitstapte. Zoë parkeerde haar auto en zag de chauffeur een sigaretje roken. Hoofdschuddend bewonderde ze Joseph om zijn inzicht.

Ze pakte haar rugzak en liep achter de oude vrouw aan de supermarkt in. Ze keek in de gangpaden en zag haar achter haar winkelwagen bij de groenteafdeling. Ze bestudeerde de vrouw terwijl ze deed alsof ze de papaja's keurde. De vrouw had een doorgroefd gezicht en liep een beetje gebogen, maar haar tred was stevig. Zoë ging bij de muur staan en zocht naar het juiste moment. Uiteindelijk reed de vrouw met haar wagentje naar een schap gevuld met melk en kaas. De dichtstbijzijnde klant stond zes meter verderop. Nu of nooit, dacht Zoë. Ze stapte op de vrouw af en ging naast haar staan.

'Werkt u niet voor Frederick en Patricia Nyambo?' vroeg ze kalm.

De vrouw verstijfde. 'En wie bent u?'

Zoë pakte een literpak melk. 'Ik werk als advocaat aan een verkrachtingszaak.'

De vrouw keek verbaasd. 'En wat heb ik daarmee te maken?'

Zoë keek haar in de ogen. 'Darious Nyambo is onze verdachte.'

De vrouw keek haar boos aan. 'Ik weet nergens van.' Ze legde twee pakken melk in haar wagentje en reed naar een rek vol met broden.

'Het slachtoffer is heel jong,' hield Zoë aan. 'Ze heeft uw hulp nodig.'

'Ik ken het meisje niet,' zei de vrouw, terwijl ze een zak brood in haar karretje legde en daarna een pak rundvlees uit de koeling. Ze draaide zich om en manoeuvreerde haar kar naar de uitgang.

Zoë deed een laatste poging. 'Ze had uw kleindochter kunnen zijn.'

De vrouw bleef dralen en haar ogen stonden verdrietig. 'Ik heb geen kleindochter.'

Zoë zag haar weglopen en voelde zowel sympathie als wantrouwen. Gezien haar leeftijd en beroep was deze vrouw waarschijnlijk weduwe. Haar baan bij de Nyambo's was haar enige bron van inkomsten. In een land zonder sociaal vangnet was een baan als huishoudster voor een weduwvrouw vaak het enige alternatief voor armoede. Maar Kuyeya was nog een kind. Welke Afrikaanse vrouw keerde een kind de rug toe?

'Wacht,' zei ze, achter de vrouw aan lopend. Ze haalde een biljet van tienduizend kwacha tevoorschijn en schreef er met een pen haar mobiele nummer op. 'U kunt me op dit nummer bereiken. Het meisje heet Kuyeya.'

Als versteend staarde de huishoudster Zoë aan. Het biljet glipte door haar slappe vingers en viel op de vloer. Ze boog zich voorover om het op te rapen en ritste vervolgens haar handtas open. Haar mond viel open, maar ze kon niets zeggen. Vervolgens draaide ze haar hoofd om en duwde haar karretje naar de kassa.

Zoë liep terug naar haar Land Rover met in haar hoofd een wirwar van gedachten. Ze had iets in de ogen van de vrouw gezien toen ze Kuyeya bij haar naam noemde, een fonkeling, een geraaktheid – een blik van herkenning. Ze belde Joseph, die onmiddellijk opnam.

'Ik heb de huishoudster gesproken,' zei ze. 'Ik stuitte op een muur toen ik vertelde dat Darious de verdachte was. Maar toen ik de naam Kuyeya liet vallen, leek ze op te schrikken. Ik begrijp het niet. Is Kuyeya een veelvoorkomende naam?'

'Helemaal niet. Ik heb hem een of twee keer eerder gehoord, en alleen in de Zuidprovincie.'

'Denk je dat Darious Bella wel eens mee naar huis nam?'

'Niet naar het huis van zijn ouders. Misschien deed hij in de bars wel alsof ze zijn vriendinnetje was, maar hij zal haar nooit aan zijn familie hebben voorgesteld.'

Er begon iets te kriebelen aan de rand van Zoë's bewustzijn. 'Stel dat de huishoudster Bella op een of andere manier heeft gekend.'

'Buiten haar werk om?'

Zoë schudde haar hoofd. 'Niet per se. Stel dat Bella op een of andere manier de familie Nyambo kende, niet alleen Darious. We weten nog steeds niet wat ze in Lusaka ging doen. Ze is hier in 1996 gaan wonen. Het dagboek dat ik van Doris heb gekregen begint pas in 2004. Een periode van acht jaar.'

'Misschien had ze contact met de familie, inderdaad. Maar wat schieten we daarmee op?'

Zoë slaakte een zucht. 'Geen idee.'

'In ieder geval heb je uitstekend werk geleverd, ik ben onder de indruk. Ga je nu naar kantoor?'

'Ja,' zei ze, en ze startte de motor. 'Tot straks.'

Ze reed Manda Hill uit en ging op weg naar het regeringskwartier. Ze probeerde de huishoudster uit haar hoofd te zetten, maar bleef het gevoel houden dat ze iets over het hoofd zag. In het beginstadium van het onderzoek kwam haar nieuwsgierigheid naar Bella's leven voort uit persoonlijke interesse. Maar hoe dieper ze groef, hoe meer verbanden ze ontdekte tussen Bella en Darious. Het verleden kon niet meer worden afgedaan als onbelangrijk. Maar wat kon je ermee bewijzen?

Bij de Addis Ababa-rotonde stond ze in de file en ze pakte haar telefoon. Ze pleegde een telefoontje naar de Nkana-mijn en vroeg naar de personeelsmanager.

Een man nam op. 'Waarmee kan ik u van dienst zijn?' vroeg hij verveeld.

Zoë stelde zich voor en legde uit waarom ze belde. 'Ik ben op zoek naar Mwela Chansa. Hij werkt in een van uw mijnen. Het gaat om een familiekwestie.'

De man typte op zijn toetsenbord. 'Ik kan u zijn mobiele nummer geven.'

Ze onthield de cijfers en draaide het nummer. Na drie wachttonen zei de stem van de voicemail: 'Dit is het nummer van Mwela Chansa. Laat een boodschap achter.'

'Meneer Chansa,' zei ze, haar frustratie verbergend, 'u spreekt met Zoë Fleming. In Livingstone heb ik Godfrey, de broer van Cynthia, ontmoet en gesproken. Ik zou graag met Cynthia willen praten over haar nicht, Charity Mizinga. Charity's dochter heeft hulp nodig. Ik zou het waarderen als Cynthia me zou terugbellen.'

Ze liet haar nummer achter en hing op. Het was een van de hobbels, opnieuw een kwestie van geduld. Waarom had bijna iedereen die met deze zaak te maken had, iets te verbergen? Bella. Doris. Godfrey. Cynthia. Jan Kruger. Rechter Kaunda. De huishoudster. De Nyambo's. Zelfs Joseph. Ineens besefte ze dat er nog een naam aan die lijst ontbrak.

Die van haarzelf.

DEEL DRIE

De wil tot macht is de demon van de mens.
– Friedrich Nietzsche

Bella

Lusaka, Zambia, januari 2006

*A*nderhalf jaar lang zag ze Darious regelmatig, wanneer hij daar zin in had of de behoefte voelde. Soms gingen ze naar zijn woning, soms naar een hotel. Af en toe nam ze hem mee naar haar flat. Dan legde ze Kuyeya te slapen in de badkamer. Hij beschouwde zijn betalingen als geschenken. Hij gaf haar beltegoed, dure merkkleding, parfum en sieraden, en soms een stapeltje bankbiljetten. Hij vroeg nooit naar wat ze deed wanneer hij niet bij haar was en informeerde evenmin naar de andere mannen die van haar diensten gebruikmaakten. Hij was voorspelbaar: hij wilde seks en daarna wilde hij praten.

Zijn uitspraken boezemden haar angst in. Hij had het over filosofische, abstracte zaken. Van de meeste beroemdheden die hij noemde, had ze nog nooit gehoord. Hooguit herkende ze soms een naam – Nietzsche, bijvoorbeeld, Lenin, Mussolini, Mugabe. Hij bewonderde hen om hun macht en deelde hun afkeer van iedereen die geleend gezag uitoefende. Hij verafschuwde de democratie, de rommelige verkiezingen, de manier waarop gezagsdragers voor de kiezer door het stof kropen. Wél hield hij van de westerse media. 'De televisie is een godheid,' zei hij. 'Zij die heersen over de geest, heersen over de wereld.'

Ook had hij het vaak over mukwala, een Afrikaans medicijn, en de invloed van de geestelijke wereld op de materiële wereld van de mens. Om zijn hals droeg hij een amulet en hij was gefascineerd door zwarte magie. Hij kende veel nganga's en raadpleegde die geregeld. Hij verfoeide de invloed van de moderne geneeskunde op Afrika. Dat was 'neokolonialisme' in zijn ogen, en hij verachtte de westerlingen die er zo veel vertrouwen in hadden. Mukwala en mensen die de werking ervan begrepen, waren de dingen die hij het meest gemist had tijdens zijn studententijd in Londen. In zijn visie was mukwala de puurste vorm van macht.

Op een regenachtige avond in januari belde hij haar op om iets af te spreken in de Alpha, waar ze elkaar meestal ontmoetten. Ze hoorde iets bijzonders in zijn stem, een spanning die niet strookte met zijn gebruikelijke kalmte, maar zonder aarzeling ging ze akkoord. Kuyeya's bijziendheid werd steeds erger, en de nganga's eisten betaling van de kruiden die ze gebruikte tegen haar huiduitslag. Ze kon meerijden met een vriendin – zelf leek ze nooit genoeg te verdienen om een auto te kopen – en arriveerde vlak voor middernacht. Hij begroette haar met een kus, maar aan zijn ogen zag ze dat hij onrustig was.

'Is er iets?' vroeg ze in het Nyanja.

'Ach, gaat wel over,' was zijn geheimzinnige antwoord. 'Laten we hier weggaan.'

'Wil je geen drankje?' Hij was nog nooit tegen hun vaste gewoonte ingegaan.

Zwijgend pakte hij haar bij de arm en nam haar mee naar zijn auto. Ze aarzelde bij het portier en wilde weten wat hem dwarszat. Ze werd een beetje bang, kreeg het gevoel dat ze beter niet met hem kon uitgaan die avond, maar onderdrukte dat. Ze werd ouder en zieker en kon zijn geld goed gebruiken.

De rit naar zijn flat was kort. Ze liep naast hem de trap op, negeerde zijn iets te stevige greep om haar bovenarm. Er brandde licht in de keuken, maar in de rest van het appartement was het donker. Hij deed de deur van het slot en duwde haar het halletje in.

'Wat is er toch?' vroeg ze geschrokken. Ze zocht in zijn gezicht naar een teken, maar zag alleen het wit van zijn ogen. 'Er is iets.'

'Je hebt me voor de gek gehouden,' antwoordde hij na een poos. 'Charity Mizinga.'

De angst schoot als een flits door haar heen. Ze had hem nooit haar echte naam verteld.

'Die verpleegkundeopleiding heb je zeker nooit meer afgemaakt,' zei hij. Dreigend kwam hij op haar af.

Ze deed een pas achteruit in de hal. 'Hoe ben je...'

Op dat moment deelde hij de eerste tik uit, een rake klap in haar gezicht. Door een explosie van sterretjes zag ze voor het eerst echt wie hij was: de woede onder het gladde uiterlijk van zijn persoonlijkheid, zijn opgekropte agressie. Ze draaide zich om en rende de keuken in, op zoek naar het messenblok naast het fornuis. Voordat ze bij het aanrecht was, greep hij haar vast met zijn arm om haar hals. Kronkelend schopte ze van zich af, terwijl hij haar naar de huiskamer sleurde, maar hoe meer ze zich verzette, hoe minder adem ze kreeg.

'Ik zal je laten boeten voor wat je hebt gedaan,' siste hij. Hij trok haar aan de haren en duwde haar gezicht in het vloerkleed. 'Ik zal je laten voelen wat ik zelf heb gevoeld.'

Ze wist niet hoe lang de verkrachting duurde. Een minuut, een halfuur. De pijn trok door heel haar lichaam, evenals de angst die haar bekroop. Na de daad leunde hij achterover op de bank en bleef zwijgend naar haar kijken. Huilend krulde ze zich op in de foetushouding, bang dat hij haar ging vermoorden. Toen hij geen aanstalten maakte om op te staan, verzamelde ze al haar moed om naar de voordeur te strompelen. Ze was op blote voeten, haar jurk was gescheurd, maar dat kon haar niet schelen. Ontsnappen was het enige waaraan ze dacht.

Ze stond in het donker te rammelen met het zware deurslot, toen hij achter haar kwam staan en haar tegenhield. Het gevoel van zijn vingertoppen op haar huid veroorzaakte een schokgolf door haar lichaam.

'Kijk me aan,' beval hij.

Ze gaf haar verweer op en draaide zich om. Ze stond met haar rug tegen de voordeur. Hij deed het licht aan en ze zag zijn gezicht boven zich, zijn katachtige ogen. Siluwe. Een passende bijnaam.

'Je begrijpt het nog steeds niet, hè,' sneerde hij. 'Ik zal je een hint geven. Het Algemeen Ziekenhuis van Livingstone, 1996.'

Plotseling begreep ze wat haar al die tijd was ontgaan. Ze kon het niet geloven, maar de waarheid was af te lezen aan de vorm van zijn neus, aan de manier waarop zijn lippen opengingen als hij praatte en aan de directheid waarmee haar aankeek. Veel was anders, maar die gelaatstrekken kwamen overeen.

Zodra ze zijn naam uitsprak, zijn volledige naam, tilde hij zijn hand van het deurslot en liet haar gaan. Snel draaide ze de deurknop om en glipte naar buiten in de nachtelijke motregen. Ze rende de trap af en vluchtte de donkere straat in. Ze dacht alleen maar aan Kuyeya.

De demonen uit het verleden hadden haar opgezocht, maar ze had het overleefd.

16

Lusaka, Zambia, oktober 2011

SEPTEMBER GING OVER IN OKTOBER en de warmte van het late droogsei-zoen veranderde in de verzengende hitte die altijd voorafging aan de re-genbuien. Zoë checkte regelmatig haar iPhone, maar noch de huishoudster van de familie Nyambo, noch Cynthia nam contact met haar op. De machts-overgang van de MMD naar het PF was met slechts enkele partijpolitieke schermutselingen gepaard gegaan, en het volk koesterde de hoop dat in Zambia een nieuwe weg voor zuidelijk Afrika was ingeslagen. In Zoë's krin-gen was de stemming minder optimistisch – iedereen was opgelucht van-wege het uitblijven van rellen, maar vond dat Sata zich eerst moest waar-maken.

Op vijf oktober zat Zoë achter haar laptop op de juridische afdeling, toen de secretaresse een stapeltje post op het bureau van Sarge legde. Zoë keek op terwijl Sarge de stapel inzag en tuurde vervolgens weer naar haar scherm. Haar concentratie duurde maar even, want plotseling veerde Sarge op, zijn gezicht glanzend van het zweet.

'Goed nieuws!' riep hij uit, zwaaiend met een vel papier. 'Kaunda draagt de zaak van Kuyeya over aan een andere rechter!'

Zoë stormde op hem af, iets sneller dan Niza, die een berg mappen van haar bureau stootte.

'Na u,' zei Zoë.

'Jij eerst,' antwoordde Niza met een glimlach.

Verbijsterd las Zoë de beslissing. Het was een technisch document, zon-der concrete details, maar er werd niets minder dan een wonder in beschreven: de overheveling van de rechterlijke macht in een hangende strafzaak. In vage, ambtelijke termen trok Kaunda zich om administratieve redenen terug om de zaak door de hoogste districtsrechter aan een andere rechter te laten toewijzen. Verder had Kaunda voor maandag nog een zogeheten pro-formazitting ingepland.

Zoë liet de tekst aan Niza lezen en jubelde als een opgetogen kind. 'Dit verandert alles. We kunnen de nieuwe rechter de DNA-kwestie in heroverweging laten nemen.'

Sarge knikte. 'Dat is zeker de moeite waard. Misschien hebben we geluk.' Ze keek hem vol verwachting aan. 'Mag ik het memorandum opstellen?' Hij glimlachte. 'Graag!'

Zoë werkte twee dagen lang aan een verzoekschrift, dat iedereen tevreden stemde. Overtuigend schrijven was haar passie, een vaardigheid die ze meer dan tien jaar lang had geoefend door columns te schrijven voor de *Stanford Daily*, korte verslagen voor het *Yale Law Journal* en aktes en conclusies voor rechter Van der Merwe. Ze had zelfs ooit een artikel geschreven voor *Harper's Magazine*, over mensenrechten in het Zuid-Afrika van na de apartheid. Ze schreef zoals ze zwom, met doelgerichte precisie, elke overbodige bepaling schrappend tot alleen noodzakelijke woorden op de pagina stonden.

Ze schreef het memorandum als een verzoekschrift en benadrukte de juridische aspecten van DNA-onderzoek; tussen de regels door stipte ze het maatschappelijk belang ervan aan. Ze wilde dat de nieuwe rechter besefte dat het gebruik van DNA-materiaal in verkrachtingszaken niet alleen inmiddels gangbaar was in vele gerechtshoven in het buitenland, maar ook dat Zambia er klaar voor was, dat de wet het toestond en de gerechtigheid het eiste.

Sarge diende het verzoekschrift vrijdag in, en Zoë was er het hele weekend opgewonden over. Joseph, met wie ze op zaterdag ging zwemmen, plaagde haar ermee.

'Je lijkt wel een tijger in een dierentuin,' zei hij. 'Maar de tralies blijven, hoe je ook ijsbeert.'

'Dan kan ik het uit mijn hoofd zetten,' zei ze.

Die avond gaf Zoë een braai, en Joseph stond bij de grill hamburgers en kippenborsten uit te delen aan een tiental genodigden – collega's van de CILA, buren en bevriende expats. Toen de gesprekken saai werden, stelde Zoë voor om te gaan dansen in de Hot Tropic. Sarge kreunde en klaagde over de hitte, maar Niza knipperde met haar ogen en trok hem over de streep.

Met drie auto's reden ze naar Kalingalinga en persten zich in de club, die vol stond met drinkende, pratende en dansende jonge Zambianen. Na een paar biertjes en een beetje porren kreeg Zoë Joseph zo ver met haar te dansen. Ze maakten ruimte tussen de tafels en dansten op de beat van een hit. De combinatie van alcohol, hitte en stuwende house dreef Zoë in de armen van Joseph. Ze keek hem in de ogen en voelde een verlangen opkomen.

'Laten we naar mijn huis gaan,' zei ze.

'Dat is misschien nog te vroeg,' fluisterde hij haar in het oor.

'Wanneer dan wel?' wilde ze licht dronken weten.

'Nog even geduld,' zei hij, waarna hij haar terugbracht naar de tafel en de stabiliteit van haar stoel.

Geduld was wel het laatste wat Zoë kon opbrengen. Je voelt je duidelijk tot me aangetrokken, wat weerhoudt je? dacht ze.

Eindelijk was het maandag, de dag van de hoorzitting in de rechtbank. Maurice reed het juridisch team naar het hof, waar David Soso, de aanklager van de politie, op hen wachtte.

'Ik begrijp er niks van,' zei David, Sarge met grote ogen aankijkend. 'Snap jij waarom Kaunda zich uit deze zaak terugtrekt?'

Sarge haalde nonchalant zijn schouders op. 'Is al bekend wie hem vervangt?'

David schudde zijn hoofd. 'Er staat nog geen naam op de rol.'

'Het komt wel goed,' zei Sarge. Hij ging voor David uit door de lobby. Zoë en Niza liepen achter hen aan, hun lach inhoudend.

Het was benauwd in de bogengang, maar een briesje bood wat afkoeling. Zoë zag Benson Luchembe en zijn gevolg van advocaten op dezelfde wijze als altijd bij elkaar staan, deze keer bij zaal 10. Frederick Nyambo stond er ditmaal niet bij, maar zat op een bankje en depte met een zakdoek zijn voorhoofd. Zittend maakte hij minder indruk. Uit zijn staalgrijze ogen sprak nog overmoed, maar hij leek zich bewust van de beperkingen van zijn macht.

Zoë liep de zaal in en zag Joseph op de voorste bank op haar zitten wachten. Met een glimlach ging ze naast hem zitten. De verdediging liep vlak voor tienen achter elkaar naar binnen. De altijd professionele Luchembe ging met een neutrale blik aan de tafel van de verdediging zitten.

Even later kwam de rechter binnen. De middelbare man die plaatsnam op de rechterstoel was een geval van contrasten. Hij had het indrukwekkende lijf van een linebacker en oogde even vriendelijk als James Earl Jones. Zoë wist aanvankelijk niet hoe belangrijk hij was, maar toen ze iemand van de verdediging zijn naam hoorde zeggen, maakte haar hart een sprongetje.

Flexon Mubita. De districtsrechter zelf.

Mubita ging zitten, deed zijn ronde bril af en wreef over zijn neusbrug.

'Dag, Sarge, dag Benson,' zei hij vriendelijk met een mooie, welluidende stem die door de rechtszaal klonk.

Op dat moment ging er een andere deur open en werd Darious door een medewerker naar de beklaagdenbank geleid. Zoë had hem niet meer gezien sinds de eerste zitting een maand daarvoor. Hij keek nog helder uit zijn ogen, maar was nu uitgemergeld in plaats van mager, en er zaten donkere vlekken in zijn gezicht en hals.

'Ik heb de verdachte opgeroepen,' zei de rechter, 'omdat ik niet degene was die de aanklacht voorlas op de eerste zitting. De verdachte dient de rechter die in deze zaak beslist te kennen.'

Toen Zoë dit hoorde, voelde ze een ontroering die ze nog nooit in een Afrikaanse rechtszaal had ervaren. Mubita had niet alleen de zaak uit Thoko Kaunda's handen genomen, maar er persoonlijk voor gezorgd dat het recht zou zegevieren. Ze zag de asgrauwe gezichten van de verdediging en kon een grijns niet onderdrukken. Deze wisseling van het lot was ongekend.

Benson Luchembe stond traag op. 'Het verheugt de verdediging dat een hoge rechter als u deze zaak behandelt. Maar mag ik u, edelachtbare, vragen naar uw persoonlijke motieven?'

'Zaken worden door loting toegewezen,' luidde Mubita's eenvoudige antwoord. 'Mijn naam is getrokken.'

Luchembe aarzelde en ging beledigd zitten, rommelend in zijn papieren.

De rechter vouwde zijn handen. 'Ik heb de status van dit geval bekeken alsook de genomen beslissingen. Ook heb ik het verzoekschrift van de aanklager gelezen, waarin om heroverweging van DNA-onderzoek wordt gevraagd. Ik vind deze zaak gewichtig genoeg voor heroverweging, en dat zal ik laten doorklinken in mijn conclusie. Over een week ontvangt u mijn besluit.'

Luchembe stond opgewonden weer op. 'Edelachtbare, met alle respect, rechter Kaunda heeft alle argumenten gehoord en een zeer doordacht besluit genomen, rekening houdend met Zambiaanse en internationale autoriteiten. Er is geen reden om de zaak in heroverweging te nemen.'

Met opgetrokken wenkbrauwen zei Mubita: 'Ik respecteer het besluit van rechter Kaunda in dezen, maar ík ben degene die in deze zaak beslist. Ik wil beslissen over alle kwesties die met dit proces te maken hebben.'

Zoë pakte Joseph bij zijn arm, ze kon haar blijheid nauwelijks inhouden.

De rechter was echter nog niet klaar. 'Ook de procesdatum wil ik ter sprake brengen. Het verontrust me te constateren dat de zaak pas in december wordt behandeld. Met kindgetuigen is dat onacceptabel. Het hof heeft ruimte in maart en begin april. Wat heeft de voorkeur van de verdediging?'

Luchembe kon zich niet beheersen. 'Edelachtbare, ik had rechter Kaunda uitgelegd dat mijn agenda tot de zomer vol is.'

Mubita kneep zijn ogen tot spleetjes. 'U heeft voortreffelijk personeel in dienst. Dat kunt u toch wel opvangen?'

Luchembe tuurde naar de vloer, in het nauw gedreven. Na een poos opende hij zijn agenda. Er werd onderhandeld, waarna de rechter de datum van de zitting vaststelde op 5 en 6 april.

Mubita richtte zich tot Darious. 'Verzoekt de verdachte om nadere uitleg voordat we verdergaan?'

Darious keek de rechter arrogant aan, hun blikken raakten verstrengeld als hoorns in een stierengevecht. Het bleef stil, op het tikken van de wandklok na. Plotseling verloor Darious zijn zelfbeheersing en verslagen tuurde hij naar de vloer.

'Aangezien iedereen het ermee eens is,' zei Mubita licht geamuseerd, 'verklaar ik deze zitting voor gesloten.'

Na het vertrek van de rechter wierp Benson Luchembe een zwaar aangeslagen blik naar Darious en beende met zijn team in zijn kielzog de rechtszaal uit. Zoë grinnikte naar Joseph, ze kon haar opgetogenheid niet verbergen. Er was zoveel wat ze wilde zeggen, maar dat kon pas wanneer de verdachte de beklaagdenbank had verlaten. Wachtend keek ze toe hoe Darious naar de deur van de rechter bleef staren. Zijn blik deed haar huiveren. Zijn ogen stonden vol afschuw.

Even later draaide hij zich om naar de zaal, hij zocht naar iets. Even leek zijn zelfvertrouwen te wankelen, daarna keerde de haat terug. Zoë volgde zijn blik en zag de lege plaats.

Frederick Nyambo was vertrokken.

Vrijdagochtend kwam per e-mail de beslissing van de rechter inzake DNA-onderzoek binnen. Sarge printte het document uit en las het zwijgend. Daarna ging hij weer zitten, en zijn lippen krulden op tot een triomfantelijke glimlach. Hij gooide het besluit naar Zoë en Niza, die het samen lazen.

Na bestudering van de grondwet en de statuten van Zambia zag Mubita geen bezwaar in het van rechtswege afnemen van bloedmonsters in verkrachtingszaken. In mooie woorden wijdde hij uit over de voordelen die DNA voor de rechtspraak zou kunnen hebben. Hij schreef:

Seksuele geweldsdelicten druisen in tegen het
weefsel van de Zambiaanse samenleving, en geen

aanklager of hof zou verstoken mogen blijven van een constitutioneel rechtmatig middel om de daders van dit soort misdaden te identificeren. Als DNA de praktijk van de strafrechtspraak verandert, dan is dat maar zo. De tijd is rijp om een einde te maken aan de praktijken van ontering en verkrachting. Dit zijn afschuwelijke delicten die onze echtgenotes, dochters, moeders en grootmoeders 's avonds laat uit angst binnenshuis houden.

Mubita gelastte Darious maandagmiddag in het UTH een bloedmonster te laten afnemen door dokter Chulu en gaf de opdracht het bloed van de verdachte en de monsters afgenomen van Kuyeya op de avond van de verkrachting, voor onderzoek naar het DNA-laboratorium in Johannesburg te sturen.

Zoë keek Sarge triomfantelijk aan. 'Zullen we dit inlijsten?' vroeg ze.

Verwonderd schudde hij zijn hoofd. 'Dit zal onze wijze van rechtspreken drastisch veranderen. Stel je voor. Een echt werkend afschrikmiddel tegen kinderverkrachters.' Hij stond meteen op. 'Dit moet Mariam horen.'

Die middag ruimde Zoë, nadat haar collega's al waren vertrokken, haar bureau op. Bij de poort stond Joseph op haar te wachten. Ze streelde over zijn arm. 'Wil je meerijden? Ik heb Kuyeya al weken niet meer gezien.'

Hij dacht even na. 'Eigenlijk wilde ik navraag doen over die monsters in het UTH.'

'Aan jou de keuze,' zei ze met een speels duwtje.

'Dan ga ik met jou mee,' antwoordde hij.

Ze reden door de stad en namen Great East Road naar het vliegveld. Het asfalt zinderde in de hitte, de lucht had een mosterdkleur en zat vol met opwaaiend stof. Toen ze bij de onverharde weg aankwamen, deed Zoë de raampjes dicht om het zand te weren. Na een zes maanden durende droogte was de hoogvlakte veranderd in een zanderige woestijn.

Bij het St.-Franciscus parkeerden ze de wagen naast een bougainville en verlieten de aangename koelte van de Land Rover. Tot hun grote verrassing troffen ze dokter Chulu in de passage, in gesprek met zuster Anica en Joy Herald. Naast de boomlange arts leken de non en de voorzitter van de SCA zo klein dat het tafereel bijna komisch was.

'Zoë!' riep zuster Anica uit. 'Goed dat je er bent. De dokter gaat Kuyeya opnieuw testen.'

'Is het dan al zes weken geleden?' vroeg Zoë, nadat ze Joy gedag had gezegd.

'Bijna op de dag af,' antwoordde dokter Chulu. Hij schudde haar en Joseph de hand.

Zuster Anica liep voor hen uit door de passage en over de door de zon geblakerde binnenplaats naar de tuin. In de verte zag Zoë zuster Irina op haar knieën in een stukje omgewoelde aarde met een groepje kinderen in een kringetje om haar heen. Kuyeya mocht naast de non staan, maar leek net zoveel deel uit te maken van de groep als de andere kinderen.

'Ik vertelde Joy en dokter Chulu zojuist dat ze vorige week gerend heeft,' zei zuster Anica. 'Haar wonden lijken te zijn genezen. En ze gaat met sprongen vooruit bij dokter Mbao. Ze begint over haar moeder te praten.'

'Wat zegt ze dan over haar?' vroeg Zoë.

'Ze vertelt de verhalen van haar moeder. Die lijkt ze zich het meest te herinneren. Verhalen over dieren en dorpelingen.'

'Heeft ze het ook over het delict gehad?'

Zuster Anica schudde haar hoofd. 'Volgens dokter Mbao heeft ze meer tijd nodig.'

Ze liepen naar zuster Irina en het groepje kinderen. Zoë ging in het zand naast Kuyeya zitten, haar werkkledij mocht best vuil worden. Joy nam tegenover hen plaats.

Kuyeya keek naar Zoë en maakte het ballonnengeluid. 'Hoi, Zoë,' zei ze.

Zoë glimlachte. 'Hoe gaat het met je?'

'Goed,' antwoordde het meisje. 'Ik vind je muziek mooi.' Ritmisch neuriede ze een melodie.

Zoë herkende het nummer. 'I Walk the Line,' zei ze, porrend tegen Kuyeya's schouder. 'Een van mijn lievelingsnummers.'

'Ik hou van Johnny,' zei Kuyeya.

Dokter Chulu hurkte naast Zoë neer. 'Dag, Kuyeya. Ik ben Manny, jouw dokter.'

Bij het horen van zijn stem greep Kuyeya naar haar aap. Ze keerde de arts de rug toe en wiegde heen en weer, haar blik op haar schoot gericht.

'Zullen wij de kliniek gereedmaken?' zei zuster Anica, kijkend naar dokter Chulu en daarna naar Joy en Joseph. 'Zoë brengt haar dan over een minuutje.'

'Goed idee,' zei de arts zichtbaar opgelucht.

Toen ze wegliepen zong Zoë het refrein van 'I walk the Line', en Kuyeya neuriede met haar mee. De laatste regel zong ze mee: *Because you're mine, I walk the line.'*

Zoë lachte en keek naar zuster Irina. 'Waar is de iPod?'

'In de speelruimte,' antwoordde ze.

Zoë pakte Kuyeya bij de hand. 'Laten we de muziek erbij halen.'

Ze hielp Kuyeya overeind en liep rustig met haar de tuin uit. Kuyeya's tred was nu veel steviger, dat ze hinkte was nauwelijks nog te merken. Ze liep vrolijk met Zoë mee, haar aap met zich mee slingerend.

Nadat ze de iPod hadden gepakt liepen ze de kliniek in. Zoë stopte de oordopjes in Kuyeya's oren en zette haar op een stoel naast het aanrecht. Het meisje ging braaf zitten, zonder te letten op dokter Chulu en de anderen. Ze hield haar blik op de vloer gericht en wiegde mee met de muziek.

'Zuster Anica is verpleegster,' zei dokter Chulu zacht. 'Ze gaat bloed prikken.'

Anica pakte Kuyeya bij haar linkerhand en maakte haar middelvinger schoon. Ze zette druk op de vingertop en prikte met een lancet door de huid, waarna ze een paar druppels in een buisje opving. Kuyeya kreunde uit protest en drukte met haar vrije hand tegen een oordopje aan. Dokter Chulu nam het buisje aan en deed een sneltest. Met ingehouden adem keek Zoë mee over zijn schouder.

'Negatief,' zei hij. Hij liet haar het venster met de uitslag zien.

De opluchting die Zoë voelde was enorm. Ze keek toe hoe zuster Anica een pleister om de vinger van het meisje deed en haar een snoepje gaf. Kuyeya stak haar verbonden hand uit en stopte de lekkernij in haar mond. Joy vroeg zuster Anica naar Kuyeya's relatie met de andere kinderen, en ze raakten in gesprek. Dokter Chulu gebaarde Zoë en Joseph met hem naar buiten te gaan.

'Ik heb gehoord over de beslissing van Flexon Mubita,' zei hij in de passage. 'Hij is een eerbiedwaardig man.'

'Hoe lang duurt zo'n onderzoek in het DNA-lab?' vroeg ze.

'Een paar weken. Er wordt heel zorgvuldig gewerkt.'

'Sturen ze een deskundige naar het proces?'

De arts schudde zijn hoofd. 'Ik ben daartoe bevoegd. Ik heb alleen de uitslag nodig.'

'Hoe veilig zijn de monsters opgeborgen?' informeerde Joseph.

'Ze liggen achter slot en grendel in een kast in de bibliotheek. Die controleer ik elke avond voordat ik wegga.'

'Hoeveel sleutels zijn er van die kast?'

Fronsend antwoordde de arts: 'Ik ben de enige met de sleutel.'

Joseph knikte. 'Zodra u bloed bij Darious heeft afgenomen, breng ik de monsters persoonlijk naar Johannesburg. Ik neem geen enkel risico.'

17

Tijdens de rit naar de stad vroeg Zoë of Joseph zin had om uit te gaan eten, maar hij sloeg het aanbod af vanwege een verplichting aan een neef. Ze drong aan, tot ze besefte dat hij niet te vermurwen was. De neef was helemaal uit de Zuidprovincie gekomen voor een sollicitatiegesprek en moest naar huis worden gebracht. Joseph was de nauwste verwant met een auto.

'Blijf je logeren in Choma?' vroeg ze.

Hij schudde zijn hoofd. 'Vannacht ben ik weer thuis.'

Dan kun je meteen naar mij doorrijden, had ze bijna gezegd. 'Kom je morgen op de braai?'

Hij glimlachte. 'Die wil ik niet missen.'

Ze zette hem af naast zijn pick-up bij het CILA-kantoor. De weg was vrij op een blauwe personenwagen na, die verderop geparkeerd stond.

Ze nam de gebruikelijke route naar huis: van de Independence naar Nyerere Road, langs de villa's van ministers en ambassadeurs naar de Los Angeles Boulevard en voorbij de Lusaka Golf Club naar Kabulonga. Toen ze de rotonde op Chila Road naderde, keek ze in haar spiegel en zag een meter of tien achter zich een blauwe personenwagen. Ze herkende de auto en de schrik sloeg haar om het hart: het was de wagen die bij het kantoor stond. Ze probeerde de chauffeur te herkennen en schrok zich lam.

Het was de man met de zonnebril.

Ze klemde haar handen om het stuur, scheurde opzettelijk voorbij de afslag naar haar buurt en reed om de militaire luchtbasis. Bij Kalingalinga wemelde het op straat van de voetgangers en moest ze vaart minderen voor een overstekende bejaarde vrouw die niet opkeek. Ze reed de compound in en sloeg willekeurig een paar straten in langs smeulende afvalhopen en spelende kinderen. De personenwagen zat nog steeds achter haar.

Bij de afrit naar de Kamploops Road sloeg ze af en hield ondertussen haar achtervolger in haar zijspiegel in de gaten. Ik moet hem van me afschudden, straks weet hij waar ik woon, dacht ze. Ze bedacht een plannetje, maar daar was wel een beetje geluk voor nodig. Ze keek de zijstraten in en wachtte haar kans af. Op dat moment voegde achter haar een bestelwagen in, die een obstakel vormde tussen haar Land Rover en de blauwe personenauto. Precies wat ze nodig had.

Ze trapte op het gaspedaal en scheurde naar de kruising met Kamploops Road. Ze hoopte maar dat ze niemand zou aanrijden. In de bocht zag ze twee vrouwen midden op de straat met manden op hun hoofd. Ze claxonneerde luid, waarna de vrouwen aan de kant sprongen, hun papaja's rolden over de weg.

'Sorry!' riep ze, terwijl de Land Rover het fruit verpletterde.

Ze tuurde in de stofwolk achter zich. Ze zag de voorkant van de bestelwagen, maar geen blauwe personenauto. Ze reed Kamloops Road op zonder vaart te minderen. De loodzware Land Rover helde over, maar de banden bleven op de weg. Ze racete over het asfalt, slingerend tussen het langzaam rijdende verkeer. Met een ruk sloeg ze een hobbelige weg in, terug naar het doolhof van Kalingalinga.

Na twee scherpe bochten stond ze plotseling op de rem. De adrenaline gierde door haar keel. Om haar heen stonden mensen te gebaren en naar haar te kijken. Kinderen tikten op haar raam en openden hun handpalmen. Ze negeerde hen en zag in gedachten haar achtervolger voor zich. Wat wil hij van me? vroeg ze zich af.

Enkele minuten gingen voorbij zonder dat ze de blauwe auto zag. Opgelucht slaakte ze een zucht. Ze reed naar Mutendere in het oosten, haar blik onafgebroken op haar spiegels gericht. Het kostte haar tien minuten om uit de compound te komen en nog eens vijf minuten om Kabulonga te bereiken. Ze reed Sable Road op richting haar appartementencomplex twee straten verderop. Ineens sloeg de angst haar om het hart. De blauwe personenauto stond dicht bij de poort geparkeerd.

Ze gaf nog meer gas en probeerde te verklaren wat dit te betekenen had. Met piepende banden kwam ze voor het complex tot stilstand en claxonneerde driftig. De poort bleef verontrustend lang gesloten. Eindelijk ging hij knarsend open en liet de bewaker haar binnen.

Ze parkeerde voor haar flat en bestudeerde de drie meter hoge muur om het complex; ze werd gerustgesteld door de glasscherven en de vijfpuntige stekels van de stroomdraad. Ze pakte haar iPhone en belde Joseph. Hij antwoordde na één keer overgaan.

'Ben je nog in Lusaka,' vroeg ze licht hijgend.

'Ik ben onderweg. Is er wat?'

'Die vent met de zonnebril heeft me tot aan mijn huis achtervolgd.'

Joseph ademde beheerst. 'Daar was ik al bang voor.'

'Hoezo?'

'De uitspraak over DNA. Ze voeren de dreiging op.'

'Maar daar had ik toch niets mee te maken?'

Joseph zweeg een lange poos.

'Wat is er?' vroeg ze. 'Verzwijg je iets?'

Hij zuchtte. 'Interpol heeft ons laten weten wie hij is. Hij heet Dunstan Sisilu.'

Zoë hoorde aan zijn stem dat het ernstig was. 'En wie is dat?'

'Hij komt uit Johannesburg. Begin jaren negentig was hij een van de leiders van het Pan Africanist Congress. Het apartheidsregime verdacht hem van enkele moordaanslagen, maar er is nooit iets bewezen. Toen Mandela president werd, ging Sisilu ondergronds. Volgens geruchten leidde hij een bende in Johannesburg, maar hij is nooit in verband gebracht met de georganiseerde misdaad. Niemand weet waarmee hij zich sindsdien bezighoudt.'

Haar maag kromp ineen. 'Denk je dat er een link is met de Nyambo's?'

'Dat betwijfel ik. Hij is een echte professional.'

Ze keek weer naar de buitenmuur. 'Wat moet ik doen?'

'Zorg ervoor dat de bewaking hem niet binnenlaat. En blijf 's avonds binnen. Morgen ben ik er weer.'

'Kom zo snel je kunt, alsjeblieft.'

Zoë deed de bewaker haar verzoek en gaf hem een fooi van vijftig pin. Ze ging naar binnen en controleerde alle sloten op de deuren en ramen van haar flat. In de eetkamer nam ze een broodje en dacht aan Dunstan Sisilu. Hij heeft mensen gedood in een oorlog, troostte ze zichzelf. Zelfs Mandela tolereerde geweld.

's Avonds keek ze naar een documentaire over de financiële crisis van 2008, die haar vader vier jaar daarvoor al had voorspeld. Daarna zonk ze weg in *De kant van Swann*, totdat ze begon weg te dommelen. Ze controleerde nog een keer alle sloten en maakte zich klaar voor de nacht. Nadat ze haar contactlenzen had uitgedaan, deed ze het licht uit en kroop onder de dekens, fantaserend hoe het zou zijn om naast Joseph wakker te worden.

Nog even, dacht ze. Heel even.

Diep in de nacht schrok ze wakker. Ze keek om zich heen in de pikdonkere kamer, maar zag niets. Met ingehouden adem spitste ze haar oren om het geluid dat haar gewekt had weer te horen – een scherp geknars.

Er bewoog iets bij de deuropening.

Uit alle macht probeerde ze de donkere vlek te duiden. Het was een vage klont op de vloer, vanwege haar zwakke ogen kon ze de contouren niet zien. Er klonken zachte, terugtrekkende voetstappen in de hal en daarna hoorde ze het geknars weer. De angst en adrenaline schoten door haar heen als een elektrische schok.

Ze sloeg de klamboe open en graaide naar haar bril in de la van het nachtkastje. Ze deed het licht aan en keek naar de deur. De vlek bleek een jutezak. Er zat beweging in. Ze huiverde. Zo'n zak had ze eerder gezien. Bij een slangenbezweerder in Mombasa.

Plotseling stak er een kop uit. Wat is dit, dacht ze stijf van de schrik. Een pofadder? Een gifslang? Een cobra? Toen ze de grijze kleur zag, wist ze het.

Het was een zwarte mamba.

Verstijfd zat ze ernaar te kijken, terwijl het langgerekte dier zichzelf uitrolde over de betonnen vloer. Eerst leek het beest naar de hal te kruipen, maar plotseling spande de slang zich; hij stak zijn kop omhoog en keek naar haar. Het dier liet een traag, laag gesis horen. Ze staarde ernaar en durfde geen enkele beweging te maken. Ze had twee opties: in bed blijven in de hoop dat de slang door iets werd afgeleid, of proberen om het dier heen te stappen en het appartement uit te vluchten, maar dan niet langs de weg van de insluiper. Het dilemma verlamde haar. De zwarte mamba was de snelste slang op aarde, bovendien een klimmer van nature.

Uiterst langzaam en behoedzaam stak ze haar arm uit naar haar iPhone op het nachtkastje. Volgens de klok op het scherm was het 03.12 uur. Ze belde Joseph, in de hoop dat hij het geluid niet had uitgezet voordat hij naar bed ging. Na drie keer overgaan nam hij op.

'Zoë, wat is er?' vroeg hij slaapdronken.

Ze zag dat de slang zijn kop liet zakken en langs de muur kroop. 'Er is bij me ingebroken,' fluisterde ze in paniek. 'Ze hebben een zwarte mamba in mijn kamer gelegd.'

Hij vloekte sissend. 'Zijn ze nog in je appartement?'

Ze luisterde aandachtig en hoorde alleen maar het angstaanjagende geritsel waarmee de slang over de vloer kroop. 'Ik weet het niet, ik denk van niet.'

'Waar is de slang?'

'Hij kruipt nu naar mijn wasmand.'

Zijn adem stokte. 'Waarschijnlijk zoekt hij de warmte op. De vloer is koud. Als hij zich eenmaal opkrult, blijft hij liggen. Je blijft waar je bent tot ik voor je deur sta. Begrepen?'

'En als hij zich niet opkrult?'

'Dan doe je wat je goeddunkt. Geef me tien minuten.' Hij hing op.

Ze trok haar benen in en concentreerde zich op de slang. Het beest was bijna twee meter lang en zo'n vier centimeter dik. Met zijn langwerpige kop snuffelde hij aan het riet van de wasmand, zijn gevorkte tong priemend in de lucht, en gleed toen aarzelend naar de lege ruimte achter de mand. Ze blies haar ingehouden adem uit en keek naar de deuropening, haar oren gespitst op geluiden in haar appartement.

Ze hoorde niets.

De daaropvolgende tien minuten waren de langste in haar leven. Toen de slang zich eenmaal in de hoek had genesteld, bleef hij daar liggen. Ze hoorde niets meer vanuit haar appartement. De mamba was duidelijk een waarschuwing, net als de inbraak. Ze, wie het ook waren, wilden haar bang maken. Maar wat dachten ze daarmee te bereiken? Ze werkte mee aan het onderzoek naar Darious, maar was niet het gezicht van het openbaar ministerie. Ze was maar een stagiaire uit het buitenland.

Ze hoorde het gezoem van een binnenkomend bericht.

'Ik sta buiten,' liet Joseph weten. 'Bewaker is hier. Geen auto's bij de poort. Indringer?'

'Kust veilig,' typte ze terug. 'Slang houdt zich rustig.'

'Kun je naar voordeur?'

'Ik ga nu. Stuur bewaker maar weg. Kom alleen.'

Na een diepe inademing zette ze haar voeten op de koude vloer en sloop naar de slaapkamerdeur, uit een ooghoek de slang in de gaten houdend. Het dier verroerde zich niet. Ze deed de slaapkamerdeur dicht en liep met gespitste oren door het donkere halletje, deed het licht aan en beende naar de deur van de woonkamer. Voor de drempel stond ze stil. Had ze maar een wapen, dacht ze.

Eindelijk durfde ze de hoek om. Haar ogen spiedden door de woonkamer naar de contouren van een menselijk silhouet. Haar hart bonsde in haar keel, maar ze zag alleen maar de omtrekken van haar meubels. Ze keek de keuken in en zag iets glinsteren in het maanlicht op de vloer, veel dingen eigenlijk. Gebroken glas, vermoedde ze.

Ze zag meteen hoe de indringer naar binnen was gekomen. Het raam boven het aanrecht was de week daarvoor vervangen, en de tralies waren verwijderd ten behoeve van de glaszetter. De huisbaas had beloofd ze terug te plaatsen, maar ze had hem al dagen niet meer gezien.

Ze deed het licht aan en opende de voordeur. Joseph stond op de galerij, een geweer in zijn handen. Hij keek haar nauwelijks aan toen hij naar binnen liep en begon het appartement te doorzoeken. Ze volgde hem van de ene naar de andere kamer. De blik in zijn ogen liet niets te raden over: hij was bereid om te schieten.

Al na een minuut wist hij zeker dat ze alleen waren, maar in die korte tijd werd Zoë overspoeld door een golf aan emoties. Joseph beschermde haar niet alleen omdat hij als politieagent de eed had afgelegd. Het was ook persoonlijk. Nadat hij zijn geweer op de bank had neergelegd, liet ze zich in zijn armen vallen.

Na een tijdje deed hij een pas achteruit. Hij keek woedend uit zijn ogen. 'Hoe hebben ze die slang hier achtergelaten?'

'In een zak. Die ligt in de gang.'

Hij liep naar de keuken en kwam terug met een pollepel. 'Ik wil dat je die zak voor me pakt.'

Hij liep voor haar uit door de gang naar de slaapkamer en deed voorzichtig de deur open. De mamba lag nog steeds opgekruld in de hoek. Op zijn tenen sloop Joseph naar de wasmand. Langzaam trok hij de mand weg van de slang en zette die opzij. Toen de slang in beweging kwam, trok Joseph met de lepelsteel het lijf weg van de kop. De mamba leek geschrokken, maar daar was Joseph op voorbereid. Met een draaibeweging van zijn pols tilde hij met zijn hand de staart hoog van de grond en met de lepel drukte hij de slang met zijn kop tegen de vloer. De mamba kronkelde in zijn armen, en Zoë was bang dat hij hem zou laten wegglippen. Maar Joseph hield het beest stevig beet. Plotseling liet hij de lepel vallen, greep de slang achter zijn kop en tilde het dier op.

'De zak,' zei hij. 'Open houden bij mijn voeten.'

Met bonzend hart deed Zoë wat haar werd gevraagd.

Joseph stopte de mamba in de zak tot alleen zijn kop en staart er nog uitstaken. Het dier ging tekeer, maar kon niet ontsnappen. Joseph duwde de staart naar beneden, hield zijn vrije hand aan de bovenkant van de zak als een klemschroef om het dier en schoof die omhoog totdat hij de nek van de slang en de zak samen beethad. Met zijn andere hand pakte hij het trekkoord en in één beweging liet hij de zak vallen en trok hij het koord aan. Hij slingerde de zak in de rondte en verdraaide het koord totdat de slang onmogelijk zou kunnen ontsnappen.

Geamuseerd keek hij Zoë aan. 'Als je het zo had aangepakt, had je alleen nog maar een dansje hoeven doen om hem te bezweren.'

Ze lachte en besefte ineens dat ze in haar ondergoed stond. 'Ga je hem doden?'

'Ik dood geen dieren als het niet nodig is. Ik ga er een eindje mee rijden.'

'Dan ga ik met je mee,' zei ze. 'Ik durf hier niet alleen te blijven.'

Ze reden noordwaarts naar de vlakte en lieten de slang achter in een rotsachtige kom onder een heldere sterrenhemel. Een paar minuten voor vijf reden ze terug naar Zoë's flat. Vlak bij de poort liet Joseph zien waar de muur vernield was. Over een lengte van anderhalve meter waren de glasscherven op de muur verwijderd, de onderste stroomdraad was doorgeknipt.

'Die draad loopt naar de grond,' legde Joseph uit. 'Het is de enige draad die kan worden doorgeknipt zonder het alarm te doen afgaan. Waarschijnlijk hebben ze met een kleed de andere draden bij elkaar gebonden zodat ze eronderdoor konden. Ik gok dat ze met zijn drieën waren. De bewaker zegt niets te hebben gezien, maar volgens mij is hij omgekocht. Ze wisten precies wat ze deden.'

'En waar ze moesten zijn,' vulde ze aan. 'Vorige week heb ik een nieuw raampje in mijn keuken laten zetten. De tralies waren verwijderd.'

'Heb je de glaszetters gezien?' vroeg hij, terwijl hij de wagen voor haar flat parkeerde.

'Het leken me gewone Zambiaanse mannen.'

'Dat waren ze ongetwijfeld. Ze deden de klus en staken een paar honderd pin extra in hun zak voor het niet terugplaatsen van de tralies.' Zijn adem stokte. 'Deze inbrekers waren professionals. Heb je gezien hoe ze het ruitje hebben ingetikt?'

Ze schudde haar hoofd.

'Eerst hebben ze een glassnijder gebruikt. Het gat dat ze erin hebben gemaakt vormde een perfecte cirkel, niet groter dan een hand. Net groot genoeg om het slot open te maken.'

Ze dacht terug aan het glasgerinkel waardoor ze was gewekt. 'Hier is over nagedacht,' zei ze, denkend aan Dunstan Sisilu in zijn auto bij de poort. 'Dit gaat om meer dan alleen de uitspraak over het DNA-onderzoek.'

Ze keek naar buiten en dacht diep na, geïrriteerd dat ze zo moe was. Hoe had ze zichzelf in het onderzoek onderscheiden? Wat had ze gedaan om hen zo bang te maken?

Ineens wist ze het antwoord.

'Ik heb met de huishoudster gepraat,' zei ze. 'Ze hebben me vast gezien. Of misschien is mijn Land Rover gefilmd door een veiligheidscamera toen ik voor het huis stond. Dat is meer dan drie weken geleden.'

Hij knikte bedachtzaam. 'Dat klinkt aannemelijk. Het kan zijn dat de huishoudster op de avond van de verkrachting iets verdachts heeft gezien. Of dat ze vermoeden dat ze iets gezien heeft. We moeten haar opnieuw zien te spreken.'

'Nee,' zei Zoë. 'Als we haar weer benaderen, komt ze in de problemen. Om Darious te pakken hebben we alleen zijn DNA nodig.'

Hij keek haar onderzoekend aan. 'Je bent moe.'

Ze keek naar het complex en werd weer bang. 'Wil je alsjeblieft bij me slapen vannacht?'

'Natuurlijk,' antwoordde hij. Hij stapte uit de pick-up en liep samen met haar de trap op. 'Ik slaap hier wel,' zei hij met een knikje naar de bank.

Ze schudde haar hoofd en trok hem bij zijn hand mee naar de logeerkamer, want haar slaapkamer was nu vervloekt. Met kleren aan ging ze op het bed liggen en sloeg de dekens open. Hij legde zijn geweer op de vloer en ging naast haar liggen. Ze vlijde zich met haar rug tegen zijn borst, sloot haar ogen en probeerde niet meer aan de inbreker en de slang te denken.

'Nu voel ik me veilig,' fluisterde ze, en ze besefte dat ze het meende.

18

ZOË SLIEP TOT TIEN UUR en werd wakker in een leeg bed. Ze knipperde met haar ogen tegen het zonlicht dat door de open gordijnen viel en herinnerde zich dat ze in de logeerkamer lag. Ze zette haar bril op en ging naar de badkamer om zich te wassen. Even later liep ze naar de keuken, waar ze Joseph aantrof met een glaasje water.

'Goedemorgen,' zei ze. 'Heb je trek?'

Hij zette zijn glas in de wasbak. 'Ik ben uitgehongerd.'

Ze maakte een ontbijt met koffie, roereieren en geroosterd brood met jam, en ze aten op het terras. Na een paar hapjes vroeg ze: 'Moeten we eigenlijk geen aangifte doen?'

'Normaal gesproken wel,' antwoordde hij. 'Maar dit is ook de buurt van de Nyambo's. Stel dat er bevriende agenten op het bureau werken. Ik wil niet dat die zich met ons onderzoek gaan bemoeien.' Hij keek haar somber aan. 'Je zult het niet leuk vinden, maar ik denk dat je beter een tijdje kunt onderduiken.'

Ze schudde haar hoofd. 'Dit is mijn huis. Ik laat de huisbaas de tralies en het beveiligingssysteem vervangen.'

'Heel dapper van je, bewonderenswaardig. Maar al die voorzorgsmaatregelen halen niets uit als de mensen in je omgeving niet te vertrouwen zijn.'

Ze worstelde met haar emoties. Ze was niet bang aangelegd. In Johannesburg was ze met een pistool tegen haar slaap aan beroofd, maar ze was daarna gewoon door de straten van Hillbrow blijven wandelen. Ze hield van haar flat en de vrijheid die ze er had. Hotels waren vervelend, en ze wilde ook niet ergens gaan logeren. Maar zag ook in dat ze zich niet kon verdedigen in haar slaap.

'Wat stel je voor?' vroeg ze.

Hij leek opgelucht. 'Je hebt een veilig adres nodig. Heb je vrienden op de ambassade?'

Ze knikte. 'Ik ken Tom Prentice, directeur van het Centrum Ziektepreventie en -bestrijding. Zijn vrouw was een goede vriendin van mijn moeder.'

'Maak snel een afspraak met haar. Veel veiliger dan in het huis van een Amerikaanse diplomaat kun je in Zambia niet zijn. De ambassade heeft haar eigen beveiligingspersoneel.'

Met grote tegenzin moest Zoë uiteindelijk toegeven dat dit een goed idee was. 'Ze hebben een extra vleugel,' zei ze. 'En een inwonende huishoudster. Ik zal waarschijnlijk niemand tot last zijn.'

Joseph keek haar in de ogen. 'Alsjeblieft, Zoë. Ik wil me geen zorgen maken om jou.'

'Ik zal erover nadenken,' zuchtte ze, al wist ze dat ze haar besluit al had genomen.

Na de afwas belde Zoë Carol Prentice op. Carol, al twintig jaar in buitenlandse dienst, was even onverschrokken als geducht, een geziene gast op cocktailparty's en de grootste politieke bondgenoot van haar man. Zoë's verhaal bracht haar echter even van haar stuk.

'Mijn hemel,' riep ze na een poos. 'Je verwacht dit soort toestanden in Lagos of Kinshasha, maar niet in Lusaka. Natuurlijk kun je bij ons logeren.'

'Vind je het echt niet vervelend?' vroeg Zoë.

Carol lachte. 'Schat, je moeder was mijn beste vriendin. De gastensuite is voor jou zo lang je maar wilt.'

Zoë hing op en pakte in de slaapkamer haar spullen. Ze legde twee koffers open op de vloer en stopte die vol met kleren en persoonlijke eigendommen. Daarna nam ze een douche en bond haar haren in een staart. Een paar minuten voor twaalf stond Joseph op de parkeerplaats en gooide ze haar tassen in de Land Rover. Ze reden afzonderlijk naar het huis van het echtpaar Prentice – Zoë voorop en Joseph achter haar aan. In haar spiegels zocht ze naar de blauwe personenauto, maar die was nergens te bekennen.

Het echtpaar Prentice woonde in een grote villa vlak bij Sunningdale. Het huis was een toonbeeld van koloniale charme. De stevige blokkenconstructie, het witte stucwerk, het terracotta dak en de planten op het terras herinnerden aan een voorbij tijdperk.

Carol stond al bij de deur en omhelsde Zoë. 'Ik vind het zo erg wat er is gebeurd,' zei ze. 'Ik heb Tom meteen gebeld en die stond erop dat je bij ons kwam. Het huis kan wel wat gezelschap gebruiken. Het is net een museum sinds de kinderen de deur uit zijn.'

Ze wees met haar hand en escorteerde hen naar het gastenverblijf. Vanbinnen zag de bungalow eruit als een safarilodge, met comfortabele woonruimten, houten plafonds en veel uit hout gesneden dierfiguren. De gastensuite lag apart van de slaapvertrekken van de Prentices en had een eigen zitkamer en badkamer.

Carol gaf Zoë de sleutels. 'Je kunt gaan en staan waar je wilt en altijd mensen ontvangen.' Ze knipoogde naar Joseph. 'Je bent geen gast; je bent hier thuis. We eten om zes uur. Als je er bent, kun je mee-eten. Zo niet, dan eten we zonder jou. Geen verwachtingen over en weer.'

Zoë pakte haar bij de arm. 'Wat lief van je.'

'Graag gedaan,' zei ze. 'Goed, dan laat ik het verder aan jullie over.' Ze draaide zich om, zei opgewekt 'Ciao!' en liep de kamer uit.

Joseph was onder de indruk. 'Een leuke plek. Lijkt wel een bunker.'

'Dan moet je die goed leren kennen,' zei ze. Ze pakte hem bij de hand en trok hem naar zich toe totdat hun lippen elkaar bijna raakten. Ze keek in zijn donkere ogen en wachtte af, terwijl de kriebels over haar rug tintelden. Met een glimlach boog hij zich voorover voor een kus. Op dat moment ging zijn telefoon.

'Laat ze maar iets inspreken,' reageerde ze teleurgesteld. 'Het is zaterdag.'

Hij mompelde. 'Mijn werk houdt nooit op.' Hij pakte zijn telefoon en fronste zijn wenkbrauwen. 'Het is Mariam.' Hij nam op en luisterde aandachtig. Zijn kaakspieren verstijfden. 'Laat hem blijven waar hij is. Ik kom eraan.'

'Wat is er gebeurd?' vroeg Zoë.

'De bloedmonsters zijn uit het UTH verdwenen.'

Ze troffen dokter Chulu ijsberend aan in de hal bij de ziekenhuisbibliotheek. Toen hij hen zag, liep hij zwijgend met hen naar de kast. De bibliotheek was een vierkante ruimte met een vergadertafel, computerzitjes en twee rijen boekenkasten. De archiefkast in de hoek miste een deur – die was zorgvuldig verwijderd en op de vloer gelegd.

'Ze hebben de scharnieren losgeschroefd,' zei dokter Chulu hees. 'Ik heb geen idee hoe ze in deze ruimte zijn gekomen. De deur is altijd op slot.'

Joseph liep naar de open kast en bekeek de lijst. 'Wanneer is het gebeurd?'

'Geen idee. Niemand is hier gisteravond nog geweest.'

'Heeft u de kast zo aangetroffen?'

Dokter Chulu knikte. 'Ik heb al mijn medewerkers al gesproken. Er is niemand iets bijzonders opgevallen.'

'Wie wisten dat de monsters hier lagen?'

'Ik bewaar ze altijd in deze kast. Mijn assistenten weten dat.'

Joseph keek woedend. 'Ik wil hen spreken. En ik wil iedereen spreken die in deze vleugel is geweest na uw vertrek gisteravond.'

Dokter Chulu krabde aan zijn kin. 'Het duurt wel even voordat ik iedereen heb opgetrommeld.'

'Ik heb geduld.'

Nadat de arts was vertrokken, ging Zoë aan de vergadertafel zitten en begroef haar hoofd in haar handen. Na alles wat ze hadden bereikt, na alles wat Kuyeya had meegemaakt, na de uitspraak van Flexon Mubita waardoor de vervolging van Darious Nyambo zo'n verrassende wending had genomen, was het bewijs waarin de waarheid over de verschrikking van het meisje lag besloten, zomaar verdwenen. Ze was te moe om boos te zijn, te futloos om haar wanhoop te onderdrukken.

Ze dacht terug aan wat haar vader tegen haar moeder had gezegd voordat ze naar Somalië vertrok. 'Al eeuwenlang maken ze elkaar af,' had hij gezegd, in de erker van hun huis op de Vineyard. 'Daar verandert geen mens wat aan.'

'Verdomme, Jack,' had Catherine tegengeworpen, 'hun kinderen sterven, hun dochters worden aangerand, hun zonen afgeslacht. Ze zien onze vliegtuigen, onze artsen, onze voorraden en weten weer wat hoop is.'

Jack had vermoeid zijn hoofd geschud. 'Na eeuwen van verkrachtingen en moord is hoop de glimlach in het gezicht van een dwaas. Dat is een uitspraak van Achebe, niet van mij.'

Het was de enige keer dat Zoë haar moeder had zien twijfelen aan haar besluit. Een week later was ze dood.

De stem van Joseph trok haar uit haar gedachten. 'Mariam,' zei hij in zijn telefoon, 'alle monsters zijn verdwenen. En vannacht is er bij Zoë ingebroken, ze hebben een slang in haar woning gelegd.' Hij zweeg, luisterend. 'Het gaat wel. Ze is hier bij mij. Ik wil dat je Benson Luchembe belt om te zeggen dat zijn cliënt de rechtsgang belemmert. Vertel hem dat ik Darious hoe dan ook achter de tralies zal zetten.'

Zoë putte moed uit deze woorden.

'Hoe snel kun je een nieuwe zitting organiseren?' vroeg Joseph aan Mariam. 'Ik wil dat Sarge me laat getuigen om Mubita uit te leggen waarom hij de verdediging schuldig moet verklaren aan minachting voor de rechtbank.' Hij luisterde een moment en zei daarna: 'Goed. Regel het maar.'

Hij stopte zijn telefoon weg en keek zwijgend naar Zoë.

'Precies wat ik wilde horen,' zei ze. 'Dank je wel.'

'Het gaat niet om holle frasen, maar om daden.' Hij keerde zich naar het raam en tuurde in de lucht. 'Je hebt me ooit gevraagd waarom ik dit doe. Nou, om dit soort toestanden, als de machtigen misbruik maken van de zwakkeren.'

'Je vertelde me dat je ooit een belofte had gedaan,' zei ze voorzichtig, denkend aan hun boottocht over de Zambezi. 'Dat klonk niet hol.'

Hij aarzelde. 'Ik had mijn zusje iets beloofd.'

'Wat?'

'Dat ze niet voor niets zou sterven.'

Zoë stond perplex. 'Ik dacht dat ze aan aids was gestorven.'

'Het virus was de kogel,' zei hij. 'Mijn oom had de trekker overgehaald.'

Zoë moest dit even verwerken. 'Hij...?'

Joseph knikte. 'Toen ze negen was. Ik heb hem op heterdaad betrapt, maar kon hem niet tegenhouden. Ik was twaalf. Hij dreigde met moord als we het zouden doorvertellen. We hebben er nooit meer over gesproken. We hadden geen keus. Hij was adjunct-commissaris bij de politie.'

Zoë sidderde. 'Waar is hij nu?'

'Hij is vier jaar vóór Elaine gestorven. Natuurlijk noemden ze het geen aids, ze noemden het longontsteking. Maar toen mijn zusje ook overleed, wist ik het.'

Zoë liep op hem toe en kneep zacht in zijn hand. 'Wat erg, Joseph,' zei ze. Ineens begreep ze alles. Waarom hij zo laat was gaan studeren, zijn obsessie met zijn werk, zijn ambitie om inspecteur-generaal te worden.

Ze hoorde voetstappen in de gang voor de bibliotheek. De deur ging open en dokter Chulu leidde een groepje mensen naar binnen.

'Zij waren gisteren hier aan het werk,' zei de arts. Hij gebaarde naar twee jonge vrouwen. 'Dit zijn mijn assistenten. Zuster Mbelo hebben jullie al eens ontmoet.'

Joseph knikte. 'Laat me met u beginnen. Als de rest buiten wil wachten.'

De gesprekken duurden langer dan een uur. Joseph vroeg door, stond stil bij elke inconsistentie, zocht in gezichtsuitdrukkingen en gedragingen naar een teken van schuldbewustzijn, maar noch de gesprekken met de nachtverpleging noch die met de assistenten van dokter Chulu leverden iets op. Toen hij de laatsten wegstuurde, keek hij Zoë gefrustreerd aan.

'In de vs zou een forensisch team vingerafdrukken, haartjes en huidschilfers onderzoeken en in een digitale database naar een match zoeken. In Zambia hebben we opgeleide technici, maar kunnen we niets met het bewijsmateriaal zonder een verdachte. Hoe heet dat ook alweer? Een catch-22.'

Ze knikte. 'En zelfs als je een verdachte zou vinden, zou je die niet in verband kunnen brengen met de Nyambo's. We moeten de rechter spreken. En daarna zijn we terug bij af.'

'De nganga's,' zei hij ineens.

'De huishoudster,' voegde ze eraan toe. 'En Cynthia in Kitwe.'

Hij schudde zijn hoofd. 'Mogelijk hebben we een precedent geschapen met deze zaak.'

Ze glimlachte, kreeg er weer vertrouwen in. 'We kunnen nog winnen.'

Dankzij de inzet van Sarge stond de zitting de daaropvolgende dinsdag op de rol. Nadat iedereen zich in zaal 10 had verzameld, nam de rechter plaats op zijn stoel en gebaarde naar de zaalmedewerker, die snel alle toeschouwers naar de zaal dreef, inclusief Frederick Nyambo. De medewerker knikte naar de rechter en liep de zaal uit, de deur achter zich sluitend.

Mubita keek Benson Luchembe ijskoud aan. 'Dit hof tolereert geen bedreigingen van leden van het openbaar ministerie noch diefstal van cruciaal bewijsmateriaal.'

Luchembe stond op en probeerde verbaasd te kijken. 'Edelachtbare,' begon hij eerbiedig, 'mijn cliënt verklaart nadrukkelijk niets met deze inbraken te maken te hebben. Gisteren heeft hij een bloedmonster laten afnemen, conform uw uitspraak.'

De woede laaide op in de ogen van de rechter. 'Er is bewijsmateriaal verdwenen uit een gesloten ruimte, amper vierentwintig uur nadat ik had verordend om het te laten testen. Wie anders dan de verdachte heeft hier baat bij?'

Luchembe stak zijn handen in de lucht. 'Dat weet ik ook niet, edelachtbare.'

Mubita schudde zijn hoofd en wendde zich tot Sarge. 'Ik begrijp dat u getuigen hebt die graag hun zegje willen doen, maar als zij niet kunnen aantonen dat de verdachte erbij betrokken was, heb ik daar niets aan.'

Sarge knikte weerbarstig. 'De daders lijken geen sporen te hebben achtergelaten.'

De rechter boog zich voorover en keek Luchembe aan. 'Ik heb geen grond voor minachting voor het hof, maar het verlies van bewijsmateriaal schaadt de voortgang in deze zaak. Met DNA hadden we de schuld of onschuld van uw cliënt binnen enkele weken kunnen vaststellen. Zonder DNA moeten we deze zaak op de ouderwetse manier afhandelen. U dient te beseffen dat ik de aanklager alle ruimte zal geven voor zijn bewijsvoering tijdens het proces. Ik neem dit incident in overweging voor zover de regels dat toestaan.'

Mubita liet zijn blik door de rechtszaal gaan en keek iedere advocaat streng in de ogen. 'Ik loop niet vooruit in deze zaak. De verdachte is onschuldig tot het tegendeel is bewezen. Maar ik sta geen man of vrouw toe te knoeien met de weegschaal van het recht. Ik verklaar deze zitting voor gesloten.'

Meteen na het vertrek van de rechter stroomde de verdediging de zaal uit. Zoë overlegde fluisterend met Joseph terwijl Sarge en Niza hun aktetassen inpakten.

'Ik heb bedacht hoe ik de huishoudster opnieuw kan benaderen,' zei ze.

'Als ze bij jou hebben ingebroken omdat je haar een paar vragen wilde stellen,' antwoordde hij, 'zullen ze haar goed in de gaten houden.'

'Maar ze kunnen niet zonder eten. Ik ga posten bij die supermarkt.'

'Dat zal niet werken als je wordt achtervolgd.'

Ze dacht aan Dunstan Sisilu. 'Ik heb hem niet meer gezien sinds de inbraak.'

'Ik ook niet, maar dat zegt niets.'

Ze keek in zijn ogen. 'Dat risico moet ik dan maar nemen.'

19

IN DE DRIE WEKEN DAARNA LIEP ZOË om de dag tussen de schappen van supermarkt Shoprite in Manda Hill. Ze deed dit veldwerk tussen half-negen en tien uur 's ochtends, dezelfde tijd waarop ze de huishoudster daar had gezien. Ze lette goed op of ze Dunstan Sisilu zag, maar dat was niet het geval. In de supermarkt speelde ze een besluiteloze klant die door de winkel slenterde en soms een product in haar wagentje legde. Zo hoopte ze de oude, getekende vrouw tegen te komen, maar werd telkens teleurgesteld.

'Misschien is je timing niet goed,' bedacht Joseph op een avond.

'Of ze doet ergens anders boodschappen, of een ander doet dat voor haar,' zei ze. 'Het kan van alles zijn. Ik kan maar beter weer bij het huis posten.'

Hij schudde zijn hoofd. 'Dat is te risicovol.'

'Ik kan de auto van Carol lenen. Of mijn haren laten verven.'

'Je huidskleur kun je niet veranderen.'

'Ik vind wel een manier,' zei ze geprikkeld.

Toen oktober overging in november pakten iedere avond grote wolken zich samen. Dagenlang bleef het bij dreigen, maar toen barstte de hemel plotseling open en kwam er zo'n grote stortvloed uit dat de modder en het afval door de straten dreven. De komst van het regenseizoen had een paradoxaal effect: de zon was verdwenen, maar de mensen, Zoë incluis, klaarden na de drukkende hitte helemaal op. Ineens stond de droge vlakte weer in bloei. Dit was Zoë's favoriete jaargetijde, omdat alles wat uitgeput en verwelkt leek als nieuw werd.

Al snel had ze haar routine gevonden bij het echtpaar Prentice. Ze werd eerder als een buur dan als een gast behandeld, maar toch bleek elke avond haar was gedaan en haar bed opgemaakt. Rosa, de huishoudster, was veeleisend, nauwgezet en een genie in de keuken. Carol Prentice was vol lof over haar en vertrouwde haar blindelings. Op werkdagen bracht Joseph Zoë naar huis en controleerde dat ze niet werd achtervolgd. Vaak at hij mee. De Prentices raakten op hem gesteld.

Op zondagmiddagen ging Zoë bij Kuyeya op bezoek. Haar liefde voor het meisje werd bij elke ontmoeting groter. Kuyeya's therapie bij dokter Mbao was moeizaam van start gegaan, maar begon haar vruchten af te werpen. De psychiater zocht in het geheugen van het meisje naar verhalen die Kuyeya kende van haar moeder en gebruikte die om haar verleden te reconstrueren. Kuyeya's lievelingsverhaaltje ging over een bijeneter die bevriend raakt met een nijlpaard. Telkens wanneer ze 'bijeneter' zei, schaterde ze het uit.

Medio november moest Zoë toegeven dat haar strategie om de huishoudster uit haar schuilplaats te lokken jammerlijk faalde. Ze overwoog haar op te wachten bij het huis zonder het aan Joseph te vertellen, maar de herinnering aan Dunstan Sisilu en de zwarte mamba temperden die neiging. Op een ochtend bij het ontbijt hoorde ze Rosa in de keuken de vaat doen en kreeg ze een idee. Dat ze daar niet eerder aan had gedacht!

'Heeft u even?' vroeg ze aan Rosa.

'Ja hoor,' antwoordde de vrouw. Ze droogde haar handen af aan een handdoek.

Zoë schetste de situatie en vertelde over haar zoektocht naar de huishoudster van de familie Nyambo. 'Wat zou u doen als u naar haar op zoek was?'

Rosa dacht even na. 'Draagt haar mevrouw een chitenge of westerse kledij?'

Zoë groef in haar geheugen naar het beeld van Patricia Nyambo. Ze had haar maar één keer gezien, in de rechtbank op de dag van de aanklacht. Droeg ze toen een mantelpakje? In een flits herinnerde Zoë het zich. Ze droeg een groene chitenge.

Ze beantwoordde Rosa's vraag, waarop de huishoudster vroeg: 'Was het een dure stof? Was de chitenge mooi van kleur, het motief verfijnd?'

'Volgens mij wel,' gokte Zoë. Patricia Nyambo leek haar iemand die voor de beste kwaliteit ging.

Rosa knikte. 'Ik ken een marktvrouw op de City Market met de beste chitenges in Lusaka. Ze staat er alleen op zaterdag. Mijn vorige mevrouw stuurde me er vaak heen. Er kwamen veel vrouwen zoals ik.'

'Dat lijkt me wel een poging waard,' zei Zoë. Ze vroeg Rosa waar ze de marktkraam kon vinden.

Zaterdagochtend vroeg reden Joseph en Zoë naar de stad. De grootste markt van Lusaka, de City Market, werd gehouden op een terrein tussen winkelcentrum Cairo Road en de eenvoudigere Soweto Market. De beste kramen stonden in een aparte gang met vertakkingen naar de grote hal als straten in een stadswijk. Zoë had de markt slechts één keer bezocht sinds ze in Lusaka woonde, maar de meeste Zambianen die ze kende, waren trouwe bezoekers.

In het centrum van Lusaka was het alle dagen druk. Maar op zaterdag leek het in het commerciële centrum wel een nationale feestdag. De straten barstten van het verkeer en over de trottoirs krioelde het van de koopjesjagers. Ze parkeerden de auto naast een *saluala*-kraam, volgepropt met tweedehands kleding uit het Westen. Joseph pakte Zoë bij de hand en voerde haar mee door het labyrint, langs mensen en uitgestalde koopwaar.

Ze liepen de overdekte hal in en sloten zich achter de rij klanten aan, schuifelend door de gang. De diversiteit van het aanbod tartte iedere beschrijving. Er lagen schoenen, laarzen, lederen artikelen, tassen, stoffen, chitenges, vloerkleden, houten beeldjes, sieraden en kleren breed uitgestald. Overal zag je klanten die met verkopers aan het onderhandelen waren. Zoë werd duizelig van de herrie en de drukte.

'Volgens Rosa staat onze kraam halverwege die zijtak,' zei ze. 'De verkoopster heet Chiwoyu. Rosa waarschuwde al dat het druk zou zijn.'

Ze vonden de kraam precies op de plaats die Rosa had beschreven. De stoffen waren prachtig en er stond een lange rij in het pad. De clientèle bestond grotendeels uit Zambiaanse vrouwen van boven de vijftig – de meesten waren er ongetwijfeld in opdracht van hun mevrouw. Zoë zocht naar het bekende gezicht van de huishoudster, maar zag haar nergens.

'Waar zullen we wachten?' vroeg Zoë.

Joseph bracht haar naar een kraampje vol met rekken herenschoenen. Naast het kraampje stond een klapstoel. 'Ga daar maar zitten,' zei hij. 'Doe alsof je zwanger bent.'

Zoë nam plaats en zag Chiwoyu lappen stof verkopen, terwijl Joseph een gesprek aanknoopte met de schoenenverkoper. Even later kreeg ze last van haar rug. Ze stond op en liep naar de uitgang om haar spieren te rekken. Aan het einde van het gangpad zag ze een oude vrouw binnenkomen. De vrouw zag Zoë en bleef verstijfd stilstaan.

Het was de huishoudster.

'We hebben elkaar al eens ontmoet,' zei Zoë kalm, zonder meteen op de vrouw af te gaan.

De ogen van de vrouw spiedden alle kanten op, alsof ze wilde vluchten.

'Ik begrijp waarom u niet met me wil praten, maar ik heb uw hulp nodig. Kuyeya heeft uw hulp nodig. Zal ik u een foto van haar laten zien?'

Zoë pakte haar iPhone en vond een foto van Kuyeya in het St.-Franciscus. De vrouw staarde naar het scherm en kreeg tranen in haar ogen. Toch bleef ze zwijgen.

'Volgens mij kent u haar,' zei Zoë. 'Of misschien kende u haar moeder. Charity, heette ze, al noemde ze zich Bella. Ze is twee jaar geleden overleden.'

Eindelijk begon de vrouw te praten. 'Ik kan niets voor u doen. Zelfs God kan het verleden niet veranderen.'

Ze kent haar dus, dacht Zoë. 'Daarin heeft u gelijk,' antwoordde ze, haar opwinding in toom houdend, 'maar dat doet toch niks af aan de waarheid?'

De huishoudster keek haar verdrietig aan. 'En wat wilt u met de waarheid doen?'

Zoë probeerde rustig te blijven. Ze was ervan overtuigd dat deze ontmoeting een doorbraak betekende. 'Aan de rechter vertellen zodat het recht zijn beloop krijgt.'

De oude vrouw schudde langzaam haar hoofd. 'Dat recht van u verandert niks.'

'Het kan juist alles veranderen,' wierp Zoë tegen. 'Darious heeft nóg een meisje verkracht.'

De huishoudster keek doodsbang uit haar ogen. 'Ik moet gaan.'

'Alstublieft. We kunnen u bescherming bieden.'

'U beseft niet wat u van me vraagt,' antwoordde de oude vrouw.

Ze hield haar handtas stevig tegen haar borst geklemd en liep naar de kraam van Chiwoyu. Een aantal martelende seconden lang hoopte Zoë dat de vrouw zich zou bedenken. Maar de huishoudster ging in de rij staan en deed alsof het gesprekje nooit had plaatsgevonden.

'Wat had ze te vertellen?' vroeg Joseph, die bij Zoë in het gangpad was gaan staan.

'Ze weet iets, maar wil er niet over praten.'

Peinzend keek hij om. 'Dat betwijfel ik.'

'Hoezo?'

'Ik stond naar haar te kijken. Ze luisterde goed naar je, maar ze is bang. Ze heeft je telefoonnummer, toch?'

Zoë knikte. 'Dat heb ik haar in de Shoprite gegeven.'

'Gun haar nog wat tijd. Misschien gaat ze overstag.'

In de dagen daarna keek Zoë regelmatig op haar iPhone of ze een bericht had van de huishoudster, maar tevergeefs. Ze zocht afleiding in een aantal nieuwe gevallen die dokter Chulu naar de CILA had verwezen. Ze waren stuk voor stuk verschrikkelijk – het jongste slachtoffer was zes jaar –, maar de daders waren familieleden of buurtgenoten en de bewijsvoering lag tamelijk voor de hand.

Ze probeerde enkele keren Cynthia Chansa telefonisch te bereiken. Ze liet een paar berichten achter op de voicemail van haar echtgenoot, waarbij ze telkens iets meer prijsgaf over Kuyeya en de obstakels waar de aanklager op stuitte, maar kreeg geen antwoord. Na drie telefoontjes antwoordde een blikkerige stem dat de voicemailbox vol was. Ze probeerde Godfrey weer, maar ook die belde niet terug.

Op een ochtend in december werkte Zoë op kantoor aan een verzoekschrift aan het hooggerechtshof, toen Maurice ineens in de deuropening van de juridische afdeling stond. Hij liep naar haar bureau en bleef staan tot ze naar hem opkeek.

'Kan ik iets voor je doen?' vroeg ze.

Hij knikte. 'Er staat een vrouw bij de poort voor je.'

Ze ging meteen rechtop zitten. 'Ken je haar?'

'Nee.'

De huishoudster! dacht ze meteen. Ze liep door het gebouw en probeerde haar kalmte te bewaren. Rustig blijven, zei ze tegen zichzelf. Anders schrik je haar af.

Ze stapte naar buiten en liep over het pad naar de poort. Ze knikte naar de bewaker, die naar iemand aan de andere kant van het hek wees. Een vrouw in een bleekroze mantelpakje en op hoge hakken liep door de poort. Zoë stond verstijfd.

Dit was geen Zambiaanse. Dit was een Amerikaanse.

'Dag Zoë,' zei Sylvia Martinelli, de omgeving van het CILA-kantoor keurend. 'Is het overal in Lusaka zo beeldig?'

Zoë staarde haar verbouwereerd aan, verlamd door deze onverwachte botsing van werelden. Sinds het etentje in Kaapstad ter afronding van haar stage had ze Sylvia niet meer gesproken. De overeenkomst die ze met haar vader had gesloten inzake de uitgifte van fondsen uit haar liefdadigheidstrust, gold niet voor zijn tweede vrouw. Als er één moment was waarop ze haar een handreiking had kunnen doen, was het die avond geweest. Maar

Sylvia had toen haar kans verspeeld door het voor Atticus Spelling op te nemen.

'Wat doe jíj hier?' slaagde Zoë erin uit te brengen.

Sylvia glimlachte. 'Het is bijna twaalf uur. Laten we gaan lunchen. De conciërge van het Intercontinental adviseerde Rhapsody's. Zijn beschrijving klonk heel aardig.'

'Dat is het ook. Maar nu nog een antwoord op mijn vraag.'

Sylvia keek naar de bewaker. 'Dit is niet de juiste plek.'

Zoë voelde plotseling een ongerustheid opkomen. 'Is er iets met papa?'

Sylvia lachte. 'Nee. Die gaat onvermoeibaar verder als altijd. Maar mijn bezoek heeft wel met hem te maken. Alsjeblieft, Zoë. Ik weet dat we meningsverschillen gehad hebben. Een uurtje van je tijd, meer vraag ik niet.'

Zoë twijfelde, maar botheid was haar vreemd. 'Goed dan.'

Ze haalde haar rugzak op kantoor op en stapte met Sylvia in een klaarstaande suv. Een Zambiaanse chauffeur opende het portier voor ze, waarna ze instapten. Tien minuten later zaten ze in restaurant Rhapsody's, een uit Zuid-Afrika geïmporteerd concept met blauwe sfeerverlichting. Ze werden verwelkomd door een gastvrouw, die hen naar een tafel bracht.

'Hoe is de steak hier?' vroeg Sylvia, de menukaart bestuderend.

'Prima,' antwoordde Zoë mat. 'Krijg ik nog antwoord op mijn vraag?'

Sylvia keek haar ondoorgrondelijk aan. 'Zal het ooit goed komen tussen ons?'

Zoë staarde haar aan. 'Vrede zonder verzoening is een leugen.'

'Goed, dan beginnen we met de verzoening.'

'Die begint met de waarheid.'

Sylvia keek verbaasd. 'Waar heb je het over?'

'Jij bent toch katholiek opgevoed?' merkte Zoë met een neutrale blik op. 'Weet je nog, de dertig zilverlingen?'

Sylvia keek haar verward aan. 'Ach toe, niet zo melodramatisch.'

Allerlei reacties schoten Zoë door het hoofd, maar ze hield haar mond en bleef naar Sylvia kijken tot die zich ongemakkelijk begon te voelen.

Eindelijk nam Sylvia weer het woord. 'Je weet hoe graag Jack de verkiezingen wil winnen. Hij is ervoor geknipt. Ons land heeft zijn leiderschap hard nodig.'

Zoë knikte. 'Ik ken zijn ambities maar al te goed. En die van jou ook.'

Sylvia veranderde haar toon. 'Het doet er niet toe hoe je over mij denkt. Ik heb je moeder nooit willen vervangen. Dat was onmogelijk.' Ze lachte even. 'Maar Jack houdt van je. Hij is je vader. Hij heeft fouten gemaakt en heeft daar spijt van. Hij zou heel graag willen dat je hem steunt.'

Zoë schudde haar hoofd. 'Ik kan hem niet steunen. Zijn oplossing voor het begrotingstekort houdt in dat er programma's eindigen die bedoeld zijn voor de mensen met wie ik dagelijks werk.'

'Dat is niet waar. Je weet beter dan ik hoe Jack begaan is met de armen. Hij draagt gul bij aan de stichting van je moeder, maar in tijden van crisis moet iedereen een stapje terug doen.'

Zoë keek woedend op. 'Als je een miljard of twee bezuinigt op het Pentagon, gaan mensen klagen, maar daar komen ze wel overheen. Als je dat geld weghaalt van medische hulpprogramma's sterven er in Afrika duizenden mensen. Er is een verschil tussen bezuinigen en doden.'

Sylvia stak haar handen in de lucht. 'Luister, ik ben hier niet naartoe gekomen om over politiek te praten. Ik ben gekomen omdat Jack de voorverkiezingen in New Hampshire gaat winnen. Hij wil niets liever dan met jou en Trevor op het podium staan als hij zijn overwinningstoespraak geeft.'

Zoë dacht even na. Sylvia had gelijk. Maar uiteindelijk sprak haar geweten een absoluut veto uit. 'Ik kan het niet opbrengen. Zeg hem dat het me spijt.'

Sylvia trok haar wenkbrauwen op. 'Ook als hij dan Atticus niet meer zal bellen?'

Dat voelde als een stoot onder de gordel. 'Hij heeft me zijn woord gegeven.'

Sylvia haalde haar schouders op, in de hoop dat de stilte tot twijfel zou leiden.

Zoë stond op. 'Daar heb ik niets meer aan toe te voegen.'

'Wacht,' riep Sylvia. 'Blijf nog even, alsjeblieft.'

Maar het was te laat voor een toenaderingspoging. Zoë liep het restaurant uit, langs de kelner die er net met brood aan kwam. Ze dacht aan haar vader zoals hij was voor het overlijden van haar moeder: de aan Harvard afgestudeerde zoon van een verzekeringsman uit het middenwesten; het genie dat opklom tot de top van Wall Street maar die zijn eenvoudige afkomst nooit had verloochend; de matroos die haar op zijn jacht leerde de fok te hijsen en haar gered had van de verdrinkingsdood toen ze door een windvlaag overboord was gevallen; de echtgenoot wiens liefde voor Catherine Sorenson-Fleming leidde tot een klinische depressie na haar dood. Had je echt geen vrouw zoals zij kunnen vinden, pap? Moest je echt zo nodig met Sylvia trouwen?

Ze belde Joseph om te vragen of hij haar kon ophalen. Daarna ging ze op een kleine plaza zitten en luisterde naar de klaterende fontein achter haar. De lucht was vrijwel onbewolkt, de zon brandde op haar huid. Afgeleid door ongewenste herinneringen merkte ze nauwelijks het groepje zakenlui op dat afstapte op de gastvrouw van Rhapsody's. Het was de stem die haar deed opkijken, die dreunende, diepe bas die in de rechtszaal zo ernstig klonk. Aan de overkant van de plaza zag ze hem staan: Flexon Mubita. Er waren twee Zambianen bij, een lange man in een donker pak en een mooie vrouw in chitenge. De man herkende ze niet, maar de vrouw wel degelijk.

Patricia Nyambo.

Met haar iPhone nam Zoë snel een paar foto's en leunde weer achterover op het bankje. Ze probeerde te verwerken wat ze had gezien. Mariam had een grenzeloos vertrouwen in Mubita; dokter Chulu vond hem een eerbiedwaardig man. Zijn gedrag in de zaak van Kuyeya was onberispelijk. Zijn uitspraak over DNA was in het voordeel van hen geweest; hij had Benson Luchembe ernstig berispt over het verdwijnen van bewijsmateriaal. Hij en Patricia waren beiden rechters; natuurlijk kenden ze elkaar. Misschien was het niet meer dan een collegiale lunch.

Hoe meer Zoë erover nadacht, hoe minder waarschijnlijk dat leek. Mubita leidde het proces tegen de zoon van Patricia. Zij werkte voor het hooggerechtshof, waar elk beroep in deze zaak terecht zou komen. Wat zei rechter Van der Merwe ook alweer? 'Rechtspreken is het eenzaamste werk ter wereld, want relaties komen altijd op de tweede plaats. Een rechter dient iedere schijn van partijdigheid te vermijden.' Mogelijk was het juridisch ethos in Zambia minder streng, maar belangenverstrengeling was overal hetzelfde. Bovendien waren de Nyambo's duidelijk niet te vertrouwen. Er was bewijsmateriaal zoekgeraakt; iemand had bij haar ingebroken; Thoko Kaunda was beïnvloed. Met een schok bedacht Zoë plotseling: stel dat ze ook Mubita proberen om te kopen?

Toen Joseph kwam aanrijden en toen de auto stilstond, stapte ze meteen in. 'Moet je kijken wie daar samen gaan lunchen,' zei ze. Ze liet hem de foto's zien.

Zijn blik werd duister. 'Zitten ze daar nu?'

Ze knikte. 'Wie is die lange man?'

'De staatssecretaris van Justitie.'

Ze schudde haar hoofd. De betrokkenheid van een machtig politicus – een staatssecretaris zelfs – vergrootte haar bezorgdheid. 'Wat zullen we doen?'

'Als ze hem omkoopt, dan kúnnen we waarschijnlijk niets doen. Maar we weten niet waar ze over praten.' Hij keek weer naar de foto's. 'De echtgenoot van Mariam heeft connecties in de politiek. Misschien kan hij navraag doen.'

Zoë kon zich nauwelijks bedwingen. Eerst Sylvia en nu dit! 'Breng me alsjeblieft naar huis. Ik wil nu niet meer terug naar kantoor.'

Joseph knikte en reed Great East Road op richting Kabulonga. Na een poos vroeg hij: 'Wat deed je daar bij Rhapsody's?'

'Dat is een lang verhaal.'

Hij keek haar van bezijden aan. 'Ik hoef op dit moment nergens heen.'

Uit gewoonte praatte ze eromheen, maar ze vermoedde dat ze maar beter openheid van zaken kon geven. Ze had er genoeg van zo op haar woorden te letten, haar gevoelens in te houden en haar littekens te verbergen. 'Goed dan,' zei ze, verrast door het gemak waarmee ze het zich liet ontvallen. 'Als je wilt, zal ik het je vertellen.'

Toen ze aankwamen bij de bungalow van de Prentices was de carport leeg. Zoë opende de voordeur en riep Rosa, maar ze hoorde alleen maar de echo van het marmer weerkaatsen. Ze liep voor Joseph uit naar het terras, en ze gingen op de rieten stoelen bij het zwembad zitten. Ze keek uit over het water en voelde een vlaag van angst. Even twijfelde ze over haar beslissing, maar ze wist dat ze moest doorzetten. De last moest worden gedeeld.

'Mijn vader en ik hebben... een moeizame relatie,' begon ze. 'We verschillen veel van elkaar, maar ik heb respect voor hem. Vroeger konden we het goed met elkaar vinden, en hij hield zielsveel van mijn moeder.' Ze grinnikte even. 'Maar misschien nog meer van geld verdienen. Hij had het echt heel moeilijk toen ze overleed. Trevor en ik waren op onszelf aangewezen. Het was een zware tijd.'

Ze luisterde naar de kwinkelerende vogels in de *msasa*bomen. 'Een jaar later ontmoette hij op een liefdadigheidsbijeenkomst een vrouw, Sylvia Martinelli. Ze werkte als celebrityjournaliste, in feite als imagoconsultant. Ze was mooi, en hij was eenzaam. Ik mocht haar niet, maar dat lag niet aan haar, toen nog niet. Nadat ze getrouwd waren, begon papa te veranderen. Hij kreeg andere ambities. Hij had een ongelooflijk succesvolle firma op Wall Street opgebouwd, maar dat was blijkbaar niet voldoende. Ineens wilde hij president van de Verenigde Staten worden. Ik weet niet of dat idee van Sylvia kwam, of dat zij het alleen maar heeft aangemoedigd, maar na zijn beslissing zich verkiesbaar te stellen, veranderde alles.'

Ze slaakte nerveus een zucht. 'Zijn eerste race was voor de Senaat in 2000. Hij had zijn investeringspartner, een van zijn beste vrienden, gevraagd de campagne te voeren. Harry Randall heette hij. Onze families waren met elkaar bevriend. Elke zomer logeerden de Randalls twee weken bij ons op Martha's Vineyard. In dat jaar hadden papa en Harry het te druk met de campagne, maar de anderen kwamen wel. Harry had een zoon die Clay heette. Ik was verliefd op hem. Hij leek zachtaardig, en ik was zeventien en naïef. Het was kalverliefde, maar ik was zo dwaas te geloven dat hij van me hield.'

Ze keek naar Joseph en zag een afwezige blik in zijn ogen. 'Verveel ik je?'

Hij schudde zijn hoofd. 'Nee, ik begin je te begrijpen.'

'Goed, ik gooi het er allemaal uit,' zei ze, terwijl ze een traan voelde opkomen. 'Mijn broer vertrok al na een week om zich voor te bereiden op Harvard. Meteen na zijn vertrek begon Clay handtastelijk te worden. Hij wilde met me naar bed. Ik antwoordde dat ik daar nog niet klaar voor was. Op onze laatste dag op het eiland gingen we samen naar het strand. Hij begon te zoenen, en ik liet dat toe. Dat hadden we wel vaker gedaan. Maar hij wilde meer. Ik weigerde. Dat accepteerde hij niet.'

Ze liet haar tranen vrijelijk stromen. 'Ik had niet verwacht dat ik er zo'n last van zou krijgen.'

'Toe maar,' zei Joseph bemoedigend.

Ze lachte. 'Je blijft altijd zo rustig.'

Hij trok zijn schouders op, maar reageerde niet.

'Ik wist niet wat ik moest doen,' ging ze verder. 'Trevor zat in Massachusetts. Papa voerde campagne. Uiteindelijk barstte ik bij Sylvia in huilen uit. Ze belde mijn vader en die vloog meteen naar de Vineyard. Toen ik het hem vertelde, zag ik zijn paniek. Ik zat in de woonkamer, terwijl hij en Sylvia met elkaar overlegden. Daarna begon hij me vragen te stellen. Hoe ver was ik daarvóór met Clay gegaan? Hoe ver met andere jongens? Het was duidelijk waar hij op zinspeelde. Ik vroeg wat hij van plan was, en hij antwoordde dat hij niets kon doen. Het berustte allemaal op een misverstand. Ik moest het maar vergeten.'

In de ogen van Joseph glansde woede. 'Heb je dit ooit eerder aan iemand verteld?'

Ze schudde haar hoofd, voelde zich uitgeput. 'Ik had het aan Trevor willen vertellen, maar telkens wanneer ik hem sprak had hij het te druk met zijn studie. En toen won papa de verkiezingen, en begon ik aan mijn eindexamenjaar. Ik heb nooit het juiste moment kunnen vinden.'

Hij pakte haar hand. 'Wat erg voor je, Zoë. Het was niet jouw schuld.'

Ze knikte. 'Dat weet ik nu. Mannen doen maar wat ze willen en vrouwen worden erop aangekeken. Dat is overal in de wereld hetzelfde.'

Hij keek peinzend voor zich uit. 'Wat deed je eigenlijk in Rhapsody's?'

'Ik heb met Sylvia geluncht.'

'Ah, nu begrijp ik het.'

Ze tuurde naar de lucht en zag de wolken opkomen. Aan het einde van de middag zou het gaan stormen. 'Laten we teruggaan naar kantoor.'

Hij keek haar aan. 'Weet je zeker dat je dat wel aankunt?'

Ze knikte en veegde haar laatste tranen weg. 'Je moet met Mariam praten.'

20

Lusaka, Zambia, december 2011

EEN PAAR DAGEN LATER LIET MARIAM het responsteam bij elkaar komen voor een ochtendvergadering. Nu de monsters uit het ziekenhuis waren gestolen, was de strategie van het team in het proces tegen Darious gewijzigd en concentreerde het zich op nieuw bewijsmateriaal. Joseph had twee maanden lang Kabwata en Kanyama uitgekamd op zoek naar een nieuwe ooggetuige. Bovendien had hij de afgelopen week samen met Mariam onderzoek gedaan naar Flexon Mubita. Toen ze zag dat Joseph met een tevreden uitdrukking aan de vergadertafel ging zitten, wist Zoë dat hij iets ontdekt had.

'Ik heb goed en slecht nieuws,' begon Mariam. 'Laat me beginnen met het slechte nieuws. Zoals jullie weten werkt mijn man voor het ministerie van Binnenlandse Zaken. Op mijn verzoek heeft hij navraag gedaan naar de hoogste districtsrechter. Officieel is zijn gedrag onbesproken. Hij is een scherpzinnige, ervaren en onpartijdige rechter. In de wandelgangen is echter bekend dat hij al jaren aast op een zetel in het hooggerechtshof en dat hij telkens wordt gepasseerd. Blijkbaar heeft hij niet de juiste contacten.'

Ze legde haar handen op de tafel. 'Het kan zijn dat hij om een volstrekt geldige reden een ontmoeting had met Patricia Nyambo en de staatssecretaris van Justitie. Ik wil dat graag geloven, maar heb daar toch ernstige twijfels over. Een stem van de minister van Justitie zou hem een promotie opleveren naar het hooggerechtshof. Als ik in Mubita's schoenen stond, zou ik nooit met hen zijn gaan lunchen, niet zolang ik rechtsprak in het proces tegen Darious. Dat roept te veel vragen op. Ik denk dat de Nyambo's hem willen inpalmen. Gezien de partijen die hierbij betrokken zijn, staan we machteloos. Als Mubita zich tegen ons keert, kunnen we alleen maar de zaak laten voorkomen en hopen dat we in beroep kunnen gaan.'

Niza keek sceptisch. 'Betekent een lunch in een openbare gelegenheid niet juist dat ze niets te verbergen hebben? Restaurant Rhapsody's is een vreemde locatie voor achterkamertjesgerommel.'

Sarge schudde zijn hoofd. 'Een restaurant geeft hun een legitiem excuus. De locatie doet er niet toe. Het gaat om de ontmoeting. Ik ben het met Mariam eens. Een gewetensvolle rechter zou daar nooit mee instemmen, niet onder deze omstandigheden. Dat hij dat wel deed, betekent dat hij zijn reputatie op het spel durft te zetten.'

Zoë keek naar Mariam. 'Jij kent hem. Hoe waarschijnlijk is het dat hij zich laat corrumperen?'

Mariam trok haar schouders op. 'Dat hangt ervan af hoe graag hij wil hebben wat ze hem bieden. Hij is naar ons toe altijd billijk geweest. Maar ieder mens kan veranderen.'

Niza tuitte haar lippen. 'Dus eigenlijk zeg je dat deze zaak kan uitdraaien op totale tijdverspilling. Wat is het goede nieuws?'

Mariam keek naar Joseph. 'Vertel zelf maar wat je hebt ontdekt.'

Joseph boog voorover in zijn stoel. 'Een tijd geleden hebben we het gehad over de vraag of maagdenverkrachting een rol zou kunnen spelen in Kuyeya's geval. Een vergezochte theorie, maar ik ben erop doorgegaan. Ik heb een aanwijzing dat deze theorie kan kloppen.'

'Je hebt een nganga gevonden,' zei Zoë verbijsterd.

Toen hij knikte, vroeg Niza: 'Hoe heb je dat voor elkaar gekregen?'

Hij glimlachte, genietend van het moment. 'Ongeveer een maand geleden heb ik in Kanyama een oudere vrouw ontmoet die de suv van Darious herkende. Ze had de wagen zien staan voor het huis van een nganga, een zekere Amos. Ik bezocht deze Amos en deed alsof ik seropositief was. Ik ben een paar keer naar hem teruggegaan, zogenaamd omdat zijn kruiden niet werkten. Gisteren eiste ik een medicijn dat werkte. Ik bood hem één miljoen kwacha. Raad eens wat hij me voorschreef?'

'Ga weg,' zei Niza. 'Schreef hij daadwerkelijk seks voor met een maagd?'

'Nog erger,' zei Joseph. 'Volgens hem zou een kind het gewenste resultaat geven.'

'Heb je dat gesprek opgenomen?' vroeg Zoë.

'Ja. En dat liet ik hem merken, waarna ik hem twee opties gaf. Ik kon hem laten oppakken wegens een zwaar vergrijp, of hij kon me alles over Darious Nyambo vertellen. Hij deed een beetje moeilijk...'

'Een beetje maar?' onderbrak Niza hem.

Joseph stak zijn handen uit. 'Hij was woedend, maar niet dom. Hij wilde wel praten, maar alleen in het bijzijn van zijn advocaat.'

'Wie is dat?' vroeg Sarge.

'Bob Wangwe.'

Niza lachte. 'Advocaten krijgen de cliënten die ze verdienen.'

'Wie is die Wangwe?' vroeg Zoë.

'Een schimmige figuur die andere schimmige figuren bijstaat,' antwoordde Sarge.

'Wanneer ga je naar hem toe?' vroeg Zoë.

'Vanmiddag,' antwoordde Joseph, 'als we de openbare aanklager achter ons krijgen. Amos zei dat hij van Wangwe niets mocht zeggen als hij niet van vervolging werd gevrijwaard.'

'Wat weet Amos over Darious?' vroeg Niza.

'Daar liet hij niets over los. Ik dreigde met een arrestatie, maar hij hield zijn mond.'

'Je moet een getuige meenemen,' zei Sarge. 'Voor het geval hij zijn getuigenis achteraf bestrijdt.'

'Ik ga wel mee,' bood Zoë aan. Ze probeerde niet te gretig over te komen.

'Als jij dat goedvindt,' zei Mariam tegen Joseph.

Hij knikte. 'We vormen een goed team.'

Vlak voor tweeën reden Joseph en Zoë in zijn pick-up naar Kanyama. Tijdens een opstopping ten zuidwesten van Cairo Road stelde ze de vraag die haar de hele ochtend had beziggehouden: 'Waarom heb je me niet eerder over Amos verteld?'

'Ik wist niet of het iets zou worden.'

'Weet je zeker dat hij wil meewerken?'

'Je bedoelt: of hij niet op de vlucht slaat. Dat betwijfel ik. Hij woont al tien jaar in Kanyama.'

Een paar minuten later zag Zoë een bord waarop stond: DR. MWENYA AMOS, HERBALIST EN MEDICIJNMAN. Vóór het bord sloegen ze een zandweg in die naar een door schaduwbomen omringd huis liep. Anders dan de armoedige woningen eromheen, had het huis van de nganga geborduurde gordijnen, een kruidentuin en een rood geverfde voordeur. Er stonden twee auto's voor het huis: een aftandse gele personenauto en een witte Prado SUV.

'Moet je die deur zien,' zei Joseph. 'Rood is het symbool voor spirituele macht.'

'Hij is dus én walgelijk én een oplichter.'

Hij trok zijn schouders op. 'Zijn klanten denken daar blijkbaar anders over.'

Een bebrilde Zambiaanse man in krijtstreeppak begroette hen in de tuin. Hij hoestte een keer met zijn hand voor zijn mond, en stak diezelfde hand uit naar Joseph. 'Agent Kabuta, mijn naam is Bob Wangwe, de advocaat van de heer Amos.'

Joseph nam de hand niet aan. 'Is uw cliënt er klaar voor?'

Wangwe schraapte zijn keel. 'Hij komt zo naar buiten. Hij is bezig het huis te zuiveren.'

Zoë rolde met haar ogen. 'En hoe lang gaat dat duren?'

'Met wie heb ik het genoegen?' vroeg Wangwe met een frons.

'Ik werk als jurist voor het openbaar ministerie,' antwoordde ze.

Wangwe mompelde iets. 'Is de officier van justitie bereid mijn cliënt te vrijwaren van vervolging?'

'Uw cliënt wordt verdacht van een misdaad,' antwoordde Joseph droog. 'We zullen zien wat hij te zeggen heeft. Als het nuttig is, wordt hij gevrijwaard. Zo niet, dan draait hij de bak in.'

Wangwe keek op zijn horloge, een glanzend verguld voorwerp dat op een Rolex leek, en keek om naar het huis. Even later verscheen er een man op de drempel in een lange broek en ruim wit overhemd. Hij liep naar de tuin en hurkte neer om een handjevol takjes van een kruidgewas te plukken. Hij gaf een takje aan Wangwe, een aan Joseph en een derde aan Zoë.

'Erop kauwen en uitspugen,' zei hij. 'Het zuivert je van de geesten der doden.'

Zoë wilde dit spontaan weigeren, maar Joseph snoerde haar met zijn blik de mond. Hij stopte het takje in zijn mond, kauwde erop en spuugde het uit op de grond. Met tegenzin deed Zoë hem na. Het kruid liet een bittere smaak na in haar mond.

'Kom,' zei dokter Amos, die voor hen uit naar binnen liep.

Het eerste wat Zoë opviel aan de woning van de nganga was de indringende geur. De woonkamer stond vol met tafels waarop de waren van de nganga stonden uitgestald – wierook, kruiden, veren, botten en resten van dieren. Overal stonden flessen in alle maten. In sommige zat poeder, in andere kruiden, de overige waren leeg. Midden op een tafel lag het verminkte karkas van een vogel in een cirkel van gedroogd bloed. Zoë voelde zich misselijk worden. Ze hield zich staande tegen de muur en probeerde rustig te ademen.

De nganga wees naar een donkere zijkamer. 'Deze kant op.'

De kamer was half zo groot als de woonkamer. Er stonden geen meubels.

Door de zware gordijnen voor de ramen hing er in de ruimte een grotachtige sfeer. Er lagen twee kleden op de vloer, een witte en een rode. Daartussenin lag een stapel half afgebrande takken. Dokter Amos ging met zijn benen over elkaar op het rode kleed zitten en liet Joseph en Zoë plaatsnemen op het witte kleed. De advocaat, Wangwe, keek om zich heen voordat hij ongemakkelijk neerhurkte op de betonnen vloer.

Joseph trok de gordijnen open en liet brede stralen zonlicht binnen. 'We zijn hier niet voor een consult,' zei hij, de woedende blik van de nganga negerend. 'Ik wil u in de ogen kunnen zien.'

Toen iedereen was gaan zitten, nam Wangwe het woord. 'Ik adviseer mijn cliënt uw vragen niet te beantwoorden als u hem niet volledig vrijwaart van vervolging.'

Joseph keek de advocaat aan tot die zijn ogen neersloeg. 'Als hij geen antwoord geeft op mijn vragen, neem ik hem voor verhoor mee naar het bureau van Woodlands.'

'Zo ver hoeft het niet te komen,' kwam Amos snel tussenbeide.

'Dat dacht ik ook.' Joseph haalde een digitale recorder tevoorschijn en zette die op de vloer. 'Het gesprek wordt opgenomen.'

'En ik maak er een back-up van,' zei Zoë, terwijl ze haar iPhone pakte.

Wangwe draaide ongemakkelijk op zijn plaats, maar maakte geen bezwaar.

Joseph begon aan zijn inleiding. Hij noemde de namen en functies van de aanwezigen in de ruimte, de datum en tijd, de vrijwillige aard van het verhoor, het feit van de opname en de voorwaarden voor vrijwaring. Toen Amos en Wangwe hun deelname bevestigden, begon hij over de zaak in kwestie.

'We zijn geïnteresseerd in de diensten die u aan een zekere Darious Nyambo hebt verleend,' begon hij. 'Darious is verdachte in een hangende verkrachtingszaak. Wanneer hebt u hem leren kennen?'

'Vorig jaar na het regenseizoen kwam hij bij me op consult,' antwoordde Amos. 'Hij dacht dat hij aids had.'

'Had hij zich laten testen?'

Amos schudde zijn hoofd. 'Hij wilde geen diagnose van westerse artsen.'

'Waarom niet?'

'De westerse geneeskunde is voor de zwakken. Zijn vader is een vooraanstaande persoon.'

'Kent u zijn vader ook?' vroeg Joseph.

Amos koos zijn woorden zorgvuldig uit. 'Hij consulteert een vriend van me.'

'Is hij ook ziek?'

De nganga schudde zijn hoofd. 'Hij gelooft in mukwala. Hij gebruikt medicijnen.'

'Bedoelt u dat hij praktiserend wonderdokter is?' vroeg Zoë.

Amos keek geïrriteerd op. 'Typisch woorden die muzungu's gebruiken om te beschrijven wat ze niet begrijpen. De heer Nyambo heeft kennis van de geesten.'

Zoë kwam tot een inzicht. Darious was bang dat hij aids had, maar hij was nog banger voor de geneeskundige praktijken van zijn vader. Dus hield hij zich verre van hiv-testen en aidsremmers en bezocht hij Amos.

Joseph hervatte het vraaggesprek. 'Hoe is Darious bij u terechtgekomen?'

Amos haalde zijn schouders op. 'De meesten van mijn patiënten zijn doorverwezen. Ik vraag nooit door wie.'

'Heeft hij u verteld door wie?'

De nganga schudde zijn hoofd. 'Aanvankelijk niet. Maar na een paar bezoeken begon hij wat meer los te laten.'

'Wat wilt u daarmee zeggen?'

Amos slaakte een zucht. 'Agent Kabuta, ik ga anders te werk dan de witte artsen, die hun patiënten met een dosis pillen naar huis sturen. Ik moedig mijn patiënten aan mij als een vriend te beschouwen. In de loop van de behandeling doen velen van hen hun verhaal. Darious ook.'

'Wat heeft hij u verteld?'

De nganga fronste bedachtzaam. 'Hij heeft mij veel verteld.'

Joseph gooide het over een andere boeg. 'Ik zou graag willen weten hoe Darious over zijn ziekte dacht.'

'Hij dacht dat hij besmet was door een mahule.'

'Wie was die mahule?' vroeg Joseph, terwijl hij een blik met Zoë uitwisselde.

De nganga vouwde zijn handen open. 'Hij vertelde niet hoe ze heette. Maar hij dacht dat ze een heks was. Hij geloofde dat ze hem had betoverd en hem zijn gezondheid had ontnomen.'

'Waarom dacht hij dat? Deed zij aan tovenarij?'

'Ik weet alleen wat Darious me verteld heeft. Volgens hem had ze zijn familie behekst.'

'En legde hij uit wat dat inhield?'

De nganga keek hem ernstig aan. 'Hij zei dat de mahule een vloek had uitgesproken over zijn ouders. Ze was de oorzaak van veel strijd en pijn.'

Zoë was verbijsterd. Was Frederick Nyambo ook een klant van Bella geweest? Had Patricia dat ontdekt en had ze haar man daarmee geconfronteerd?

'Heeft hij het met u over zijn ouders gehad?' vroeg Joseph.

De nganga stak zijn handen omhoog. 'Meer weet ik niet. Maar Darious haatte de mahule grondig. De schade moet groot zijn geweest.'

'Als hij haar zo haatte, waarom bleef hij dan met haar naar bed gaan?' vroeg Zoë.

'Hij zei dat hij niet wist wie zij was. Tot het te laat was.'

Het raderwerk in Zoë's hoofd stond stil. Hoe kon hij dat niet hebben geweten? Had ze haar identiteit voor hem verborgen gehouden?

'Wanneer zou die vloek over zijn familie zijn uitgesproken?' vroeg Joseph.

'Darious was nog toen nog jong,' antwoordde de nganga. 'Zestien jaar, zei hij, geloof ik.'

Zoë staarde naar Amos. 'Darious is nu dertig, toch?'

Hij knikte. 'Veel te jong om zo ziek te zijn.'

Ze leunde achterover en begon het te begrijpen. Wat er was gebeurd tussen Charity en de familie Nyambo, had plaatsgevonden kort nadat zij naar Lusaka was verhuisd. Maar Darious had haar toen nog niet ontmoet. Toen hij haar jaren later in de Alpha Bar ontmoette, dacht hij dat ze gewoon een prostituee was. Plotseling kwamen vragen in Zoë op die de nganga niet zou kunnen beantwoorden. Ze moest niet vergeten een afspraak te maken met Clay Whitaker van de Wereldbank.

Er kwam nog iets in haar op. 'Hoe heeft hij ontdekt wie zij was?'

De nganga groef in zijn geheugen. 'Dat weet ik niet,' antwoordde hij uiteindelijk.

Joseph keek haar met een vragende blik aan, en Zoë gebaarde dat hij moest doorgaan. Hij sneed een nieuw onderwerp aan. 'Toen Darious naar u kwam met zijn zorgen – over aids, over de vloek van de mahule –, wat schreef u hem toen voor?'

'Ik gaf hem dezelfde kruiden die ik u gaf,' antwoordde Amos. 'Een kruid tegen tuberculose, een tegen diarree en een tegen hoofdpijn. Mijn eigen triple-therapie.'

'Wanneer begon hij om iets sterkers te vragen?'

'Na ongeveer twee weken. Hij zei dat de kruiden hielpen tegen de diarree, maar niet tegen zijn huidproblemen. Hij had grote donkere vlekken in zijn gezicht en hals. Ook had hij uitslag in zijn kruis.'

'Wat heeft u hem daartegen gegeven?'

'Ik heb hem een krachtig kruid gegeven dat – hoe heet dat in uw taal – het lichaam ontgift, inclusief de huid. Ook gaf ik hem medicijnen mee tegen geslachtsziekten. Het leek te helpen.'

'Maar toch kwam hij terug.'

'Een paar maanden later.'

'Wanneer precies?'

De nganga keek naar buiten en Zoë zag zweetdruppeltjes op zijn wenkbrauwen. 'Ik geloof in juli. Het was heel koud.'

'Wat zei hij toen?'

'Dat de kruiden niet werkten. Hij maakte zich grote zorgen over de vloek die op hem rustte. Hij wilde die verdrijven met een heel sterke mukwala.'

Joseph leunde voorover. 'Wat schreef u hem toen voor?'

Voor het eerst toonde de nganga tekenen van paniek. 'Ik zei dat ik hem kon helpen. Mijn grootvader was een uitmuntend nganga, hij kon vervloekte mensen genezen.'

'Heeft u een toverspreuk over hem uitgesproken?'

Amos verschoof op het kleedje. 'Nee. Dat wilde hij helemaal niet. Hij wilde wraak nemen op de mahule. Hij wilde haar pijn doen zoals zij hem pijn had gedaan. Ik vertelde hem dat mukwala zo niet werkte. Maar hij wilde niet naar me luisteren.'

Joseph keek de nganga indringend aan. 'Als u ook maar één keer tegen me liegt, laat ik u gevangenzetten. Is dat duidelijk?'

Amos slikte luid, het zweet stond op zijn wangen.

'Ga verder,' zei Joseph.

De nganga keek naar zijn advocaat en zijn handen begonnen te trillen. 'Ik heb geprobeerd hem over te halen, maar hij wilde per se genezen. Hij vertelde me een verhaal dat hij van een vriend kende: wanneer een man met een maagd naar bed gaat, zou het gif op haar overgaan. Hij wilde weten wat ik daarvan dacht. Ik zei dat ik het verhaal kende. Het klopt. Er zijn veel nganga's die daarin geloven.'

Joseph wachtte even en vroeg: 'Wilde hij nog meer weten?'

Amos richtte zijn blik op de vloer. 'Hij vroeg me hoe hij kon bepalen of een meisje nog maagd was.'

'Welk advies gaf u hem?'

De nganga zuchtte en leek ineen te krimpen. 'Ik zei dat hij dan bloed zou zien.'

Na deze bekentenis kon Zoë de medicijnman wel aanvliegen. Even stelde ze zich voor dat ze zijn keel dichtkneep. Joseph legde een hand op haar knie en kneep zacht.

'Hoe reageerde Darious daarop?' vroeg hij de nganga.

'Met een glimlach,' zei Amos. 'Ik weet het nog goed. Hij zei dat hij de heks zou beheksen.'

'Heeft hij dat letterlijk zo gezegd?'

Amos knikte. 'Zoiets vergeet je niet.'

'Heeft hij nog meer verteld, bijvoorbeeld over een kind?'

De nganga schudde zijn hoofd. 'Hij betaalde me en vertrok. Ik heb hem nooit meer gezien.'

Toen Joseph het gesprek beëindigde, herhaalde Bob Wangwe het verzoek van zijn cliënt om vrijwaring en dreigde Joseph met een klacht als hij als politiecommissaris niet aan zijn verzoek voldeed. De zelfvoldaanheid van de advocaat maakte Zoë zo razend dat ze abrupt opstond en stampend naar buiten liep, Joseph achterlatend om de details van de overeenkomst te bespreken.

Ze scheerde langs de rand van de kruidentuin en beende over het pokdalige pad naar Los Angeles Road, nog net niet rennend. Ze wist dat ze Darious na de getuigenis van de nganga achter de tralies konden zetten, maar het ging plotseling niet meer om het winnen van het proces. Er werden in zuidelijk Afrika duizenden meisjes als Kuyeya misbruikt. Zolang de autoriteiten mannen als Amos en Darious geen enkele vrees inboezemden, werd het zusterschap van slachtoffers alleen maar groter.

Ze merkte niet dat ze werd gevolgd door een grijze Toyota Prado tot ze bij de kruising van Los Angeles Road was. Ze stond naast het bord van de nganga en voelde de neiging het met een kettingzaag aan flarden te zagen. Pas toen merkte ze de suv en de man achter het stuur op. Verstijfd van schrik staarde ze hem aan.

Het was Dunstan Sisilu.

Ronkend stoof de Prado naar voren en kwam met piepende banden vlak voor haar neus tot stilstand. Elke vezel in haar lichaam wilde vluchten, maar haar benen zetten de boodschap van haar hersens niet snel genoeg in actie om. Sisilu stapte uit met een enorme, zilverkleurige revolver in zijn hand.

'Instappen,' zei hij dreigend, terwijl Zoë haar iPhone voelde trillen.

Joseph! dacht ze, starend naar het wapen. Waar blijf je?

Sisilu prikte met de revolver in haar ribben en duwde haar ruw de auto in. Hij zette de Prado in zijn achteruit en trapte op het gaspedaal, waardoor de auto naar achteren over de zandweg schoot. Een paar meter verder sloeg hij met een scherpe bocht een steeg in die vol hing met waslijnen en trapte weer op de rem. Toen de suv stilstond, kon Zoë door het gordijn van wasgoed nauwelijks de steeg in kijken. Ze voelde haar iPhone weer trillen.

Sisilu zette zwijgend de loop van zijn revolver tegen haar hoofd. Haar hart leek even stil te staan en uit haar borstkas te knallen. Zijn stinkende adem maakte haar misselijk.

'Je luistert niet goed,' zei hij, terwijl hij de haan spande tot die klikte.

Ze sloot haar ogen, ervan overtuigd dat haar leven voorbij was.

Na een ogenblik zei hij: 'Je denkt je achter je vriendje en zijn penning te kunnen verschuilen. Je waant je veilig dankzij je kennissen op de ambassade. Je denkt dat je vader, de senator, je zal beschermen. Maar je hebt het mis. Dit is Afrika. Ik kan je altijd en overal vinden. Als je je met andermans zaken blijft bemoeien, zullen er doden vallen.'

Met de kolf van zijn revolver gaf hij haar een klap tegen haar slaap. Zoë zag sterretjes en daarna viel de duisternis in. Ze hoorde nog een dreun, voelde een duwtje van een hand en merkte dat ze viel. Opnieuw zag ze een regen van sterretjes.

Daarna werd alles zwart.

Eerst hoorde ze een echo. Uit de weergalmende klanken maakte ze op dat iemand haar naam riep. Ze schrok op, en toen herkende ze de stem – hij was van Joseph. Ze kreunde. Het was alsof iemand een spijker in haar schedel had getimmerd. Langzaam kwamen haar zintuigen weer op gang. Ze lag op haar zij in het zand. Er wapperde iets kleurrijks boven haar – een stuk van een chitenge. Ze zag het gezicht van Joseph boven zich. Hij zei iets. De woorden galmden in haar hoofd. Langzaam drong de betekenis tot haar door.

'Wat is er gebeurd? Wie heeft je zo toegetakeld?'

Kreunend ging ze rechtop zitten. De barstende hoofdpijn werd erger. Ze opende haar ogen en zag dat de steeg verlaten was. Alleen de pick-up van Joseph stond er. Ze wreef over haar gezicht en keek hem aan. Joseph keek geschrokken uit zijn donkere ogen.

'Dunstan Sisilu,' zei ze uiteindelijk.

'Wat?' siste Joseph. 'Ik wist niet dat we werden achtervolgd.'

'Hij reed in een grijze Prado.'

'Kun je rechtop staan?' vroeg hij, ineens gehaast. 'We moeten hier weg.'

Ze reikte hem haar arm en trok zichzelf omhoog. 'Hij weet alles,' zei ze, terwijl ze op hem steunde tot ze bij de pick-up waren. 'Hij weet van jou, de Prentices, mijn vader. Hij drukte zijn revolver tegen mijn slaap en dreigde iemand te vermoorden als ik deze zaak niet zou laten rusten.'

Hij hielp haar met instappen en zei: 'Geef me een minuutje. Ik moet even iets controleren.'

Als verdoofd leunde ze achterover in de stoel en sloot haar ogen. Joseph bleef een poosje weg; toen hij instapte legde hij een voorwerp op haar schoot. Ze keek naar beneden en zag een zwart plastic blokje, ongeveer zo groot als een mobiele telefoon.

'Wat is dat?' vroeg ze verbaasd.

'Een gps-tracker. Hij zat onder de bumper.' Joseph startte de motor en reed de weg op. 'Weet je nog, in Livingstone? Sisilu leek exact te weten waar we waren. Ik dacht dat ik niet goed had gekeken. Maar vandaag heb ik wel goed opgelet. Ik zou hem gezien moeten hebben.' Hij keek bedrukt. 'Dat ik hier niet eerder aan heb gedacht.'

'Je denkt dat hij zo'n ding toen onder onze huurauto heeft geplaatst?'

'Natuurlijk. Makkelijk zat.'

Ze huiverde. 'Denk je dat hij er ook eentje onder mijn Land Rover heeft bevestigd?'

'Dat weet ik wel zeker. Vandaar dat je de huishoudster niet meer in de Shoprite hebt gezien.'

'Wat gaan we doen?' vroeg ze, nieuwsgierig naar zijn oplossing.

'We laten ze gewoon zitten. Dan denkt hij dat we het niet doorhebben. Als we onvindbaar willen zijn, laten we ze thuis.'

Ze kreeg een beangstigende gedachte. 'Die man weet alles. Wie onze getuigen zijn...'

Joseph keek haar ernstig aan. 'We moeten vanaf nu heel voorzichtig zijn.'

21

D E VOLGENDE OCHTEND DEED JOSEPH in het responsteam verslag van het verhoor van dokter Amos en de gewelddadige nasleep ervan, inclusief van de ontdekking van de gps-tracker onder zijn pick-up en Zoë's Land Rover. Zoë zat naast hem aan tafel, met een hoofdpijn die door geen enkele hoeveelheid paracetamol kon worden verdreven. Mariam had geëist dat ze een dagje vrij zou nemen, maar ze zat niet op medelijden te wachten. Ondanks de pijn wilde ze hoe dan ook genieten van het moment. Het verhaal van de nganga steunde niet alleen haar theorie over Bella's verleden, maar had ook een wending gegeven aan een verhaal dat anders onbegrijpelijk was gebleven.

'Als ik niets over het hoofd zie,' zei Mariam, 'hebben we dus weer een zaak. Maar we moeten voorzichtig zijn. De Nyambo's zullen alles doen om ons tegen te werken.'

Sarge knikte. 'Je zou bij het beveiligingsbedrijf moeten vragen om nachtbewaking.'

'Dat ga ik vandaag nog doen,' antwoordde Mariam. 'En we moeten allemaal onze auto's checken. Als we in de gaten worden gehouden, moeten we dat weten.'

'Alles goed en wel,' zei Niza, 'maar er is volgens mij nog niets bewezen. Amos heeft niet gezegd wie de prostituee is. Ook wist hij niets van Kuyeya. We moeten het verband nog leggen.'

Zoë schudde haar pijnlijke hoofd. 'Doris kan getuigen over Bella en Darious.'

Niza sprak beheerst. 'Dat is nuttig. Maar Luchembe zal alle andere mahules die Darious kende van stal halen. We moeten antwoord kunnen geven op de vraag: "Waarom Bella?"'

'Ze kende de Nyambo's van vroeger,' wierp Zoë tegen. 'En ze had een gehandicapte dochter.'

'Luister,' zei Niza. 'Ik denk ook dat Bella de prostituee is. Maar ik geloof niet dat we dat al kunnen aantonen.'

Zoë wilde het niet toegeven, maar Niza had een punt. Ze moesten meer over het verleden te weten komen.

Meteen na de vergadering pleegde Zoë drie telefoontjes buiten op de oprijlaan. Het eerste was aan Godfrey. Toen hij niet opnam, liet ze hem een dringend bericht na, waarin ze vertelde dat het onderzoek een kritieke fase had bereikt en dat Kuyeya dringend hulp van haar familie nodig had. De tweede persoon die ze belde was Mwela Chansa, Cynthia's echtgenoot. Tot haar verbazing nam hij na drie keer overgaan op.

'*Moni?*' zei hij in het Nyanja.

Zoë was zo verbijsterd toen ze zijn stem hoorde, dat ze even niets kon uitbrengen. '*Sindimalankhula chinyanja,*' zei ze na een ogenblik. 'Spreekt u Engels?'

'Met wie spreek ik?' vroeg hij aarzelend.

'Mijn naam is Zoë Fleming. Ik zou graag Cynthia willen spreken over haar nicht Charity.'

Ze hoorde een geruis op de lijn en daarna een vrouwenstem. 'Hallo?'

Zoë's hart bonsde luid in haar borst. 'Spreek ik met Cynthia Chansa?'

'Ja,' antwoordde de vrouw, op haar hoede.

Zoë stelde zich voor. 'Ik heb uw broer Godfrey ontmoet in Livingstone. We hebben het gehad over een nicht van u, Charity, en haar dochter Kuyeya.'

Cynthia ademde hoorbaar. 'Dat heeft hij me verteld. Waarom belt u me?'

'Hij dacht dat u nog zou weten wie de man was met wie Charity naar Lusaka is vertrokken.'

'Waarom wilt u dat weten?'

'Heeft Godfrey verteld wat er met Kuyeya is gebeurd?'

'Een afschuwelijk verhaal,' zei Cynthia zacht.

Zoë nam haar kans waar. 'Charity kende de man die Kuyeya heeft verkracht. Ik probeer na te gaan waarvan ze elkaar kenden. Ik wil weten waarom ze naar Lusaka is verhuisd.'

Na een poos zei Cynthia: 'Ik weet niet hoe hij heet. We hebben elkaar maar één keer ontmoet.'

Zoë liet haar teleurstelling niet blijken. 'Kunt u me iets vertellen over die ontmoeting?'

'Hij nam ons mee uit lunchen in Livingstone. Hij vertelde dat hij voor Charity een baan had gevonden.'

'Wat was dat voor baan?'

'Dat weet ik niet meer.'

'Dat moet wel een bijzondere baan zijn geweest, ze brak haar verpleegkundeopleiding ervoor af.'

Toen Cynthia bleef zwijgen, dacht Zoë dat de verbinding was verbroken. 'Bent u er nog?'

'Hoe lang gaat dit gesprek duren?' vroeg Cynthia, opnieuw op haar hoede.

'Niet zo lang. Had die man een relatie met Charity?'

Cynthia zuchtte. 'Hoe kan ik dat weten? Ik was nog een kind.'

'Uw grootmoeder dacht dat ze zwanger was.'

Cynthia onderbrak haar. 'Mijn oma denkt wel meer.'

'Ze schreef brieven aan u, klopt dat?' vroeg Zoë. 'Schreef ze ooit over een relatie?'

Cynthia antwoordde kortaf. 'Wat wilt u weten over de brieven?'

Op dat moment speelde Zoë open kaart. 'Luister, ik ben me ervan bewust dat dit vervelend is. Ik weet wat uw familie is overkomen. Maar ik ben op zoek naar iemand die me iets kan vertellen over Charity's leven in Lusaka vóór 2004. De brieven die ze aan u schreef kunnen ons op het spoor brengen van de man die Kuyeya heeft verkracht.'

Plotseling werd Cynthia boos. 'U weet helemaal niets over mijn familie. Volgens mijn man zou ik u moeten mijden. Had ik maar naar hem geluisterd.'

De verbinding werd verbroken. Zoë staarde woedend naar haar telefoon en voelde de hoofdpijn weer opkomen. Ze slaakte een diepe zucht, probeerde haar frustratie te onderdrukken. Daarna pleegde ze het derde telefoontje.

'Met Zoë Fleming,' zei ze tegen de receptioniste van de Wereldbank. 'Kunt u me alstublieft doorverbinden met Clay Whitaker.'

Even later nam Whitaker op. 'Zoë, wat een leuke verrassing!'

'Dank je, Clay. Ik wil je om een gunst vragen. Kun je voor mij uitzoeken waar Frederick Nyambo en zijn bedrijf in 1996 mee bezig waren?'

'Werk je aan een bepaalde zaak? Ik wil namelijk geen getuige zijn.'

'Het gaat inderdaad om een zaak. Maar ik laat je met rust als je mijn vraag beantwoordt.'

Whitaker lachte. 'Ben je altijd zo aardig?' Toen Zoë daar niet op reageerde, zei hij: 'Goed, 1996. In dat jaar sleepte Nyambo Energy het contract binnen voor het eerste particuliere energieproject in Zimbabwe. Het was een eerste stap in de richting van privatisering, al viel die niet uit op de manier die Frederick had gehoopt. Daar hebben we het al eens over gehad.'

'Hoe was dat particuliere energieproject tot stand gekomen? Moest Nyambo daarvoor naar Zimbabwe?'

'Waarschijnlijk wel. Hoezo?'

Zoë woog de risico's af en besloot hem te vertrouwen. 'Ik wil weten of hij in maart of april van dat jaar een reisje naar Livingstone of de Victoriawatervallen heeft gemaakt.'

'Ik denk niet dat hij daar hoefde te zijn voor het project. Meestal doet de Zimbabwaanse regering zaken in Harare. Maar iedereen had het in die tijd over de Batoka-vallei. Het zou heel goed kunnen zijn dat hij destijds om die reden de watervallen heeft bezocht. Wanneer wil je het weten?'

'Snel.'

'Laat me een paar belletjes plegen. Ik bel je zo terug.'

'Dank je wel,' zei Zoë, en ze hing op.

Ze slenterde terug naar haar bureau en verbeuzelde het uur daarna met eenvoudige taken. Toen haar iPhone trilde liep ze weer naar de oprijlaan.

'Je gevoel klopte,' vertelde Whitaker. 'Ik heb een vriend gebeld van de Southern African Power Pool. Die vertelde dat er in april 1996 bij de Victoriawatervallen een bijeenkomst was van hoge functionarissen. Mijn vriend kon er niet bij zijn, maar hij is er bijna zeker van dat Frederick Nyambo daarbij aanwezig was.'

'Is het waarschijnlijk dat hij toen in Livingstone is geweest?'

'Geen idee. Kun je me vertellen waarom je dit wilt weten? Je maakte me nieuwsgierig.'

'Liever niet. Maar bedankt voor je medewerking.'

'Misschien kun je iets voor me terug doen,' grapte hij.

Ze beëindigde het gesprek en slaakte een lange, diepe zucht, luisterend naar het geritsel van de palissanderbladeren in de wind. Soms heb ik het gevoel dat ik je ken, Charity Mizinga. Dat we zussen zijn, dat Kuyeya familie is. Maar ik begrijp het nog steeds niet. Hoe heb je hem ontmoet? Waarom ben je met je opleiding gestopt? Wat heeft Frederick je beloofd? En wat is er gebeurd voordat je naar Lusaka ging? Hoe ben je in hemelsnaam op straat en in het bed van vreemdelingen beland?

Donkere wolken pakten zich samen aan de horizon. De stormen zouden vroeg losbarsten vandaag. Ze ging weer naar binnen en zag Joseph bij het aanrecht een glas water inschenken.

'Ik heb zin om vanavond lekker voor je te koken,' zei ze. 'Tom en Carol zijn weg.'

'Weet je zeker dat je het aankunt?' vroeg hij.

Ze knikte. 'Een feestmaal is de beste manier om je zorgen te vergeten.'

'Wat valt er te vieren?'

'Kerstmis. Dat valt vroeg dit jaar.'

Laat op de middag werd Lusaka geteisterd door een zware onweersbui, die de stad bekogelde met hagelstenen en de straten deed overstromen met brak water. Zoë zette haar computer uit en ging voor het raam staan om naar de storm te kijken. Bliksemschichten flitsten in de lucht, de donder deed de bodem trillen. De wind waaide woest door de bomen en de regen die op het dak roffelde, maakte elk gesprek onmogelijk. Al snel lieten ook Zoë's collega's hun werk liggen om naar het spektakel te kijken.

Na een poos ging de storm liggen en dreven de grote wolken boven de vlakte naar het zuiden. De bliksem bleef, maar het gerommel van de donder klonk ver weg. Toen iedereen weer aan het werk ging, pakte Zoë haar rugzak en keek naar Joseph.

'Moet ik me omkleden?' vroeg hij.

'Niet als je daar geen zin in hebt,' zei ze. 'Je kunt ook nu met me meegaan.'

Hij glimlachte. 'In dat geval...'

Ze reden ieder in hun eigen voertuig naar de bungalow van de Prentices. Zoë hield haar spiegels in de gaten, maar Dunstan Sisilu was nergens te bekennen. Ze gingen door de poort en parkeerden naast elkaar op de oprijlaan. Het terrein rondom de bungalow was drijfnat na de storm en lag bezaaid met bloesemblaadjes.

Zoë zoog de vochtige lucht in zich op en grinnikte toen de zon doorbrak. 'De goden geven ons een koninklijk onthaal.'

Joseph keek op met zijn hand voor zijn ogen. 'De aarde, besprenkeld met de geur van dauwdrop, ontwaakt.'

'Achebe,' merkte Zoë op. Ze pakte Joseph bij de hand en trok hem mee naar binnen. 'Ik ben onder de indruk.'

'Soms lezen wij Afrikanen onze eigen dichters.'

Toen ze de hal in liepen vroeg hij: 'Wat eten we?'

'Ik heb biefstuk van de kantine,' zei ze terwijl ze naar de keuken liep. 'En een van de beste Zambiaanse wijnen. Heb je al trek?'

Hij glimlachte. 'Reuzehonger zelfs. Ik zet de grill vast aan.'

Toen de steaks klaar waren, legde Zoë ze op Carols mooie porseleinen borden, naast een bergje aardappelpuree en boontjes uit eigen tuin. Ze gaf Joseph de borden en liep achter hem aan naar het terras met een dienblad met brood, boter en twee glazen rode wijn. Ze gingen tegenover elkaar zitten en Zoë stak de kaarsen aan.

Zwijgend zaten ze te genieten van het eten en de serene rust in de tuin. De lucht fluoresceerde rondom de ondergaande zon, daarna werd het donker. Een vinnig briesje, de nasleep van de storm, deed de kaarsvlammen flakkeren.

'Ik heb met Cynthia gesproken,' vertelde ze. 'Ze was niet erg behulpzaam.'

Josephs ogen gingen wijd open. 'Daar wist ik niets van.'

'Ik vertel het je nu. Ze houdt iets achter. Ik weet zeker dat het te maken heeft met Charity's verhuizing naar Lusaka. Ik neem het haar niet kwalijk. Ik hoop alleen dat ze haar angst overwint.' Ze zweeg even. 'Ook heb ik gepraat met Clay Whitaker van de Wereldbank. Hij vertelde dat Frederick Nyambo in april 1996 bij de Victoriawatervallen was. De timing is intrigerend, op zijn zachtst gezegd. Dat is precies de maand waarin Charity haar opleiding heeft afgebroken, dezelfde maand waarin een rijke zakenman uit Lusaka haar een baan aanbood.'

Joseph fronste zijn wenkbrauwen. 'Suggereer je dat Frederick die zakenman was?'

Ze glimlachte. 'Daar dacht ik wel aan.'

Joseph keek sceptisch. 'Een fascinerende theorie, maar wel vergezocht.'

'Klopt, maar vergeet niet wat Amos vertelde. Hij zei dat het voorval tussen Charity en de Nyambo's, kort na haar komst in Lusaka moet hebben plaatsgevonden. Luister, het is heel goed mogelijk dat ze elkaar hier in Lusaka hebben ontmoet en dat het allemaal puur toeval is. Maar stel dat deze gebeurtenissen met elkaar in verband staan? Geef toe: het zou een hoop verklaren.'

Joseph tuurde in het flakkerende kaarslicht.

'Wat?' vroeg ze. 'Niet mee eens?'

'Ik dacht even aan iets anders,' zei hij.

Ze veegde haar vingers af aan haar servet, ineens verlegen. 'Waaraan dan?'

Hij keek haar aan. 'Aan hoe mooi je bent.'

Zoë leunde achterover in haar stoel, verrast door de ontroering die zijn woorden bij haar teweegbrachten. Plotseling had ze geen behoefte meer aan een gesprek. Ze verlangde naar hem, meer dan ooit. Ze dronk ongeduldig haar glas leeg en keek toe hij zijn bord leegat. In de koelkast stond nog de chocoladetaart die Carol had gebakken, maar ze besloot die maar te laten staan.

'Ik heb een verrassing voor je,' zei ze, terwijl ze opstond.

'Wat dan?'

'Dat zul je wel zien,' antwoordde ze.

Ze liep in het donkere huis voor hem uit naar haar slaapkamer, haar huid tintelde van de spanning. Ze wierp de klamboe opzij, pakte zijn hand en trok hem haar bed in. Hij ging naast haar liggen en hun lippen raakten elkaar. Ze duwde hem op zijn rug en ging schrijlings op hem zitten, terwijl ze het truitje dat ze voor het eten had aangetrokken, losknoopte. Plotseling voelde ze zijn hand op haar arm.

'Wacht,' fluisterde hij. Hij keek duister uit zijn ogen. 'Ik moet je iets vertellen.' Hij probeerde rechtop te zitten. 'Alsjeblieft, ik moet je iets vertellen.'

Langzaam gleed ze van hem af, haar verlangen vermengde zich met bezorgdheid en woede. 'Verdomme! Dit kun je me niet aandoen.'

'Het spijt me,' zei hij, terwijl hij zijn benen op het bed over elkaar sloeg. Hij keek naar haar in het donker en deed een bekentenis die ze zich niet had kunnen voorstellen. 'Ik ben seropositief.'

In de stilte daarna sloeg de antieke klok.

'Waarom...' hakkelde ze uiteindelijk. 'Waarom vertel je me dit nu pas?'

Ze stapte uit bed en vluchtte naar de woonkamer. Ze keek naar buiten en zag het Zuiderkruis boven de bomen. Ze dacht aan haar moeder, 's avonds op de vlakte van Masailand in Kenia. 'Als iedereen je in de steek laat,' had ze gezegd, 'houd dan je hoofd geheven.' Zoë sloot haar ogen. Vanavond niet, mam.

Joseph onderbrak haar gedachten. 'Alsjeblieft, Zoë, luister. Ik had dit niet kunnen voorspellen. Ik had niet verwacht dat ik gek op je zou worden. En toen ik besefte wat er aan de hand was, kon ik het niet meer stoppen. Ik had het je eerder moeten vertellen, maar ik wist niet hoe.'

'Ik heb hier ook niet om gevraagd,' antwoordde ze met tranen in haar ogen. Ze plofte neer op de bank. 'Wanneer heb je je laten testen?'

'In de zomer van 2009. Mijn aantal cd4-cellen was toen 710. Ik ben daarna niet meer terug geweest.'

Ze draaide met de ring van haar moeder. 'Wat ga je eraan doen?'

Het bleef een lange poos stil. 'Wat ik ga doen?'

'Je zou je opnieuw moeten laten testen. Als het kan, zou je met aidsremmers moeten beginnen.'

Hij liep naar het raam en keek in de donkere lucht. 'Mijn grootmoeder zei ooit dat muzungu's intelligent zijn, maar een zwakke wil hebben. Daarom hebben de kolonisten Afrika verlaten – het ontbrak ze aan doorzettingsvermogen. Ze liet me beloven dat ik nooit van een blanke vrouw zou houden. Je hebt al die regels gebroken, Zoë. Naar mijn gevoel ben jij het helemaal voor mij.'

Ze begon opnieuw te huilen. 'Je moet me tijd gunnen. Om na te denken.'

Hij knikte. 'Het spijt me dat ik je avond heb vergald.'

Ze wist niet waarom ze moest lachen. 'Mijn god, dat is je goed gelukt. Ik keek er zo naar uit.'

'Ik ook.'

22

DE LAATSTE DAGEN VAN 2011 gingen voor Zoë tergend traag voorbij. De bekentenis van Joseph had het effect van een tourniquet die de natuurlijke stroom van haar gevoelens tegenhield en haar gevoeligheid voor elke tegenslag blootlegde. Ter afleiding zocht ze alles op wat ze over hiv kon vinden: de stadia waarin de ziekte zich ontwikkelde, de behandelingsrichtlijnen van de Wereldgezondheidsorganisatie (WHO), de effectiviteit en bijwerkingen van de aidsremmers, de risico's van seks bij hiv-discordante paren, hoe je je kunt beschermen en de mislukkingspercentages van die methoden.

Ze las een samenvatting van een studie van drs. Kruger en drs. Luyt uit Johannesburg. Wanneer hiv-geïnfecteerden in een vroeg stadium – bij een aantal CD4-cellen van tussen de 350 en 550, dus niet bij 200 zoals de WHO aanvankelijk bepaalde – met het slikken van aidsremmers begonnen, verminderde het aantal nieuwe infecties met 96 procent. Zoë vond troost bij deze feiten, maar kreeg geen antwoord op haar diepere vraag: wilde ze wel een relatie waarin elke intieme daad een risico, hoe gering ook, met zich meebracht?

Het kantoor van de CILA was vanaf 23 december tot en met 2 januari gesloten. Zoë bracht de kerstdagen door bij de Prentices. Aanvankelijk was ze blij met wat afleiding, maar maandag kreeg ze het benauwd en werd ze rusteloos. Uit verlangen naar een andere omgeving boekte ze een vlucht naar Namibië, huurde ze op vliegveld Windhoek een auto en reed ze door de Namibische woestijn naar de zee. Haar bestemming was een strandhotel in Hentiesbaai.

Ze had veel gereisd, maar was nog nooit bij de Skeletkust geweest. Deze woeste, door de wind opgestuwde, met wrakken bezaaide oceaanstrook aan de noordkust van Namibië werd door de bosjesmannen uit het binnenland 'Het land dat God in woede maakte' genoemd. Hartje zomer was het er spectaculair. Vier dagen lang dompelde Zoë haar leed onder in het gebeuk van de stuwende branding, zocht ze op het strand naar stenen en schelpen zoals ze dat als meisje op de Vineyard deed. Ze dronk wijn op het terras terwijl de ondergaande zon het luchtruim de kleur gaf van een rozentuin en ieder besef van tijd deed vergeten. Ze wilde er niet zomaar even uit; ze wilde compleet verdwijnen.

Toen ze op oudejaarsdag weer in het vliegtuig stapte, voelde ze zich opgeknapt, maar niet minder verward dan toen ze uit Lusaka vertrok. Door de liefde was ze met Joseph als met een koord verbonden. Dat koord kon rekken, maar niet knappen, behalve natuurlijk wanneer ze de band zelf zou doorsnijden. En die stap kon ze niet zetten zonder alles waarin ze geloofde te ontkennen.

Het toestel vanuit Windhoek landde om twaalf uur in Lusaka. Zoë checkte haar telefoon in de hoop op een bericht van Joseph, maar haar mailbox was leeg. Ze had om tijd gevraagd, en dat leek hij haar te gunnen. Ze wierp haar tassen in de Land Rover en reed naar Sunningdale.

De bewaker liet haar het terrein op rijden, Carol begroette haar in de hal. 'Is Namibië nog even beeldig als in mijn herinnering?' vroeg ze in een omhelzing.

'De mooiste plek op aarde,' antwoordde Zoë. 'Heeft Joseph nog gebeld?'

Carol keek haar eens goed aan. 'Nee. Hebben jullie ruzie of zo?'

Zoë trok haar schouders op. 'Het is een lang verhaal.'

'Ik ben een en al oor als je erover wilt praten. We hebben een soireetje vanavond met vrienden van de ambassade. Voor als je zin hebt in een beetje afleiding.'

Zoë glimlachte geforceerd. 'Geen Nieuwjaar zonder feestje.'

'O, ik was het bijna vergeten. Er is een pakketje voor je aangekomen uit de States. Van een advocatenkantoor.'

Zoë glimlachte ditmaal oprecht. 'Dat is vast van mijn broer. Ik ben de tweede jarig.'

'Waarom heb je me dat niet verteld! Hoe oud word je?'

'Negenentwintig.'

'Ach, hoe jong! Wat zou ik graag weer negenentwintig willen zijn!' Carol lachte. 'Het pakketje ligt op je bed. O, en maak je geen zorgen. Ik zorg voor de taart.'

Zoë bracht haar tassen naar haar kamer en nam het pakketje mee naar het terras. Het was best zwaar en mat zo'n vijfentwintig bij dertig centimeter. Voorzichtig maakte ze het open en zag dat de inhoud verpakt was in bubbeltjesplastic. Er lag een ansichtkaart bovenop met een foto van een varken dat zich in de modder wentelde: 'Sommige mensen genieten op de vreemdste plekken.'

Op de achterkant had Trevor geschreven:

```
Gefeliciteerd met je 29e, zus. Ik ben dol op je.
Hoe graag zou ik nu in het vliegtuig willen
stappen om je te bezoeken, maar mijn vervloekte
werk houdt nooit op. Is vast en zeker de schuld
van pa. Een dezer dagen schakel ik 'Missing in
Action' in en sta ik ineens voor je deur. Veel
plezier met de cadeautjes!
```

In de noppenfolie zaten enkele zakjes met lekkernijen, een flesje ahornsiroop, een setje oordopjes, een album met foto's van Trevor en zijn vriendin Jenna op de Vineyard en een tinnen zeeschildpadje met een inscriptie op zijn buik: 'De race wordt niet door de snelste noch door de sterkste, maar door de aanhouder gewonnen.' Het was een van Catherines favoriete uitspraken, vrij naar een vers uit Prediker.

Zoë legde het schildpadje voorzichtig terug en bladerde door het album. Onder aan de laatste foto – van Jenna bij zonsondergang op het strand, omkijkend met een glimlach – had haar broer geschreven: 'Denk je dat ze de ware is? Ik begin het te geloven.'

Er stonden tranen in Zoë's ogen. Ze was naar de andere kant van de wereld gereisd, maar kon haar geschiedenis niet veranderen en haar genetische afkomst evenmin. En dat was het hem juist. Ze was nooit van plan geweest om alles achter zich te laten. Niet voor altijd, tenminste. Ze wilde wat haar moeder had – leven met één voet in Afrika en één voet in het Westen. Hoe paste Joseph daarin? vroeg ze zich af. Hoe kan ik hier wijs uit worden?

Op haar verjaardag stond Zoë in alle vroegte op. Ze nam een warme douche, opende haar MacBook, startte Skype en keek op haar horloge. Trevor had beloofd haar om 06.15 uur te bellen – kort na middernacht in Washington. Het was een traditie van hen samen. Wat er ook gebeurde, geen verjaardag ging voorbij zonder een telefoontje.

Precies op tijd hoorde Zoë het getril van een binnenkomend gesprek.

'Hoi, Trev,' zei ze, kijkend naar het scherm, blij om zijn gezicht weer te zien.

'Gefeliciteerd met je verjaardag, zus,' zei Trevor. Zijn stem werd licht vervormd door een storing. 'Sorry dat je zo vroeg op moest.'

Ze lachte. 'Sorry dat ik je zo laat uit je slaap houd.'

'Ha! Ik kom net van mijn werk. Tegenwoordig sluiten de kantoren pas om middernacht.'

'Hoeveel koppen koffie heb je vandaag gedronken?'

'Genoeg om te overwegen mijn salaris om te zetten in aandelen Starbucks.' Hij zuchtte. 'Wat een tijd. Terwijl de voorverkiezingen nog niet eens zijn begonnen.'

'Dat krijg je ervan als je met ABT naar bed gaat.' Al lange tijd verschilden ze van mening over het feit dat Trevors kantoor de juridische belangen van A Brighter Tomorrow behartigde, de SuperPAC die de campagne van Jack Fleming steunde.

'Hé, ze is cool en stinkend rijk. Serieus, hoe gaat het met je? Op een mailtje na af en toe, hoor ik bijna nooit meer wat van je.'

'Dat kan ik ook van jou zeggen.'

Hij mompelde. 'Drukte werkt verslavend. Het is moeilijk om een gewoonte te doorbreken.'

'Met mij gaat het oké,' zei ze om een einde te maken aan het gebabbel. 'Bedankt voor het pakketje. Mooi, dat schildpadje.'

'Heb je een antwoord op mijn vraag?' vroeg hij met een grote glimlach.

'Je bedoelt over Jenna?'

Hij knikte. 'Volgens mij is ze de ware.'

'Je lijkt gelukkig, en ze is een leuke meid. Wat kan ik ervan zeggen?'

'Ik heb een ring voor haar gekocht,' bekende hij een beetje bedremmeld.

'Wat leuk!' Ze wilde enthousiaster overkomen, maar de gedachte aan Joseph zorgde voor een valse noot. 'Wanneer ga je haar ten huwelijk vragen?'

'Volgende maand gaan we naar St. Kitts. Daar wil ik het doen.' Met een frons keek hij naar haar beeld op zijn scherm. 'Is er iets? Ik hoor het aan je stem.'

Ze aarzelde. 'Het is ingewikkeld.'

'Je bent verliefd, vertel op. Een Afrikaan?'

Hij kent me zo goed, we lijken wel een tweeling. 'Ik wil er liever niet over praten,' antwoordde ze.

Hij trok zijn schouders op. 'Wat jij wilt.'

'Morgen is de verkiezingsbijeenkomst in Iowa,' zei ze, een andere wending gevend aan het gesprek. 'Als de berichten juist zijn, zakt vaders populariteit in het centrum.'

Trevor grijnsde. 'Het zijn de voorverkiezingen. Na de nominatie zullen ze hem wel steunen.'

'Maar willen ze dat wel? Het is moeilijk om een zittende president te verslaan.'

'De economie is het belangrijkst voor de algemene verkiezingen. Vader is een zakenman. Hij kan het land weer op de rails krijgen.'

'Volgens mij heb je te veel energiedrankjes gedronken.'

Trevor lachte. 'Ik geloof in hem.'

'Vreemd dat we zo op elkaar lijken en zo verschillend zijn.'

Even staarde hij beduusd voor zich uit. Daarna veranderde hij van onderwerp. 'Jammer dat je niet bij ons kunt zijn in New Hampshire. Ik hoopte dat je erbij zou zijn.'

Ze schudde haar hoofd. 'Ik kan het niet, Trev. Ik kan niet achter zijn bezuinigingsvoorstellen staan.'

'Ach, dat is allemaal grootspraak. Je kent zijn overtuigingen.'

'Denk je? Ik kende die van mama. Ik ken die van Sylvia. Maar papa is een kameleon.'

'Ik dacht dat jij zo'n hekel aan eenkennige kiezers had.'

'Dit gaat niet om kiezen. Dit gaat om goedkeuring.'

'Dat is niet waar. Dit gaat om familie.'

Zijn woorden brachten haar van slag, maar tegelijk ook in vervoering. Ineens was ze weer het meisje van acht dat haar vader adoreerde. Dat dacht dat hij onkreukbaar was. Maar de omstandigheden en bepaalde keuzes hadden haar in het ongelijk gesteld.

'Het spijt me,' zei ze na een poos. 'Ik verwacht niet van je dat je het begrijpt.'

'Dat hoef ik ook niet. Je bent mijn zusje.' Opeens klaarde hij op. 'Hé, je bent jarig vandaag. Wat ga je doen?'

Ze dwong zichzelf te glimlachen. 'Ik ga bij het zwembad liggen en voor de rest doe ik niets.'

Hij klapte in zijn handen. 'Heel goed. Kon ik er maar bij zijn.'

'Kom maar een keer op bezoek,' zei ze. Ze voelde haar genegenheid voor hem weer opvlammen.

Hij gaf een knipoog. 'Je weet maar nooit. Misschien sta ik ineens voor je neus.'

De volgende dag ging Zoë naar haar werk, in de knoop met haar geweten. Regelmatig keek ze tijdens de stafvergadering stiekem naar Joseph en vroeg zich af wat er in hem omging. Die dag en in de drie weken daarna bleef ze in verwarring. De werkdagen waren draaglijk omdat ze iets omhanden had. Daders moesten worden vervolgd, bewijzen verzameld, getuigen gehoord en conclusies aangescherpt. De avonden en weekends daarentegen waren onverdraaglijk. Om te ontsnappen aan haar verleden en toekomst, dompelde ze zich onder in het heden.

Ze ging vaker naar het St.-Franciscus om bij Kuyeya te zijn. Het meisje hield veel van tuinieren. Ze vond het heerlijk om zuster Irina en Zoë in de aarde te zien werken met groenten en kruiden. Maar kijken was niet genoeg. Ze raakte graag alles aan. Terwijl ze rommelde met de oogst, stimuleerde Zoë haar om te praten.

'Wat is dat?' vroeg ze op een zondag, wijzend naar wat Kuyeya in haar handen had.

'Aardappel,' antwoordde Kuyeya. 'Mama zegt, aardappelen lekker met nshima.'

Zoë hield een groot blad omhoog. 'En wat is dit?'

'Pompoen,' antwoordde het meisje, terwijl ze prompt de aardappel liet vallen. 'Pompoen met pinda's, lekker.'

Het meisje hield het blad onder haar neus. Ineens dacht ze weer aan de aardappel. Ze raapte hem op en legde hem in de mand met een nauwgezetheid die Zoë ontroerde. Wat er ook allemaal om haar heen gebeurde, Kuyeya liet haar zien dat het leven zin had.

Wanneer Zoë thuis niets te doen had, verslond ze alle artikelen over de presidentiële campagne van haar vader die ze maar op internet kon vinden. Haar loyaliteit zwalkte. Soms hekelde ze zijn politieke visie, op andere momenten verdedigde ze hem tegen persoonlijke aanvallen. Na de stemming in Iowa en de debatten en toespraken in de aanloop naar New Hampshire, werd zijn retoriek steeds scheller. Alles waarover hij zich uitsprak, van immigratie, de gezondheidszorg, het onderwijs tot defensie, was erop gericht de extreme groepen binnen de partij aan te spreken. Als het ging om ontwikkelingshulp pleitte hij voor ingrijpende bezuinigingen op alle subsidies die geen defensief doel dienden. Ze dacht terug aan zijn excuus tijdens het etentje: 'Dat is puur politiek.' En aan Trevor: 'Dat is allemaal grootspraak.' Maar Zoë wist het niet zeker. Door zijn ambities van de financiële wereld te verleggen naar de politiek, had Jack Fleming zijn overtuigingen overgeleverd aan belangengroepen en adviseurs. Hij was zijn morele kompas kwijt.

Na het zien van het debat in New Hampshire zette Zoë haar irritatie om in daden en begon te schrijven. Aanvankelijk was haar essay een verzameling vage impressies, interessant maar zonder samenhang. Toen ze haar ge-

dachten gaandeweg toevertrouwde aan het papier, begon er echter een artikel te ontstaan. Het was het verhaal van haar moeder en het was haar verhaal, een verhaal over naastenliefde en rechtvaardigheid, over idealen om-
zetten in de praktijk. Het was het verhaal van Amerika, het Amerika waar
Catherine haar in had leren geloven – het land dat Europa had heropge-
bouwd, de Verenigde Naties en het Vredeskorps had opgericht, de Wereldbank en PEPFAR had gefinancierd en de wereld had veranderd met daden
van goedheid die evenwel niet volledig willekeurig waren. Het was ook het
verhaal van haar vader, de jongen uit de middenklasse wiens toegangskaart-
je tot de wereld van de macht een volledige beurs voor Harvard was geweest.
Ze schetste een vriendelijk portret, beschreef hem als een groot voorstander
van haar moeders werk. Door over hem te schrijven kreeg ze onverwacht
een cadeautje. Het schrijven bracht de Jack Fleming tot leven van wie ze als
kind zoveel hield – de mens, niet de partijleider. Met vierduizend woorden
was het een buitengewoon persoonlijke getuigenis en een vlammend betoog tegen de bezuinigingen geworden – een oproep aan regeringen en burgers boven de schuldencrisis en economische malaise uit te denken en zich
te bekommeren om de armen en verdrukten. Mam, dacht ze, dit is voor
jou.

Ze stuurde het artikel naar dr. Samantha Wu, haar favoriete professor aan
de rechtenfaculteit en een soort mentor voor haar. Als deskundige op het
gebied van internationale mensenrechten had dr. Wu Zoë onder haar hoede
genomen, haar voorgedragen aan de *Yale Law Journal*, haar geholpen aan
haar stage bij rechter Van der Merwe en aangemoedigd te schrijven. Zoë's
artikel over rechtvaardigheid in het Zuid-Afrika van na de apartheid was
een idee geweest van Samantha, die als bemiddelaar had opgetreden om
het stuk in *Harper's* gepubliceerd te krijgen. Na dit succes had ze Zoë een
blijvend aanbod gedaan: 'Als je iets schrijft en het is goed, vind ik er een
thuis voor.'

Dr. Wu reageerde meteen:

```
Zoë, ik moet toegeven dat ik eerst nogal sceptisch
was. Maar nu ben ik om. Het artikel is fris en
actueel, het gaat diep en is controversieel. Gezien
het platform van je vader en jouw
publicatiegeschiedenis zal het niet moeilijk zijn
het ergens geplaatst te krijgen. Ik zou het graag
in de Time zien, maar dat wordt moeilijk. Ik stuur
het ook door naar Naomi Potter van de New Yorker
```

De laatste dagen van januari veranderde er iets in Zoë's hart. Ze wist dat ze Joseph niet langer meer op een afstand kon houden. Hij was ongelooflijk tolerant geweest, ging vriendelijk met haar om wanneer ze moesten samenwerken, maar deed geen pogingen om de kloof tussen hen te overbruggen. Zij was degene die ongeduldig werd. De situatie vroeg om een oplossing. Joseph verdiende het een keuze te mogen maken.

De volgende dag werd Zoë gebeld door het St.-Franciscus.

'Kuyeya heeft een ongeluk gehad,' vertelde zuster Anica. 'Het lijkt niet ernstig, ze heeft een beetje pijn in haar nek. Ik ga met haar naar dokter Chulu. Zuster Irina vroeg of ik je wilde bellen.'

'Wat is er gebeurd?' vroeg Zoë.

'Dat weet niemand. Ze was met zuster Irina en de andere kinderen. Ze is gewoon gevallen.'

'Gaan jullie nu naar het UTH?'

'Ja. We hebben een afspraak om twee uur bij de dokter.'

'Dan zie ik jullie daar.'

Ze draaide zich om en zag Joseph naar haar kijken. 'Is er iets met Kuyeya?'

Toen ze het nieuws vertelde, keek hij peinzend voor zich uit, alsof hij haar iets wilde zeggen. Ze voelde de druk in haar borst toenemen. Eindelijk bracht ze met haar mond de woorden uit die haar hart al had uitgekozen. 'Waarom ga je niet mee?'

Hij keek onzeker. 'Wil je dat echt?'

Ze interpreteerde deze vraag voor wat die was: een smeekbede om acceptatie. 'Ik heb je gemist,' zei ze, antwoord gevend op zijn vraag. En op die van haarzelf.

Ze ontmoetten zuster Anica en Kuyeya op het terras voor de kinderafdeling van het ziekenhuis. Kuyeya hield haar aap in haar hand en wiegde heen en weer op haar benen. Haar ogen fonkelden toen ze Zoë zag en haar grijns veranderde in een glimlach.

'Hoi, Kuyeya,' zei Zoë.

Het meisje maakte het ballonnengeluid. 'Hoi, Zoë. Wil je muziek afspelen?'

Zoë glimlachte. 'Wat wil je horen?'

'Kunnen we naar Johnny luisteren?' Ze neuriede iets en Zoë probeerde de melodie te herkennen. Plotseling zei Kuyeya: '*The one on the right was on the left.*'

Zoë schoot in de lach. Het was de titel van een lied en ook de eerste regel van het refrein. Ze zong de volgende regel: '*And the one in the middle is on the right.*'

Dokter Chulu liep de hal in en begroette hen. 'Er is een intakekamer vrij. Zullen we?'

Toen ze de stem van de dokter hoorde, stopte Kuyeya met neuriën en begon zacht te kreunen. Zuster Anica pakte haar bij de hand en bracht haar naar de wachtkamer, en Zoë liep mee. Zuster Mbelo stond met een klembord naast een open deur.

Dokter Chulu wees naar een stoel naast het bed. 'Als ze daar gaat zitten, kan ik naar haar nek kijken.'

'Ik heb haar muziek,' zei zuster Anica, terwijl ze Zoë een katoenen tas aangaf.

Nadat Kuyeya was gaan zitten, stopte Zoë de oordopjes in haar oren.

'Wil je Johnny spelen?' vroeg het meisje weer.

'Natuurlijk,' zei Zoë. Ze vond 'The Ballad of a Teenage Queen' op haar iPod.

Toen Kuyeya begon te wiegen op het ritme, ging Zoë met Joseph bij de deur staan en keek toe hoe dokter Chulu zijn onderzoek uitvoerde. Hij legde één hand op het voorhoofd van het meisje en met zijn andere hand tastte hij langs haar haargrens en hals. Hij vroeg zuster Anica hoe Kuyeya was gevallen en of ze dacht dat ze pijn had, en hij observeerde zijn patiënt terwijl ze stilstond of juist liep.

Uiteindelijk schudde hij zijn hoofd. 'Misschien zijn haar spieren onderontwikkeld, dat komt vaak voor bij kinderen met downsyndroom. Ze heeft geen evenwichtsstoornis en lijkt niet veel pijn te hebben. Ze is geschrokken van de val, maar volgens mij is er niets aan de hand.'

Een röntgenfoto, dacht Zoë, maar ze wist het antwoord al. In staatsziekenhuizen was technologie een luxe voor acute gevallen.

Na het onderzoek liep dokter Chulu met hen mee over het parkeerterrein. Zoë hield Kuyeya bij de hand totdat zuster Anica het busje van het tehuis voor de stoeprand had geparkeerd.

'Tijd om naar huis te gaan,' zei Zoë, terwijl ze de oordopjes verwijderde en het meisje aankeek. 'Ik kom snel weer op bezoek.'

'Thuis is waar de bijeneter woont,' zei Kuyeya, zwaaiend met haar aap.

De Zambezi, dacht Zoë. Charity heeft gelukkige herinneringen met haar gedeeld. 'Wil je eens een bijeneter zien?' vroeg ze.

'Ja, en een nijlpaard.'

Nadat ze Kuyeya het busje in had geholpen stopte Zoë haar de iPod toe en schoof het portier dicht. Zwaaiend deed ze een stap naar achter, terwijl zuster Anica de straat op reed.

'Weet u zeker dat ze oké is?' vroeg ze aan dokter Chulu.

'Kinderen lopen voortdurend bulten en blauwe plekken op,' antwoordde hij. 'Maak je geen zorgen. Hoe staat haar zaak er trouwens voor? Zijn er nieuwe aanwijzingen gevonden?'

Joseph keek naar Zoë en zei: 'We hebben een nieuwe getuige. Het ligt ingewikkeld.'

Dokter Chulu schudde zijn hoofd. 'Ik kan nog steeds niet geloven dat we het DNA hebben verloren. Mijn personeel... Ik vertrouw niemand meer...' Hij balde zijn vuisten. 'Laat me getuigen en ik zorg ervoor dat Flexon Mubita zo kwaad op Darious wordt dat die geen oog meer dichtdoet 's nachts.'

Zoë zag Mubita voor zich met Patricia Nyambo en dacht: ik hoop dat je gelijk hebt.

'Ik ga ervandoor,' zei de dokter. 'Bel me als Kuyeya nog ergens last van krijgt.'

Zoë liep met Joseph naar de Land Rover. In de privacy van de cabine stelde ze de vraag die al een maand op haar lippen lag. 'Heb je je opnieuw laten testen?'

Hij knikte. 'Het aantal CD4-cellen was 330. Ik ben begonnen met de aidsremmers.'

Ze zuchtte diep, zowel bezorgd als opgelucht. 'Hoe gaat het?'

'Ik heb een beetje moeten overgeven. Ik heb meer trek dan vroeger. Voor de rest gaat het goed.' Hij staarde naar buiten. 'Het goede nieuws is dat de medicijnen lijken te werken. Twee dagen geleden ben ik teruggegaan en toen was mijn aantal CD4-cellen 625. Mijn *viral load* was vrijwel ondetecteerbaar.'

Mijn god, wat een onmenselijk jargon, dacht ze, terwijl ze de Independence op reed en invoegde in het drukke middagverkeer. Eerst een mens, nu een proefdier.

Een golf van twijfels overspoelde haar. Zo ziet zijn leven er nu uit – twee keer per dag medicijnen, bijwerkingen en opkomende infecties. Een relatie met hem zal niet gemakkelijk zijn. Het virus overschaduwt alles. Bijna onmiddellijk voelde ze zich schuldig. Hoe kun je zo denken? Je bent dol op hem: je wilt bij hem zijn. Dankzij de aidsremmers kan hij een redelijk normaal leven leiden. Als je hem laat gaan, vind je nooit meer zo iemand.

Plotseling herinnerde ze zich iets uit het verleden, iets wat haar moeder haar had verteld over een weeshuis in Ethiopië vol ondervoede kinderen die onbedwingbaar lachten. 'Het leven is als een kapot voorwerp. Het gaat erom wat we met de stukken doen.'

'Luister, Zoë,' zei Joseph. 'Ik neem het je niet kwalijk als je je bedenkt.'

'Ik heb er geen spijt van dat ik van je hou,' zei ze, vechtend tegen haar tranen.

Hij keek haar indringend aan. 'Betekent dat...?'

Ze knikte. 'Ik weet niet hoe, maar ik wil het proberen.'

DEEL VIER

Een engel rijdt op de wervelwind.
– John Page

Darious

Lusaka, Zambia, juli 2011

*Z*e zat daar, hij wist dat ze daar zat, opgesloten in een achterkamertje van het appartement. Doris hield haar sinds de dood van Bella verborgen. De meisjes in de Alpha hadden het bevestigd. Maar hij had haar nog niet op straat gezien. Doris liep in en uit, net als haar vriendinnen, haar dochters en de mannen die haar betaalden voor seks. Maar Kuyeya bleef buiten beeld. De gedachte aan haar maakte Darious witheet van woede. Geheugen, betekende haar naam. De hoeder van het onrecht.

Hij reed regelmatig langs Doris' flat, verkende de omgeving en hoopte dat Kuyeya op een dag naar buiten zou komen. Meestal bleef hij in zijn suv zitten om vanaf een plekje aan de overkant het gebouw in de gaten te houden. Soms knoopte hij een gesprek aan met een straatventer of rookte hij een sigaretje met de mannen die in het complex woonden. Hij stelde vragen over hun families en over de kinderen die in het gebouw woonden. Hij hoopte maar dat iemand over Kuyeya zou beginnen, maar dat gebeurde niet. Het meisje leek onzichtbaar. Alsof ze voor haar buren niet bestond.

Weken gingen voorbij en hij werd ongeduldig. Er liepen duizenden meisjes rond in Lusaka, maar er was er maar één de dochter van Charity Mizinga. Die waardeloze nganga, Amos, begreep niets van de geneeskundige kracht der symmetrie. Vuur werd met vuur bestreden, een vloek met een vloek. Er zat een risico in, natuurlijk. Als de oorspronkelijke vloek gesteund werd door krachtiger mukwala, zou het hele plan in duigen kunnen vallen. Maar Darious had geen keus. Het alternatief was een schande die hij niet zou kunnen verdragen – de afwijzing van zijn vader.

Op een van de laatste dagen van juli zat hij in zijn wagen op zijn vaste parkeerplek en keek naar Doris' flat. Er was veel verkeer aan het einde van die werkdag, wat hem geruststelde. Chilimbulu Road was een commerciële doorgangsroute. Maar de buurt werd bevolkt door eenvoudige werklui, en een Mercedes was er iets bijzonders. Mensen zouden kunnen gaan praten. En als er gepraat werd, werd er onthouden. Hij wilde niet onnodig aanwijzingen achterlaten voor de politie.

Hij richtte zijn aandacht op de flat van Doris. De rokers stonden op hun gebruikelijke plek. Een oude vrouw op de derde verdieping hing de was op. Doris zelf lag waarschijnlijk nog te slapen, maar haar dochters waren ongetwijfeld wakker. Misschien was de oudste uit met haar vriendje. Het was een mooi meisje. Over niet al te lange tijd zou ook zij in de Alpha werken en meer verdienen dan haar moeder.

Na een poos had Darious genoeg van het stilzitten. Hij stapte uit zijn auto en liep naar een meisje dat frita's verkocht. Hij voelde hoe zijn huid jeukte toen hij liep. Hij had genoeg van zijn ziekte, hij had genoeg van de vermoeidheid, hij had genoeg van de diarree, het gewichtsverlies en de hoest. Hij moest een manier bedenken om Kuyeya naar buiten te lokken. De rest zou simpel zijn.

Hij kocht een zakje frita's en maakte met de verkoopster een praatje over haar familie. Hij loog dat hij drie zussen en twee broers had, en veel neefjes en nichtjes. Een van zijn zussen, vertelde hij, had een 'ongelukkig' kind. Hij beschreef het meisje – haar ronde gezicht, de platte neus, de uit elkaar staande ogen, het spraakgebrek.

De verkoopster begon instemmend te knikken. 'Mijn nicht heeft ook zo'n kind. Dat is zwaar, hoor.'

'Mijn zus weet niet wat ze ermee aan moet,' vertelde Darious. 'Ze houdt haar in een achterkamer verborgen. Ik zeg dat ze met haar naar buiten moet, maar ze is bang voor wat de mensen zullen denken.'

'Bij mijn nicht is het net zo. Mensen zeggen dat het kind behekst is, maar dat geloof ik niet. Ze is net als alle kinderen. Een kind dat van spelen, zingen en lachen houdt.' Plotseling wees de verkoopster naar de flat van Doris. 'Daar woont ook zo'n meisje. Soms komt ze spelen in het gebouw waar ik woon. Je zou eens met die vrouw die haar verzorgt moeten praten. Ze heet Doris.'

'Komt dat meisje wel eens buiten?' vroeg Darious zo onderkoeld mogelijk.

'Na het avondeten. Doris stuurt haar dan naar buiten met haar jongste dochter, Gift.'

Darious liep terug naar zijn Mercedes en voelde aan de amulet op zijn borst. In de winter was het na het avondeten al donker. Het perfecte moment.

Hij wierp nog een laatste blik op het gebouw en schrok even. In de verte stond een vrouw naar hem te kijken. Ze droeg nettere kleren dan wanneer ze naar de bars ging, maar hij herkende haar meteen. Het was Doris. Hij greep het stuur vast en zag hoe ze zich naar binnen haastte. Ze was bang voor hem, en terecht, gezien het lesje dat hij haar geleerd had. Maar er was geen twijfel mogelijk.

Ze had hem gezien.

23

Lusaka, Zambia, januari 2012

METEEN NADAT ZOË HAD BESLOTEN haar gevoelens voor Joseph toe te laten, nam hij haar mee voor een feestelijk etentje in het Intercontinental, ondanks haar protest dat het veel te duur was. Hij wilde dat ze zich gepast zou kleden, wat hij ook zou doen. In een grijs pak met blauwe das dat paste bij zijn donkere huid en ogen, stond hij voor de deur van de Prentices. Toen ze op de veranda stond, bekeek hij haar van top tot teen en grijnsde om haar rode hemdjurkje en hoge hakken.

'Je ziet er prachtig uit,' zei hij. 'Zullen we het eten maar overslaan?'

'Van jou moest ik dit aan,' zei ze. 'Nu zul je wachten ook.'

In het restaurant zaten ze aan een tafeltje bij een groot raam met uitzicht, en onder het genot van oesters, varkenshaas en een fles Franse champagne kwamen ze weer tot elkaar. Ze praatten over van alles en nog wat, overbrugden de verloren tijd met grappen, gelach en verhalen. Onder de vreugde om deze hereniging door stroomde een sterk verlangen. Zoë bestudeerde Joseph in het kaarslicht en besefte weer dat ze van hem hield. Hij kwam uit een andere wereld, maar dat maakte hem nog aantrekkelijker. Hij was evenwichtig maar niet saai, toonde moed bij gevaar, maar was ook niet bang om over zijn gevoelens te praten. Ze kon niet in de toekomst kijken, maar ze vertrouwde hem volledig. Voorlopig was dat meer dan genoeg.

Na het etentje reden ze naar huis in een stilte vol van tevredenheid en verwachtingen. Zwijgend nam ze hem bij de hand en tuurde door de voorruit de donkere straat in. De zomersterren schitterden aan de hemel en de halvemaan hing als een lampje in het luchtruim. Toen ze stilstonden op de oprijlaan keek ze hem diep in de ogen en zei: 'Kom.'

Hij liep achter haar aan naar haar huis en door de verlichte gang naar haar slaapkamer. Ze schopte haar pumps uit, trok hem naar haar bed en kuste zijn lippen. Hij duwde haar achterover, hield haar gezicht in zijn handen en zei met zijn ogen wat ze in haar hart al wist. Het genot daarna logenstrafte haar diepste angsten. Geen moment dacht ze aan het virus, ze dacht alleen aan Joseph en daarna voelde ze zich diep bevredigd.

Ze legde haar hoofd op zijn borst en luisterde naar het kloppen van zijn hart.

'Toen ik je voor het eerst zag,' zei hij na een poos, 'vond ik je arrogant. Nu besef ik dat je door passie wordt gedreven, niet door trots.'

Ze grinnikte zacht. 'Ik dacht toen we elkaar voor het eerst ontmoetten dat je niet kon lachen.'

Hij streek over haar haren en mompelde: 'Begrip kost tijd.'

Ze keek naar hem op en zei: 'Blijf bij me.'

'Natuurlijk.'

'Ik bedoel, niet alleen vannacht.'

De dag daarna leek het hele universum Zoë toe te lachen. 's Ochtends ontving ze een e-mail van Samantha Wu.

```
Zoë, met vreugde kan ik je vertellen dat Naomi
Potter van de New Yorker zeer was ingenomen met je
artikel. Ze vertelde ook dat je moeder ooit een
stuk voor hen had geschreven. Ze zullen het in
april plaatsen, en Naomi gaat het redigeren, wat
in mijn ervaring veel rode strepen betekent. Ze
zal het je moeilijker maken dan ik ooit gedaan
heb, maar ze zal je laten excelleren. Ze verwacht
er veel van. Gefeliciteerd! Voor het geval je het
je afvraagt: Time wilde het niet plaatsen, maar is
wel geïnteresseerd in een interview. Laat me weten
als je interesse hebt.
```

Zoë stuurde een jubelend mailtje terug. In de keuken vertelde ze Joseph het nieuws. Haar enthousiasme bleek aanstekelijk. Even later hadden ze dezelfde grijns.

Die middag zat Zoë aan haar bureau toen de telefoon ging. Ze herkende het nummer niet en liet haar voicemail opnemen. Een minuut later trilde haar iPhone. Nieuwsgierig nam ze op en luisterde het bericht af.

'Mevrouw Fleming, u spreekt met Cynthia Chansa. Sorry dat ik zo bot deed toen we elkaar spraken. Ik vind het heel moeilijk om de dood van Charity te accepteren. Ik wil Kuyeya helpen. Ik weet niet of mijn herinneringen ertoe doen, maar ik heb alles opgeschreven. Ik wil het naar u toe sturen, met de brieven van Charity. Sms me uw adres, en dan doe ik alles op de post.'

Zoë stuurde een warm en dankbaar bericht terug en probeerde zich daarna te concentreren op een medisch politierapport, maar tevergeefs.

Die avond kwam Joseph bij haar eten, en Tom en Carol trokken zich terug om het stel privacy te gunnen. Bij de couscous met kip gaf Zoë Joseph een spoedcursus over de campagne van haar vader. Nadat hij de voorronde in New Hampshire had gewonnen, was Zuid-Carolina aan zijn neus voorbijgegaan en bij de gouverneur van Kansas terechtgekomen, waarna een debat was losgebarsten onder opiniemakers over zijn kansen in de algemene verkiezingen. Sommigen vonden hem te bescheiden, anderen dat hij zich te terughoudend uitliet over religie, weer anderen dat hij door zijn rijkdom geen contact had met het Amerikaanse volk. Om terrein te winnen hadden de senator en zijn campagneteam een salvo van antireclame op de gouverneur afgevuurd. Jack Fleming steeg in de peilingen, maar er bleven twijfels over zijn verkiesbaarheid in november.

'Dit moet allemaal heel bizar voor je zijn,' zei Joseph toen ze haar verhaal gedaan had. 'Elke stap van je vader wordt geanalyseerd en bekritiseerd, zijn hele leven onder de loep genomen.'

Ze lachte. 'Soms vrees ik dat ik zelf nog eens in de krantenkoppen wordt genoemd. Ik heb al een paar verzoeken van journalisten gekregen, gelukkig geen opdringerige. Het is zijn staf gelukt onze relatie buiten de pers te houden.'

Joseph keek bedachtzaam uit zijn ogen. 'Mag ik je wat vragen? Puur objectief gesproken, wat voor soort president zou hij worden?'

Ze aarzelde, maar koos voor openheid. 'De Jack Fleming met wie ik opgroeide zou een ster zijn in het Witte Huis. Hij is briljant en charismatisch; hij heeft een gelijkmatig humeur; hij werkt samen, is geen dictator; hij heeft ideeën; hij geeft om mensen. Maar de Jack Fleming die ik van de televisie ken, is totaal anders. Vroeger haatte hij controverses. Nu zie ik hem voortdurend met modder gooien naar de president. Het is alsof hij met de stem van een ander praat.'

Een paar dagen later arriveerde het pakketje van Cynthia op kantoor. Zoë nam het mee naar de vergaderruimte en maakte het voorzichtig open. Uit de bruine envelop viel een stapeltje gevouwen pagina's. De eerste was de brief van Cynthia zelf.

Beste Zoë,

Dit is wat ik me herinner. Ik hoop dat je er wat aan hebt. Op mijn zevende ging ik bij mijn grootmoeder wonen in het dorp. Godfrey kwam het jaar daarop: hij was nog een baby. Charity logeerde in Livingstone bij een tante vlak bij haar school. Na haar eindexamen ging ze verpleegkunde studeren. In die periode woonde ze in bij haar oom, Field, en zijn vrouw. Die situatie was geloof ik niet ideaal, maar ze kon te voet naar het ziekenhuis.

Ze kwam vaak bij ons op bezoek in het dorp. Ook stuurde ze ons elke maand geld vanaf de rekening die haar moeder haar had nagelaten. Godfrey en ik hielden zielsveel van Charity, bijna net zoveel als van oma. Soms nam ze ons mee de stad in voor een ijsje of een bioscoopfilm. Ze was heel mooi en alle jongens waren gek op haar, maar zij was alleen maar geïnteresseerd in haar studie. Ze wilde echt verpleegster worden. Ze praatte veel over haar broers, Jacob en Augustus. Die waren voor mijn geboorte al overleden.

In Charity's tweede studiejaar moet er iets gebeurd zijn. We zagen haar niet meer zo vaak. Ze was met haar gedachten ergens anders. In het regenseizoen kreeg oma een beroerte. Daarna kreeg Godfrey malaria. Charity kwam naar het dorp met een witte dokter en ze namen Godfrey met hen mee. Ik was bang dat hij zou overlijden, maar hij bleef in leven. Kort daarna kwam Charity weer op bezoek met het nieuws dat ze haar studie had afgebroken. Ze vertelde dat een man haar een goede baan had aangeboden in Lusaka. Ze zei dat ze veel geld zou verdienen.

Ik vond het heel erg. Ik was pas zeven en begreep het niet. Pas toen ik ouder was, vertelde mijn oma wat ze vond van Charity's beslissing. Mijn oma wist zeker dat Charity verliefd was op een man die niet van haar hield. Ze wist niet hoe hij heette, maar geloofde dat hij van de verpleegkundeopleiding was. Ook was ze bang dat haar oom, Field, haar iets zou aandoen. Mijn grootmoeder probeerde Charity over te halen naar andere woonruimte te zoeken, maar Charity was bang voor Field. Mijn oma dacht dat Charity zwanger was. Ze heeft er Charity een paar keer naar gevraagd voordat ze naar Lusaka vertrok, maar die ontkende.

*Ik weet niet of mijn oma gelijk had. Misschien had Charity een
liefdesrelatie met een man. Misschien deed Field haar iets aan.
Misschien ook was ze zwanger. Ik denk echter dat ze vanwege die
baan is weggegaan. In die tijd was het moeilijk om als vrouw aan een
goede baan te komen, ook als gediplomeerd verpleegster. Dat is nog
steeds zo. De man die haar een baan aanbood, was een hoge piet. Ik
probeer me zijn naam te herinneren, maar het is zo lang geleden.*

*Ze heeft ons nooit verteld dat ze een kind had. Uit de brieven blijkt
wel dat ze ons bijna niets vertelde over haar leven in Lusaka. Het
enige wat ik weet is dat ze geld naar ons stuurde tot aan het
eindexamen van Godfrey. Zonder haar zouden we geen geld voor eten
hebben gehad en ons schoolgeld niet hebben kunnen betalen. Ze was
als een moeder voor ons.*

Zoë legde de brief op tafel, verbijsterd door de overeenkomst tussen haar
eigen vermoedens en die van Charity's grootmoeder. Ze dacht terug aan
haar bezoek aan Field en Agatha in Livingstone – de kartonnetjes tu jilijili
op de grond, de stomdronken Field bij de voordeur, Agatha's nerveuze gedrag en de woorden van Joseph in zijn donkere pick-up: 'Agatha was daar
niet blij mee. Ze denkt dat Charity's familie is behekst.' Ook zag ze weer
voor zich hoe Agatha aan haar trouwring zat. In de brief van Cynthia klonk
het woord 'aandoen' bijna als een eufemisme voor verkrachting. Het klopte
precies. Agatha had geprobeerd Charity uit huis te zetten, maar Field had
daar een stokje voor gestoken.

Dan had je nog Charity's 'liefdesrelatie met een man'. Vivian, Charity's
grootmoeder, meende dat deze man werkte op de verpleegkundeopleiding.
Als ze Charity's dagboek had gelezen, zou ze specifieker kunnen zijn geweest. Charity was verliefd op een arts – Jan Kruger. Maar waarom dacht
Vivian dat ze zwanger was? En wie was volgens Vivian de vader?

In Charity's brieven stond niet veel. Ze schreef over het verleden en moe-
digde Cynthia en Godfrey aan goed voor hun oma te zorgen. Als ze al iets
schreef over Lusaka, bleef dat vaag. Het enige nuttige inzicht dat de brieven
opleverden was een glimp van wat er in Charity omging. Toen Charity in
1996 uit Livingstone vertrok, kon ze nog vreugde ervaren. Daar was in het
derde deel van haar dagboek niets meer van te merken. De stijl was nog
hetzelfde, maar in april 2004 had ze haar levenslust verloren.

Zoë deed de brieven terug in de envelop en liep naar het bureau van Joseph. Cynthia had veel verteld, maar waar de haat van Darious Nyambo
vandaan kwam, bleef onverklaard. Joseph keek naar haar gezicht en legde

het rapport waaraan hij werkte opzij. Hij las de brief van Cynthia en hield zijn opmerkingen voor zich tot hij klaar was.

'Dit is interessant,' zei hij, 'maar er zijn nog vragen onbeantwoord. Nog steeds weten we niet precies waarom ze naar Lusaka is getrokken.'

'Precies. We moeten de huishoudster weer eens spreken.'

Joseph knikte. 'Morgen is het zaterdag.'

'Ik kan wel weer iets gebruiken in mijn garderobe.'

Hij lachte. 'Ik zou je graag zien in een chitenge.'

De volgende ochtend vroeg vertrokken ze in Zoë's Land Rover naar de City Market. Vóór vertrek verwijderde Joseph de gps-tracker onder haar bumper en legde die naast de andere in zijn truck. Als Dunstan Sisilu hun gangen naging, zou hij nu aannemen dat ze die zaterdagochtend thuis waren. Voor alle zekerheid maakte Joseph een omweg en stopte hij twee keer om te controleren of ze niet werden achtervolgd.

Ze liepen de markt in door de hoofdingang en schuifelden naar de kraam van Chiwoyu.

'Ik zie je daar,' zei Joseph plotseling, waarna hij wegdook in een gangpad.

Zoë slenterde verder en keek naar de menigte. Ze probeerde haar zenuwen in bedwang te houden. Ze liep voorbij de kraam van Chiwoyu, maar de huishoudster was nergens te bekennen. Ze sloeg het naastgelegen pad in en stond stil bij een tassenkraam, spiedend naar de ingang van de markt. Ze ving een glimp op van een man met een zonnebril op en schrok zich dood. De man bleek broodmager en had een bos zilvergrijs haar.

Ze slaakte een zucht en liep het pad uit. Joseph stond op haar te wachten.

'Als hij hier is, is hij onzichtbaar,' zei hij.

Zoë knikte. 'Volgens mij kan de schoenenverkoper wel wat gezelschap gebruiken.'

Net als de vorige keer ging Zoë zitten op de lege stoel om het pad in de gaten te houden. Deze keer hoefden ze niet lang te wachten. Om twintig minuten over negen kwam er een licht gebogen vrouw aan. Zoë herkende de huishoudster meteen. Ze stond snel op en liep naar de oude vrouw toe. De huishoudster zag Zoë pas toen ze zo'n zes meter voor haar stond. Ze boog haar hoofd en probeerde haar te passeren, maar Zoë ging voor haar staan.

'Luister, alstublieft,' zei Zoë, die geen tijd verloren liet gaan. 'Darious heeft Kuyeya verkracht omdat hij aids heeft en het meisje nog maagd was. Zijn misdaad was niet willekeurig. Hij haatte haar moeder en hij was bang voor haar. Hij was ervan overtuigd dat ze zijn familie had vervloekt. De vraag is waarom. Wat is er gebeurd, vijftien jaar geleden tussen Frederick Nyambo en Charity?'

De huishoudster bleef zwijgen, maar Zoë hield aan. 'Ik ben ervan overtuigd dat Frederick haar in Livingstone heeft ontmoet en haar een baan heeft aangeboden. Ik weet dat ze haar opleiding afbrak en naar Lusaka is verhuisd. Ik weet dat er iets pijnlijks moet zijn voorgevallen. Maar ik weet niet wat. Hoe dan ook, Charity belandde op straat als prostituee. En uiteindelijk stierf deze jonge vrouw, die een toekomst voor zich had, aan aids.'

Tot Zoë's verbazing begon de huishoudster te huilen. 'Wat je zegt is waar,' zei ze na een poos. 'Maar ik ben oud en heb niemand die me kan beschermen.'

'Ik kan u beschermen,' zei Zoë snel. 'Ik heb vrienden binnen de diplomatieke gemeenschap. Ik kan een andere baan voor u regelen.'

De huishoudster aarzelde. 'Ik zal erover denken.'

Zoë haalde een biljet van vijftig pin uit haar portemonnee en pakte een pen. Net als eerder in de supermarkt schreef ze haar mobiele nummer in de marge van het biljet. 'U kunt me bellen of sms'en. De zaak komt de eerste week van april voor. We hebben uw informatie snel nodig.'

De huishoudster stopte het geld in haar tas en liep naar de chitengekraam. Zoë zag haar weglopen. Zou ik zelf het risico durven nemen, vroeg ze zich in alle eerlijkheid af. Zou ik de Nyambo's trotseren en mijn lot in handen leggen van een vreemdeling?

Toen Zoë Joseph zag aankomen zei ze: 'Ze kent het hele verhaal. Maar ze is bang.'

'Dat kan ik haar niet kwalijk nemen,' zei hij.

'Ik ook niet.'

24

Lusaka, Zambia, februari 2012

HALVERWEGE FEBRUARI begon het juridisch team zich serieus voor te bereiden op het proces tegen Darious Nyambo. Zoë werkte met Sarge en Niza aan het opstellen van de getuigenlijst en het verzamelen van ondertekende verklaringen en attesten, en hielp Joseph met het verkrijgen van beëdigde gerechtelijke verklaringen van de getuigen. Kort daarna belegde Sarge een vergadering om de bewijsvoering door te nemen.

Ze gingen de getuigen uit het vooronderzoek chronologisch af: het tienermeisje Given, dat de zilverkleurige SUV in Kabwata had gezien in de buurt van Doris' huis; Wisdom, de tienerjongen, die de SUV rond middernacht door het steegje had zien rijden; de kleine Dominic, die Darious met Kuyeya had gezien bij het huis van Agnes; Agnes, die de auto en het dichtvallende portier had gehoord; Abigail, die Kuyeya op straat had gevonden; en dokter Chulu, die haar in het ziekenhuis had onderzocht.

Toen ze de getuigenis van Joseph wilden bespreken, ging Sarge achterover in zijn stoel zitten. 'We doen verslag van je onderzoek, de arrestatie en jouw conclusie over de gezondheidstoestand van Darious. En dan eindigen we met je ontdekking van Amos, de nganga.'

'Is de goede dokter nog wel in Lusaka?' vroeg Niza.

Joseph knikte. 'Ik heb hem vorige week nog gezien. Hij is nog hier.'

'Dan gaan we verder met Doris,' zei Sarge. 'Zij kan Bella's verleden met Darious uit de doeken doen.'

'Áls ze wil getuigen,' zei Zoë. 'De laatste keer dat ik haar sprak was ze daar nog niet zeker van.'

'Ik denk wel dat je haar kunt overtuigen,' antwoordde Sarge. 'Na Doris komt Amos. Hij zorgt voor het motief van Darious. Als hij afwijkt van zijn eerdere getuigenis, laten we de opnamen horen. Wanneer heb je Bob Wangwe voor het laatst gesproken?' vroeg hij aan Joseph.

'Een paar dagen geleden. Hij zal er zijn met zijn cliënt.'

'Heel goed,' zei Sarge. 'De laatste getuige op mijn lijst is Kuyeya.'

'Ik denk niet dat de rechter haar zal laten getuigen,' wierp Niza tegen. 'Volgens dokter Mbao...'

Sarge onderbrak haar. 'Mwila vertelde me gisteren dat dokter Mbao haar opnieuw beoordeeld heeft. Kuyeya kan antwoord geven op eenvoudige vragen.'

Niza fronste haar wenkbrauwen. 'Het is een gok. Hoe zal ze reageren op de aanwezigheid van Darious?'

'Daar zullen we haar op voorbereiden,' zei Sarge. 'Wat kan er in het ergste geval gebeuren? Dat ze dichtklapt. Dat ze begint te huilen. Andere kinderen hebben dat ook gedaan, maar dat weerhield ons er niet van jeugdige slachtoffers te laten getuigen. De gedachte haar opnieuw te traumatiseren vind ik afschuwelijk. Ik heb zelf kinderen. Maar we hebben geen DNA. Zonder haar getuigenis kunnen we de zaak verliezen.'

Zoë keek naar Joseph. 'Ik heb nog steeds de hoop dat de huishoudster haar verhaal doet.'

'Geloof je echt dat ze zou willen getuigen?' vroeg Niza.

Zoë slaakte een zucht. 'Ik weet het niet.'

Sarge peilde de gezichten aan de tafel. 'Er is nog iets wat we moeten bespreken: de media. Als er ruchtbaarheid aan dit proces wordt gegeven, zullen we veel aandacht krijgen. De *Post* zou er wel pap van lusten, en als de *Post* het brengt, doet de *Times* het ook.'

Zoë schudde instemmend haar hoofd. 'Een lek zou fataal zijn. Doris zou voor geen goud getuigen, om maar te zwijgen van de huishoudster.'

'Ik zie dit niet zo snel gebeuren,' bracht Niza in. 'De Nyambo's zitten net zomin op publiciteit te wachten. Darious heeft geen reputatie hoog te houden, maar Frederick en Patricia wél.'

'Desalniettemin,' ging Sarge verder, 'als er iemand van de media contact opneemt, stuur die dan door naar mij. We moeten er voorzichtig mee omgaan. We willen de pers aan onze kant hebben als Nyambo in beroep gaat.'

Een week later reed Zoë naar Kabwata om Doris te bezoeken. Ze liet de gps-tracker achter op kantoor, nam een omweg, reed een paar keer terug en hield mogelijke achtervolgers in de gaten. Ze had Dunstan Sisilu niet meer gezien sinds hij haar met een pistool had bedreigd, maar de herinnering aan zijn revolver en dreigement keerde telkens terug. Toen ze zeker wist dat er niets aan de hand was, parkeerde ze op het terrein bij het appartement van Doris en klopte aan.

Bright deed open in een T-shirt en spijkerbroek. 'Wat wil je?'

Zoë gaf geen krimp: 'Ik wil je moeder spreken.'

'Ik zal haar halen,' antwoordde Bright met tegenzin.

Zoë ging op de bank zitten en bestudeerde het antieke masker boven de deur.

Even later kwam Doris binnen en ging zitten. 'Waarom blijf je me maar lastigvallen?' vroeg ze. 'Ik zei toch dat ik nog geen besluit genomen had.'

'Kuyeya vereist dat je een besluit neemt,' zei Zoë direct. 'Het proces is volgende maand.'

Doris staarde naar de vloer.

'Ik weet dat je bang bent. Maar je bent het Bella verschuldigd.'

Doris keek plotseling op.

'Het staat allemaal in haar dagboek, wat ze voor je heeft gedaan. Ze had kunnen vluchten, maar ze heeft je leven gered.'

Doris sloot haar ogen. 'Darious is gevaarlijk. Hij zou mijn kinderen iets kunnen aandoen.'

Dat heeft hij al gedaan, dacht Zoë. Ze kreeg medelijden met de vrouw. 'Ik besef dat je een risico neemt, maar de rechter wil alles weten over zijn relatie met Bella.'

Doris wreef nerveus in haar handen. 'Je hebt me ooit gevraagd of ze een bijnaam voor hem had. Gisteravond schoot me die te binnen. Het was een woord uit het Tonga.'

'Siluwe,' zei Zoë zacht.

Doris verstijfde. 'Hoe weet je dat?'

'Zo schreef ze over hem in haar dagboek,' antwoordde Zoë. Ze kon haar opwinding nauwelijks bedwingen. Plotseling was Bella's dagboek niet alleen relevant, maar ook bruikbaar als bewijsmateriaal. 'Weet je waarom?'

Doris schudde haar hoofd. 'Als ik getuig, mag ik de rechter dan ook vertellen over Bright?'

'Ik wou dat het kon, maar dat zou nadelig kunnen zijn voor het proces.'

Doris staarde een lange poos naar de vloer, en keek Zoë weer in de ogen. 'Ik denk dat ik al blij mag zijn als ze hem achter de tralies zetten.'

Kuyeya was weer gevallen tijdens een bezoek van dokter Mbao. Zuster Irina had in verwarring Zoë opgebeld. Ze kon de val niet verklaren. Ze wandelden door de tuin, zoals zo vaak, en ineens zakte Kuyeya in elkaar. Het meisje kon zelf rechtop gaan zitten, maar leek verward en begon diep vanuit haar keel te grommen. Ze zei niets en reageerde niet op vragen. Zelfs Zoë's muziek bracht haar niet tot rust.

'Dokter Chulu is huisbezoeken aan het afleggen,' zei zuster Irina. 'Hij gaat haar weer onderzoeken.'

'Zijn ze nu onderweg naar het ziekenhuis?' vroeg Zoë.

'Twintig minuten geleden zijn ze vertrokken,' antwoordde Irina.

'Dan zie ik ze daar.'

Zoë parkeerde op de weg voor de kinderafdeling en wachtte op het busje van het St.-Franciscus. Toen dat voor de stoeprand stilstond, begroette Zoë zuster Anica en opende de schuifdeur. Kuyeya staarde haar met glazige ogen aan.

'Hé, hallo,' zei Zoë, een beetje beduusd. 'Ik help je met uitstappen.' Ze legde haar hand op de schouder van het meisje en zag dat ze over het bot achter haar rechteroor krabde. 'Doet ze dat vaker?' vroeg Zoë met een knik naar de hand van Kuyeya.

'Niet dat ik weet,' antwoordde zuster Anica bedachtzaam.

Zoë sloeg haar arm om Kuyeya heen en zette haar op de grond. 'Heb je pijn aan je hoofd?' vroeg ze, nadat ze de oordopjes had verwijderd.

'Zoem doet de bijeneter; prik doet de bij,' antwoordde Kuyeya.

'Hoor je een gezoem in je hoofd? Of voelt het als een steek van de bij?'

Kuyeya knikte en krabde zich weer achter haar oor.

'Oké, daar gaan we iets tegen doen.' Ze liep met Kuyeya naar de wachtkamer en zag dokter Chulu in gesprek met zuster Mbelo.

'Volgens mij heeft ze pijn,' vertelde Zoë de arts. 'Ze wrijft over een plekje achter haar oor.'

De arts wees een onderzoekskamer aan. 'Laten we eens kijken.'

Dertig minuten later ging hij aan het bed zitten terwijl Kuyeya naar Johnny Cash luisterde.

'Het is duidelijk dat ze pijn heeft,' zei hij. 'Ik weet alleen niet of het een gevolg of de oorzaak van het vallen is.' Hij wierp een blik op zuster Anica. 'Vertoont ze tekenen van vermoeidheid of prikkelbaarheid?'

De non dacht even na. 'Niet meer dan normaal.'

'Is ze incontinent?'

'Dat weet ik niet, zuster Irina werkt op de zaal.'

Dokter Chulu keek naar Mbelo. 'Volgens mij wordt het tijd om röntgenfoto's te maken van haar baarmoeder.'

De verpleegkundige liep de kamer uit en kwam een minuut later bezorgd terug. Fluisterend overlegde ze met dokter Chulu, en uit de ogen van de arts sprak irritatie.

'De radioloog schijnt op vakantie te zijn,' zei hij licht geïrriteerd.

'Wat houdt dat in?' vroeg Zoë.

'Dat betekent dat ik de foto's zelf moet interpreteren.'

Zoë keek op haar horloge en daarna naar dokter Chulu. 'Ik moet gaan. Over een halfuur heb ik een zitting. Belt u me als u nieuws hebt?'

Hij knikte. 'Zodra ik de foto's heb gezien.'

De dag daarna kwam het telefoontje, vlak voor het einde van de werkdag.

'Weet u wat het is?' vroeg Zoë. Ze liep het kantoor uit om even van de zon te genieten.

'Niet helemaal. Ik zag geen afwijkingen in de ruggengraat, maar ik ben geen radioloog. Het blijft gissen zolang die nog niet terug is.'

'Is er niemand in het ziekenhuis aan wie u om een second opinion kunt vragen?'

Dokter Chulu schraapte zijn keel. 'Ik stuur de foto's naar de orthopedist en houd contact met zuster Anica. Als de toestand van Kuyeya verslechtert, laat ik een MRI-scan maken.'

'Waarom niet nu?' vroeg Zoë, gefrustreerd en bezorgd tegelijk.

'Ik begrijp uw bezorgdheid, maar onze middelen zijn beperkt. Een MRI is een laatste redmiddel.'

Zoë slaakte een diepe zucht en ademde langzaam uit. Hij kan er niets aan doen, dacht ze om haar woede te temperen. Hij doet wat hij kan.

Met nog minder dan een maand te gaan voor het proces besteedde Zoë al haar vrije tijd aan de zaak Kuyeya. Terwijl het juridisch team werkte aan de bewijsvoering, hielp ze Sarge en Niza bij het bedenken van strategieën voor ondervraging en kruisverhoor. Meedogenloos haalden ze de zwakke punten uit de bewijsvoering en bedachten creatieve oplossingen. Ze waren vastbesloten om te winnen.

Als ze 's avonds niet bij Joseph was, worstelde Zoë met haar artikel voor de *New Yorker*. Samantha Wu had gelijk: Naomi Potter had de kopij gemarkeerd met zoveel suggesties en annotaties dat Zoë meer rode dan zwarte inkt zag. Nog nooit was een tekst van haar zo zwaar geredigeerd, een vervelende en nederig makende ervaring. Naomi maakte overal een punt van – de loop van het verhaal, de logica, de woordkeus, de syntaxis –, maar haar grootste zorg was de indruk die het artikel op de lezer zou achterlaten.

'We moeten heel precies zijn,' schreef Naomi in een e-mail toen ze merkte hoe het Zoë frustreerde. 'Je plaatst je familie – je eigen vader zelfs – in een bepaald daglicht dat afwijkt van de boodschap van zijn campagne. Je kunt je geen fouten veroorloven. Het moet perfect zijn.'

Op zondagmiddagen ging Zoë op bezoek bij Kuyeya, soms alleen, soms met Joseph. Het meisje herstelde snel van haar tweede val. Soms leek ze met haar handen graag aan voorwerpen te friemelen, soms krabde ze in haar nek. Maar die periodes waren kort en in het algemeen ging het goed met haar. Dokter Chulu bleef haar in de gaten houden, maar maakte zich geen zorgen over haar prognose. Het oordeel van de orthopedisten over de röntgenfoto's kreeg Zoë niet te horen.

Zes dagen voor het proces zat Zoë na kantoortijd nog voor Sarge te werken aan een verhoorstrategie. Even na zessen zette ze de computer uit en keek ze naar Joseph, die een verslag afmaakte voor een andere zaak.

'Soms word ik gek van mezelf,' verzuchtte ze.

Hij legde zijn pen neer. 'Dat maakt je zo bijzonder.'

Plotseling hoorde Zoë haar iPhone zoemen. Ze keek op het scherm en verstijfde. Ze had een sms'je gekregen van een onbekende afzender. 'Morgen ben ik op de markt. Neem beveiliging mee.'

Ze liet Joseph het bericht zien.

Hij floot. 'De huishoudster.'

Zoë knikte. 'Ze wil vluchten.'

Om kwart voor negen de volgende ochtend stonden ze in het gangpad van Chiwoyu's kraam. Net als de vorige keren hadden ze de markt eerst verkend op de aanwezigheid van Dunstan Sisilu, daarna hingen ze rond bij de schoenenkraam, uitkijkend naar het silhouet van de huishoudster. Zoë had een bang voorgevoel, maar weet dat aan haar zenuwen. De stap die ze gingen nemen – het in bescherming nemen van een kroongetuige – was ongekend in de geschiedenis van de CILA. Niemand wist hoe de Nyambo's zouden reageren.

Iets na negenen verscheen de huishoudster in het zonlicht met een schoudertas om. Kordaat beende ze over de markt, haar hoofd gebogen. Zoë verroerde zich niet totdat de huishoudster haar had gezien. Ze zag meteen hoe bang de vrouw was.

'Heb je gedaan wat ik vroeg?' vroeg de huishoudster.

'In Ibex Hill zit momenteel een echtpaar van de ambassade dat bescherming nodig heeft,' antwoordde Zoë nerveus. 'Daar willen we je heen brengen.'

Joseph ging bij hen staan. 'Waar is de chauffeur die je hiernaartoe heeft gebracht?'

'Bij de taxistandplaats. Als ik niet voor halftien terug ben, komt hij me halen.'

Joseph keek naar Zoë. 'Blijf bij haar. Ik haal onze auto alvast.'

Zoë liep met de huishoudster naar het einde van het pad en zag Joseph langs de markt lopen en verdwijnen. 'Hoe heet u?' vroeg ze.

De vrouw knipperde met haar ogen. 'Mijn naam is Anna.'

Zoë wilde nog iets vragen, maar zag iets aan de rand van haar blikveld bewegen. Ze knipperde tegen het schuin binnenvallende zonlicht en zocht naar iets herkenbaars. Kooplui duwden hun goederenkarren vooruit, het winkelende publiek liep met tassen en manden, kinderen van alle leeftijden renden rond, er werd gelachen en gepraat. Ze spiedde om zich heen en zag tien meter voor zich een man wegduiken in het pad. Haar voorgevoel veranderde in angst.

'Hoe ziet uw chauffeur eruit?' vroeg Zoë.

Anna keek haar aan. 'Hij is lang en draagt altijd een zonnebril.'

Zoë legde haar arm om het middel van de vrouw. 'We moeten hier weg,' zei ze, en ze duwde de geschrokken huishoudster voor zich uit door het pad naar de taxistandplaats. Ze keek over haar schouder om en zag Dunstan Sisilu vanuit de schaduw van de markt op hen afkomen. 'Kom, rennen,' drong ze aan, zoekend in het pad naar Joseph.

Anna was kwiek voor een oudere vrouw, maar niet snel, en Sisilu kwam steeds dichterbij. Zoë stak haar handen onder Anna's oksels en sleepte haar half door het pad, haar benen trilden van de inspanning. Eindelijk zag ze de Land Rover een bocht maken. Met een slinger kwam de wagen tot stilstand, en Zoë duwde Anna achterin.

'Gas!' schreeuwde ze, toen ze de auto in sprong. 'Hij is híér!'

Joseph drukte de versnellingspook in zijn achteruit en scheurde door het pad. Vrijwel meteen werd er geclaxonneerd en trapte hij op de rem. Een botsing met een Coca-Cola-truck midden op het pad was net voorkomen. Met een schok zette hij de Land Rover weer in zijn vooruit en stevende op Sisilu af. Verstijfd van schrik zag Zoë de man met de zonnebril zijn revolver trekken. Ze duwde Anna's hoofd naar beneden en wachtte op het eerste schot, maar dat bleef uit. Ze waren hem voorbijgereden. Zoë keek om door de achterruit en zag Sisilu achter hen aan rennen.

'Je hoofd omlaag houden!' schreeuwde Joseph, het gaspedaal intrappend.

Ze stevenden af op enkele autobussen die voor een pakhuis geparkeerd stonden. Plotseling gaf Joseph een ruk naar links aan het stuur en reden ze door een steegje dat omzoomd werd door een netwerk van vervallen kraampjes. Sisilu was nergens meer te bekennen en Zoë voelde een vlaag van opluchting. Een jongen duwde een met kleding volgeladen kar de steeg in. Joseph trapte op de rem en hield de claxon ingedrukt. Omstanders vluchtten alle kanten op. Met moeite kreeg de jongen zijn kar weer in beweging.

Zoë keek achterom en zag Sisilu door de steeg hollen. Hij was verbazingwekkend lenig voor zijn lengte.

'Doorrijden!' schreeuwde ze.

Toen de weg eindelijk vrij was, trapte Joseph het gaspedaal weer in. De menigte achter hen sloot de steeg weer af en in Zoë's hoofd leek de tijd te smelten en haar omgeving te veranderen in een caleidoscoop van impressies: de onthutste winkelaars, Josephs strakke kaaklijn, de schittering van Sisilu's revolver, Anna die voorovergebogen met haar hoofd in haar schoot zat.

Even later bereikten ze het einde van de steeg en maakte Joseph een scherpe bocht naar rechts. De auto scheurde overhellend over een lege parkeerplaats naar Lumumba Road. Ze staken door een opening in het verkeer en reden richting het winkelcentrum. Door de achterruit zag Zoë Sisilu de parkeerplaats op rennen en plotseling stilstaan om hen weg te zien rijden. Daarna kwam er een truck voorbij en was hij uit het zicht verdwenen.

Ze lieten de markt achter zich en Zoë pakte Anna bij de hand. 'Het is gelukt,' zei ze zacht. Ze kon weer rustig ademen.

Joseph nam een willekeurig aantal afslagen, zigzagde door woonbuurten en hield de achteruitkijkspiegel goed in de gaten. Na een poos ging hij Great East Road op richting de buitenwijken. Zoë tuurde naar Anna en wel duizend vragen kwamen in haar op. De huishoudster staarde naar haar handen en Zoë besloot er één te stellen.

'Hoe lang werkt hij al voor Frederick?'

'Al jaren,' antwoordde Anna. 'Hij is hoofd beveiliging.'

Voorbij de Chainama Hills Golf Club hield Joseph het zuiden aan richting Kabulonga. Even later zag Zoë het monolithische fort van de Amerikaanse ambassade, uittorenend boven Ibex Hill. Hun bestemming was een chique bungalow in een klein bos ver voorbij de hoofdweg. Bij de ingang stond een gewapende bewaker. Hij controleerde Josephs identiteitsbewijs.

'Weet u zeker dat u niet bent achtervolgd?' vroeg hij in zorgvuldig Engels.

'Zo zeker als ik daar van kan zijn,' antwoordde Joseph.

De bewaker sprak kort in een walkietalkie en liet hen binnen. Joseph parkeerde de Land Rover onder de takken van een palissander.

'De Thompsons worden uitstekend beveiligd,' zei Zoë tegen Anna. 'En Bernie is de beste bewaker die je maar kunt hebben. Hij zat vroeger bij de Special Forces. Achter deze muren kan u niets gebeuren. Daarbuiten,' zei ze, wijzend naar de poort, 'is het een ander verhaal.'

Ze stapte uit en begroette een blonde vrouw die een blouse met sjaal droeg, en een gespierde man in een golfshirt en katoenen broek. 'Carter, Bernie!' riep Zoë. Ze omhelsde hen en stelde Anna voor. Net als Carol Prentice wist Carter Thompson hoe ze een gast op zijn gemak moest stellen. Ze pakte Anna bij de hand en liep met haar naar het huis, vrolijk kwetterend alsof ze goede vriendinnen waren.

'Veel gebeurd vanochtend?' vroeg Bernie, kijkend naar Zoë en Joseph.

'Dat kun je wel zeggen,' antwoordde Zoë, waarna ze hem het verhaal vertelde.

Ze wachtten op Anna op de overdekte veranda van de Thompsons, die omringd was door bloempotten. Zoë zat op een rieten stoel en keek uit over het gazon, Joseph ging naast haar zitten. Bernie schonk mangosap in grote glazen en liet hen alleen. Zoë zag de spanning in Josephs gezicht. Hij krabde over zijn ongeschoren kin, een tic die zich manifesteerde als hij zich zorgen maakte.

'Hij zal ons niet met rust laten,' zei ze zacht.

Joseph schudde zijn hoofd.

'Kunnen we hem niet arresteren, achter de tralies zetten tot het proces voorbij is?'

Hij keek haar van bezijden aan. 'Waar zou ik hem van moeten beschuldigen?'

'Hij heeft me aangevallen.'

Joseph trok zijn schouders op. 'Dan zal hij al na twee dagen op borgtocht vrij zijn. Je zou kunnen doorzetten, maar ik geloof niet dat hij zal worden vervolgd. Niet zolang de Nyambo's achter hem staan.'

Ze vervielen in stilzwijgen. Zoë keek naar Emma, de zevenjarige dochter van de Thompsons, die met een labradorpup op het gazon speelde. De onschuld van het tafereel werkte niet echt kalmerend. Ze hoorde weer de stem van Sisilu in haar hoofd. 'Als je je met andermans zaken blijft bemoeien, zullen er doden vallen.'

Toen Carter en Anna terugkwamen van hun rondleiding, nam Zoë de huishoudster apart. 'Ik heb zoveel vragen, en het proces begint over vijf dagen.'

Anna knikte en ging tegenover hen zitten. 'Hoe gaat het met Kuyeya?' vroeg ze. 'Ze was nog een baby toen ik haar voor het laatst zag.'

Zoë keek haar verbijsterd aan. 'Weet u wanneer ze is geboren?'

'In januari 1997,' antwoordde Anna. 'Een nganga was erbij, en ik. Het was een zware bevalling, maar Charity was sterk. Toen Kuyeya er was, wist ik dat er iets aan de hand was. De nganga zag het ook. Ze zei dat het kind vervloekt was.'

Zoë keek even naar Joseph. 'Vertel me alles over Charity. Waarom is ze naar Lusaka verhuisd?'

'Frederick moest naar Zimbabwe voor een bijeenkomst,' legde Anna uit. 'Hij werd plotseling heel ziek. Hij had gehoord over een witte dokter in Livingstone, dus daar ging hij heen. Charity werkte in het ziekenhuis, zij verpleegde hem.' Anna zuchtte. 'Vaak denk ik: wat zou er gebeurd zijn als er een andere verpleegster aan zijn bed had gestaan? Het was zoveel beter geweest als ze nooit in ons leven was gekomen.'

'Was hij verliefd op haar?' vroeg Zoë, de puzzelstukjes bij elkaar leggend.

'Het was geen verliefdheid. Het was een obsessie.'

'Bood hij haar een baan aan?'

'Ze ging naar Lusaka om te werken als zijn persoonlijke assistent. Hij betaalde haar mooie appartement en gaf haar een chauffeur. Ik wist er niets van in het begin. Hij hield het geheim. Maar toen bleek ze zwanger, en hij wist dat ze hulp nodig had. Een maand voordat Kuyeya werd geboren stelde hij me aan haar voor.'

'Is Frederick de vader?'

Anna schudde langzaam haar hoofd. 'Dat dacht hij. Ik ook. Maar hij was het niet. Wie dan wel de vader is, weet ik niet.'

Zoë keek bedenkelijk, verbaasd om Anna's stelligheid. 'Hoe weet u dat zo zeker?'

Anna keek de tuin in. 'Patricia is degene die erachter is gekomen. Frederick had veel vriendinnen. Daar wist zij van, maar ze tolereerde zijn uitstapjes. Dat veranderde nadat hij Charity had ontmoet. Hij begon Patricia te verwaarlozen. Ze is een trotse vrouw uit een gegoede familie. Ze vertelde me dat ze wist van zijn ritjes naar Woodlands. Ze moest alles over Charity weten.'

Anna sloot haar ogen. 'Ik nam haar mee naar het appartement. Kuyeya was twee maanden en heel klein. Ik had Patricia nog nooit zo kwaad gezien. Ze bedreigde Charity. Ze zou haar kapotmaken als ze Frederick niet met rust zou laten. Charity was doodsbang. Ze wist niets over Fredericks familie. Patricia stal haar dagboek. Ik stond erbij toen ze het aan Frederick liet zien.

Ze vertelde hem dat Kuyeya niet zijn dochter was.'

'Wat is er met dat dagboek gebeurd?' vroeg Zoë brandend van nieuwsgierigheid.

Anna reikte in haar tas en haalde er een spiraalblok uit. Zoë's hart begon sneller te kloppen toen ze dit zag. Ze nam het schrijfblok aan en deed het open. Anders dan het andere dagboek, dat ze van Doris had gekregen, was de binnenkant van de kaft onbeschreven. Maar de aanhef op de eerste bladzijde was hetzelfde: 'Beste Jan...'

'Dit is het eerste deel,' zei Zoë, terwijl ze het aan Joseph liet zien. 'Hoe komt u hieraan?' vroeg ze aan Anna.

'Patricia bewaarde het in de linnenkast. Ik zag het altijd liggen als ik haar was opruimde.'

'Heeft u het gelezen?'

Anna keek beschaamd. 'Ik kan niet lezen. Ik heb de lagere school niet afgemaakt.'

'Maar uw Engels is zo goed.'

'Patricia huurde een leraar voor me in. Ze spraken in het huis alleen maar Engels.'

Zoë vouwde haar handen. 'Ik neem aan dat Frederick Charity en haar baby aan hun lot heeft overgelaten.'

'Patricia dreigde met een scheiding. Ik heb Charity nooit meer gezien.'

'Wist u dat ze een relatie heeft gehad met Darious?'

Anna keek verbaasd op. 'Wanneer dan?'

'Ergens na 2004.'

Anna's ogen begonnen te glanzen. 'Zo is hij achter Kuyeya gekomen.' Ze legde uit wat ze hiermee bedoelde, voordat Zoë het kon vragen. 'Toen ik over de verkrachting hoorde, snapte ik het niet. Hij had Charity niet ontmoet toen hij nog een jongen was. Maar ik wist dat de misdaad geen toeval kon zijn.'

'Wist hij van het dagboek?' vroeg Zoë.

'Ja,' zei Anna. 'Ik heb hem er ooit mee gezien in de slaapkamer van zijn ouders.'

Plotseling vielen de puzzelstukjes op hun plaats. Darious was als tiener achter de affaire van zijn vader met Charity gekomen, maar toen hij haar jaren later in levenden lijve ontmoette, noemde ze zich Bella. Ze vertelde hem nooit haar ware naam, en waarschijnlijk vroeg hij er nooit naar. De vraag bleef dus: hoe legde hij het verband?

Ze richtte zich weer tot Anna. 'Is u iets opgevallen, de avond van de verkrachting?'

Uit de blik van Anna sprak berouw. 'Frederick en Patricia waren niet thuis. Darious ging een eindje rijden. Toen hij terugkwam en zijn wagen in de garage zette, zag ik hem in het donker lopen en zich vreemd gedragen. Ik wist niet waar hij mee bezig was.'

Zoë zag de plattegrond van het terrein weer voor zich en herinnerde zich dat de woning van de huishoudster direct uitkeek op de garage. 'Heeft hij gezien dat u hem zag?'

Anna wreef nerveus in haar handen. 'Dat weet ik niet.'

Zoë wachtte even en stelde toen de moeilijkste vraag: 'Wilt u getuigen?'

Anna keek haar ernstig aan. 'Als ik niet verdwijn, zullen ze me ombrengen.' Ze wees naar het dagboek. 'Daarin ligt de waarheid besloten. Laat dat maar aan de rechter zien.'

Een halfuur later reden Zoë en Joseph terug naar de bungalow van het echtpaar Prentice. Ze begroetten Carol, die in de woonkamer zat te lezen, en liepen door naar het terras, waar ze in de zon bij het zwembad gingen zitten. Zoë haalde Charity's dagboek uit haar rugzak.

'Lees maar voor,' zei Joseph.

Ze knikte en opende het boek.

Beste Jan,
Ik trok naar Lusaka in de hoop dat ik je zou kunnen vergeten. Maar ik denk niet dat me dat lukt. Nog niet. Jij zit nu in Zuid-Afrika, zoals je wilde. Je hebt een heel leven voor je. Je bent een begaafd arts. Het was dwaas van mij te denken dat ik na mijn opleiding bij jou zou kunnen blijven. Maar jij zult altijd bij me zijn. Soms droom ik dat ik wakker word en jou aan mijn zijde vind. Ik ben nog steeds hetzelfde dwaze kind. Maar ik weet wat het is om lief te hebben. Jij mag mij vergeten, maar ik zal jou niet vergeten.

'Je had gelijk,' zei Joseph. 'Ze hadden een relatie.'

Zoë knikte en sloeg de bladzijde om. Ze las de volgende brief, en de volgende, en nog zo'n tien brieven, verspreid door het dagboek. Sommige wierpen een licht op het web van bedrog en chaos dat Charity's eerste jaar in Lusaka had gekenmerkt – Fredericks driftbuien, zijn seksuele verlangens, haar verwarring om dit alles. Een enkele passage was een ontroerende verkenning van het moederschap. De andere brieven aan Jan waren echter geschreven met de inkt van onbeantwoorde liefde.

Na een poos merkte Zoë dat het haar te veel werd. Ze staarde naar het zwembad en wist wat haar te doen stond. Toen ze het aan Joseph vertelde, keek hij haar bedachtzaam aan.

'Hoe lang blijf je weg?'

'Ik ben voor woensdag terug, wat er ook gebeurt.'

Joseph knikte. In zijn ogen schitterde de zon. 'Ik breng je wel naar het vliegveld.'

25

Kaapstad, Zuid-Afrika, april 2012

ZOË LANDDE IETS VOOR ELF UUR 's AVONDS in Kaapstad. Ze huurde een cross-overvoertuig en reed in de nacht naar de Tafelbaai in het westen. Haar koffer had ze gepakt met de herfstregen in gedachten, maar de lucht boven de Kaap was droog en wolkeloos, schoongeveegd door een straffe oceaanwind. De Zuidooster, dacht Zoë, kijkend naar het Zuiderkruis boven de lichten van de stad. Als die blijft staan, zal het weer prachtig zijn tijdens mijn bezoek.

En daarin kreeg ze gelijk. De volgende ochtend ontwaakte ze in het zonlicht dat haar kamer in het Table Bay Hotel binnenviel. Ze liep naar het raam en keek uit over de haven naar het afgetopte massief van de Tafelberg, dat uittorende boven de uitgestrektheid van de stadskom. Ze dacht terug aan de eerste keer dat ze hier door haar moeder mee naartoe was genomen – naar de kaap die Sir Francis Drake de mooiste van de hele wereld had genoemd. 'Neem het goed in je op, Zoë,' had Catherine gezegd. 'Nergens voel je zo intens dat je leeft als in Kaapstad.'

Na een snel ontbijt reed Zoë door de drukte van het grootstedelijke verkeer richting het oosten en ging de N2 op naar de kustvlakte. Ze sloeg af naar de R102 richting het noorden door de vruchtbare groene gordel van het *veld* naar Stellenbosch. De wijngaarden van de Westkaap, ingeklemd tussen de hoge Hottentots-Hollandberge in het oosten en de rotsachtige piek van de Simonsberg in het noorden, lagen er schitterend bij. Haar bestemming was de Kruger Estate, een kleine wijngaard op de helling van de Simonsberg uit het einde van de negentiende eeuw.

Zoë zette de auto op de onverharde parkeerplaats bij de ingang van het landgoed en volgde op het weelderig begroeide pad de uit hout gesneden pijlen naar de wijnboetiek. Door een zware houten deur ging ze naar binnen. De proefruimte had de gezellige sfeer van een wijnkelder, met vloertegels, hardhouten meubels, stenen pilaren en een uitgekiende belichting. Omdat het nog zo vroeg was, was er weinig volk. Achter de toonbank stond een oude man, in een hoekje stond een verliefd jong stelletje.

Zoë ging aan een tafeltje zitten en bestudeerde het menu. De oude man begroette haar vriendelijk. In zijn Engels meende ze een Beiers accent te horen. Zoë zag de gelijkenis meteen. Dit wordt een stuk gemakkelijker dan ik had verwacht, dacht ze.

'Ik wil rood proeven,' zei ze.

De oude man haalde een fles merlot van de toonbank en schonk een bodempje in haar glas. Als een meesterlijke sommelier beschreef hij het boeket van smaken en hun minerale oorsprong. Na de merlot bracht hij een pinotage, daarna een shiraz, een cabernet sauvignon en tot slot een melange die de 'Grand Reserve' heette. Zoë praatte met de wijnboer over zijn vintages en betaalde de rekening. Pas toen bracht ze de reden van haar bezoek ter sprake.

'U bent toch Hendrik Kruger?' zei ze. 'Ik ken uw zoon.'

Het gezicht van de oude man klaarde op. 'Ach, waarom zei u dat niet meteen? Dan had u wel gratis mogen proeven.'

Ze glimlachte. 'Nou, dat hoeft niet hoor. Wél wil ik u om een gunst vragen.'

'Voor een vriendin van Jan doe ik alles,' antwoordde Hendrik.

'Ik wil weten waar hij zich op dit moment bevindt. Ik heb mensen van de universiteit van Kaapstad gesproken. Ze vertelden dat u het misschien zou weten.'

Hendriks ogen stonden plotseling bezorgd. 'Waar gaat het om?'

Zoë gaf hem een cryptische versie van de waarheid. 'Een vriendin van ons, een vrouw die Jan goed kende, is onlangs overleden. Ze heeft hem iets nagelaten.'

De oude man wachtte even met zijn besluit. 'Er ligt een rustoord in de buurt van Hermanus,' zei hij. 'Het heet Vrede. Mensen gaan daarheen om troost te vinden. Ik weet het niet zeker, maar misschien vind je hem daar.'

'Troost?' vroeg ze.

'Vrede,' verduidelijkte Hendrik. 'Je zult het wel zien.'

De man zocht in een la naar een stuk papier en beschreef de route.

Hoewel de Sir Lowry's Pass op de N2 sneller zou zijn geweest, nam Zoë de kustweg naar het plaatsje Hermanus. Net als de Pacific Coast Highway in Californië was de weg van de Gordonsbaai naar Kleinmond een strook asfalt die ieder mens veranderde in een dichter. Kronkelend langs steile kliffen en door pittoreske kustplaatsjes schuurde de R44 langs de ruwe rand van het land dat de Hottentots-Hollandberge verbond met de eeuwig blauwe oceaan.

Zoë kwam vroeg voor het middaguur in Hermanus aan. Volgens de aanwijzingen van Hendrik Kruger verliet ze vlak voor het centrum de hoofdweg en reed het binnenland in door de Hemel-en-Aarde-vallei. De bergen van de Overberg rezen aan alle kanten op, onttrokken de lucht aan het oog; de hellingen langs de weg waren begroeid met wijnstruiken en hier en daar stond een Kaap-Hollands huis.

Enkele kilometers verderop zag Zoë het bord van het Vrede Retreat Center. De weg was hobbelig en omzoomd met aan elkaar gegroeide struiken. Al snel veranderde het heuvelachtige terrein in een grote weide tussen de rotsachtige kliffen. Zoë parkeerde op een kiezelterrein naast een uit witte betonblokken opgetrokken gebouw. Op het bord bij de ingang stond OFFICE. Ze deed haar auto niet op slot en begroette een slanke, witharige man op een ligstoel. De man stond op en gaf een hand.

'Welkom in Vrede,' zei hij met een beschaafde stem. 'Ik ben Robert Vorster.'

'Zoë Fleming,' antwoordde ze, om zich heen kijkend. 'Wat is het hier mooi.'

'De hemel op aarde,' antwoordde hij met een grijns, waarna hij uitlegde: '*Hemel en Aarde*, dat is Afrikaans.' Hij keek haar bedachtzaam aan. 'U had geen afspraak, meen ik.'

Ze schudde haar hoofd. 'Ik ben op zoek naar iemand, dokter Jan Kruger. Zijn vader heeft me gestuurd.'

Vorster aarzelde. 'Doet u zaken met hem?'

Ze koos haar woorden zorgvuldig. 'Zo zou je het kunnen noemen.'

Vorster wees naar een pad dat naar het bos liep. 'Loopt u met me mee?'

Zoë knikte. Weer een bewaker. Jan wist zich goed te beschermen.

Ze liepen het pad op onder de takken van altijdgroene bomen en kwamen terecht bij een open plek waar een oud kapelletje stond. Naast de kapel lag een door struiken omzoomde visvijver, en achter de vijver op de heuvelhelling stonden enkele witgekalkte huisjes.

Vorster ging zitten op een uitgehouwen stenen bankje. 'Bent u al eens eerder op Vrede geweest?'

'Nee,' antwoordde ze, terwijl ze naast hem ging zitten.

'Voor veel mensen is het een gewijde plek. We hebben hier tegenstanders van de apartheid op bezoek gehad, leden van de Waarheids- en Verzoeningscommissie, politici, ambtenaren en mensen uit de culturele wereld, naast bezoekers uit de hele wereld. In Vrede is iedereen gelijk. We zijn allemaal mensen op zoek naar rust in woelige tijden. We kennen maar één regel: doe geen kwaad.' Vorster keek Zoë in de ogen. 'Voldoet de reden van uw bezoek aan de heer Kruger aan dit criterium?'

Zoë zag een blad door de lucht dwarrelen en in de vijver landen. Ze wist dat ze de waarheid moest vertellen. 'Ik ben advocaat,' antwoordde ze. 'Ik help een meisje in Lusaka, het slachtoffer van een verkrachting. Het proces tegen de dader begint over vier dagen. Jan weet zaken die van vitaal belang zijn. Daarover wil ik hem spreken.'

Vorster zweeg zo lang dat Zoë vreesde dat ze het wel kon vergeten. Plotseling ging hij voor haar staan. 'Hij is na de lunch gaan wandelen. Ik vermoed dat je hem bij de watervallen zult vinden. Het pad begint bij de brug voorbij de weide.'

'Dank u wel,' zei ze. Ze stak hem de hand toe, die Vorster aannam.

'Jan is een goed mens,' zei hij. 'Ik hoop dat u dat niet vergeet.'

Zoë vond het spoor aan de andere kant van een loopbrug die een bergstroom overspande. Ze haalde diep adem, luisterde naar de muziek van het water dat over de rotsen kabbelde, en zette de pas erin. Even later ging de weide over in wat ruiger terrein met struikachtige gewassen. Zoë volgde de slingerende loop van de stroom, liep langs groepjes torenhoge eiken en stilaan overbrugde ze geen afstand meer, maar een verschil in hoogte.

Even later kwam ze bij een tweesprong. Het hoofdpad liep door een groepje bomen, het andere, veel smallere pad ging via een rotswand naar de top van de berg. Ze hoorde vlakbij het geruis van neerstortend water, maar kon de waterval niet zien. Ze waagde zich in het struikgewas, duwde takken opzij en stapte over blootliggende wortels. Even later stond ze op een grasveld aan de rand van een modderige plas. Ze zag de waterval en het bankje tegelijkertijd. Een man draaide zich om en keek naar haar.

Het was Jan Kruger.

Als hij was geschrokken, was dat niet te zien. Paradoxaal genoeg leek hij eerder opgelucht. Na een poos ging ze naast hem zitten en staarde naar de waterval.

'Waarom ben je hier?' vroeg ze uiteindelijk.

Hij keek haar nieuwsgierig aan. 'Voor alle duidelijkheid, dat zou ik juist aan jou moeten vragen.'

'Is het een soort boetedoening?'

Bedachtzaam keek hij om. 'Boetedoening en vrede zijn verwant maar niet hetzelfde.'

'Vrede zonder verzoening is een leugen,' antwoordde ze, precies wat ze maanden geleden tegen Sylvia had gezegd. 'Je bent verzot op leugens.'

Hij wachtte een tel voordat hij antwoordde. 'Dat hebben we dan met elkaar gemeen, zou ik zeggen.'

'Dat zou je kunnen stellen, "voetsak",' riposteerde ze, de krachtterm op zijn Afrikaans uitsprekend. 'Maar we staan niet gelijk.'

Jan lachte even. 'Een vreemde uitdrukking, hè? Maar wat je zegt klopt. Jouw leugen tegen dokter Luyt was onbaatzuchtig; die van mij het toppunt van egoïsme.' Hij krabde onder zijn kin. 'Hoe heb je het ontdekt?'

Zoë haalde het eerste deel van Charity's dagboek uit haar rugzak. 'Ze schreef over je,' zei ze, en gaf hem het schrijfblok. 'Ze hield van je.'

Hij draaide het dagboek om in zijn handen. 'Dit is niet het boek dat je me eerder liet zien.'

'Dat was het derde deel, veel later geschreven. Dit is deel één. Ze schreef haar eerste brief kort nadat ze uit Livingstone was vertrokken.'

Hij voelde aan de kaft maar sloeg het boek niet open. 'Wat schrijft ze?'

'Dat jullie geliefden waren. Dat jullie 's avonds laat de liefde bedreven op je werkkamer. Dat je begaafd was, de meest begaafde arts die ze ooit had ontmoet. Dat ze het liefst van alles jouw vrouw wilde zijn. Er was een periode dat ze daarin geloofde.'

Zijn gezicht vertrok van pijn. 'Ik vrees dat ik haar daarin heb laten geloven.'

Ze kneep haar ogen toe. 'Je vreest? Ze was een studente van je. Ze had bijna haar hele familie verloren aan ziekte. Ze volgde een opleiding voor een goede baan, zodat ze voor haar grootmoeder en neef en nicht kon zorgen. Ik ken Zambiaanse vrouwen. Ze zetten niet de eerste stap.'

Jan tuurde peinzend naar de waterval. 'Het was een veelbewogen jaar,' zei hij uiteindelijk. 'Mijn onderzoek in Livingstone was nuttig maar niet essentieel. Ik had gesolliciteerd naar een baan in Kaapstad, maar wist niet of ik die zou krijgen. Charity was... Ik weet het niet. Ze had een bepaalde uitstraling, een bepaald inzicht en een intelligentie die ik onweerstaanbaar vond.'

Hij keek op naar een wegvliegende vogel. 'We hadden de hele nacht bij Godfrey gewaakt toen hij ziek was. We waren uitgeput. Het regenseizoen was verschrikkelijk – een stoet aan malariagevallen. Wonder boven wonder overleefde hij het. Charity beschouwde hem bijna als een zoon. De week daarna bracht ze me als dank een maaltijd. We waren met zijn tweeën over-gebleven in het ziekenhuis. Ik heb een fout gemaakt.'

'Als het een fout was, waarom bleef het dan niet bij die ene keer?'

Hij trok zijn schouders op. 'Ik had nog nooit iemand zoals zij ontmoet. Ik bleef bij haar zo lang ik kon.'

'Waarom gingen jullie niet trouwen? Jullie hadden een leven kunnen op-bouwen.'

'Dat zou onmogelijk zijn geweest.'

De waarheid drong tot haar door. 'Dat zou je familie niet hebben goed-gekeurd.'

Hij keek haar schuin aan. 'Mijn ouders zijn geen racisten. Maar het was 1996. De spanningen in de regio laaiden op. Niemand zou het hebben be-grepen.'

'Dus je liet haar in de steek. Je kreeg de baan in Kaapstad en liep weg.'

Hij schudde zijn hoofd. 'Ik deed iets wat nog erger was. Ik had ervoor gezorgd dat ze naar Lusaka vertrok.'

'Wat!?' riep Zoë. 'Wat bedoel je? Frederick Nyambo had haar toch mee-genomen?'

Hij knikte. 'Dat is waar, maar het idee kwam van mij.'

Ineens klopte het hele verhaal. Iedereen die Charity had gekend, bleek zowel gelijk als ongelijk te hebben gehad. 'Hoe is het gegaan?'

'Frederick kwam van de Victoriawatervallen naar het ziekenhuis,' legde hij uit. 'Hij had een vergevorderd stadium van leptospirosis, de ziekte van Weill, een ernstige bacteriële infectie. Hij was bij een nganga geweest, van wie hij drankjes had gekregen, die niet werkten. Zijn toestand was ernstig, toen ik hem zag. Ik bestreed de gevaren, maar Charity verpleegde hem. Tien dagen lag hij in het ziekenhuis. Ik zag hem naar haar kijken en begon met hem over haar te praten. Ik vertelde hem over haar familie, de beroerte van haar grootmoeder. Hoe slim ze was. Ik dacht, als ik haar aan een goede baan in Lusaka kan helpen – iets beters dan ze met haar verpleegstersdiploma kon krijgen – zal ze daarheen gaan en mij vergeten.'

'Je deed het dus zodat je je niet schuldig hoefde te voelen,' zei Zoë. 'Je kocht je geweten om en brak haar hart.'

'Een goede samenvatting,' antwoordde hij zonder beledigd te zijn. 'Ja, egoïstische redenen vormden mijn motief. Om eerlijk te zijn, ze had geen baangarantie na haar opleiding. Het ging in die tijd slecht met de Zambi-aanse economie. Maar ze was de beste studente van haar jaar. Ze zou geen honger hebben geleden.'

Zoë stelde zich voor hoe Frederick Nyambo, herstellend in een ziekenhuisbed, met Jan Kruger zat te praten over de toekomst van Charity. 'Heb jíj hem overtuigd, of hij jou?'

'We hadden elkaar ervan overtuigd. Hij beloofde me dat hij voor haar zou zorgen. Ik geloofde hem. En daarna overtuigde ik haar.' Jans stem werd zachter, hij staarde onbewogen naar het vijveroppervlak, alsof in het stilstaande water het gezicht van Charity zou verschijnen.

'Voor het geval je het wilt weten, hij zorgde echt voor haar,' zei Zoë. 'Hij liet haar in een mooie flat wonen en benoemde haar tot persoonlijke assistente. Je plannetje had goed kunnen uitpakken.' Ze slaakte een diepe zucht om moed te scheppen. 'Ware het niet dat ze zwanger was van jouw kind.'

Jan leunde achterover op het bankje en sloot zijn ogen. In de stilte daarna trad de natuur op de voorgrond. Het water kabbelde over de rotsen, de wolken dreven in de zee van lucht boven hen, de vogels riepen elkaar. Eindelijk opende hij zijn ogen weer. 'Hoe weet je dat zo zeker?'

Ze wees naar het dagboek in zijn handen. 'Lees het zelf maar. Op de betreffende pagina zit een ezelsoor.'

Met trillende vingers opende hij het boek. Hij vond de gemarkeerde passage op een van de laatste bladzijden en las de tekst vluchtig door. Toen hij klaar was, bleef hij met neerhangende schouders voor zich uit staren. 'Misschien ben ik de vader,' zei hij langzaam. 'Maar misschien heeft ze zich vergist.'

'Daar kunnen we maar op één manier achter komen,' antwoordde Zoë, en ze stelde haar plan voor.

Hij keek naar de vijver. 'Daar moet ik even over nadenken.'

Ze kon haar ongeduld nauwelijks bedwingen. 'We hebben weinig tijd.'

'Geef me tot morgen,' zei hij.

26

Lusaka, Zambia, april 2012

DRIE DAGEN VOOR HET PROCES van Darious Nyambo stond Dunstan Sisilu in een grijze Prado voor het kantoor van de CILA. In zijn auto aan de overkant van de straat keek hij uit over de parkeerplaats, zonder ook maar te proberen zich verdekt op te stellen. Joseph was de eerste die hem zag en hij bracht Zoë en Mariam op de hoogte. Mariam belegde meteen een spoedvergadering met alle medewerkers. Tien minuten later zochten alle twintig werknemers een plekje aan de vergadertafel. De meesten van streek, sommigen ontregeld.

'Het is duidelijk dat ze Anna willen hebben,' zei Mariam, uit het raam kijkend naar de poort. 'Maar hoe ver zullen ze gaan om haar te vinden?'

Joseph nam het woord. 'Ik verwacht dat ze zich zullen focussen op Zoë en mij, maar het zou me niet verbazen als ze ons hele team in de gaten houden.'

'Ik zal de bewakers waarschuwen,' zei Mariam. 'Ik wil niet dat iemand hier zonder bewaking weggaat totdat het proces achter de rug is. Reis in groepjes van twee of drie. Als je thuis bewaking hebt, stel die op de hoogte.' Ze zweeg. 'Wat vinden jullie wat we met onze getuigen moeten doen?'

'Als we het hun vertellen, willen ze niet meer getuigen,' merkte Niza op. 'Als we zeker weten dat ze in gevaar zijn, zou het anders liggen. Maar dat weten we niet.'

Zoë knikte. 'Dat vind ik ook. Hij weet al vijf maanden waar ze wonen. Ze zijn nu net zo veilig als voorheen.'

Sarge leunde naar voren. 'Er zit ook een positief kantje aan. Ze zijn er kennelijk niet zeker van dat Flexon Mubita aan hun kant staat.'

Joseph keek bedenkelijk. 'De rechter is niet hun enige zorg. Als Anna publiekelijk uit de school klapt, is dat schadelijk voor de reputatie van de Nyambo's. Mubita is nog steeds een onzekere factor.'

Het werd stil in de vergaderruimte. Zoë zag grote onzekerheid in de blikken van haar collega's. Ze voelde die net zo sterk als zij, maar ze voelde nog iets: woede. En die maakte haar strijdlustig. Bijna nam ze het woord, maar de blik van Mariam deed haar aarzelen. In plaats van twijfel, straalde de coördinatrice vastberadenheid uit.

'Jullie weten,' zei Mariam met haar handen op de tafel, 'dat Niza aan het begin van dit alles al had voorspeld dat de Nyambo's deze zaak zouden behandelen als een oorlogsverklaring. Dat is precies wat ze hebben gedaan. We kunnen hen niet de baas zijn. We kunnen hun schurken niet naar onze hand zetten. We kunnen het hof niet naar onze hand zetten. Maar dat hoeft ook niet. Onze taak is Darious te vervolgen. Door dat te doen eren we Kuyeya en elk Zambiaans meisje dat leeft met de angst voor verkrachting.'

Er werd instemmend geknikt, ook door Zoë.

'Ik doe dit werk al zeven jaar,' ging Mariam verder. 'Ik heb talloze schrijnende gevallen meegemaakt. Misschien wordt dit er ook een. Misschien niet.' Zwijgend keek ze iedereen aan tafel aan. 'Laten we van deze zaak de beste maken die we hebben gehad.'

Aan het einde van de werkdag bracht Joseph Zoë in zijn pick-up naar huis. Sisilu volgde hen, op afstand. De dagen daarna volgden ze dezelfde routine, net als hun stalker met de zonnebril. Zoals Joseph had voorspeld was Sisilu niet alleen. Ook Sarge en Niza merkten dat ze overdag door onbekende voertuigen werden gevolgd en 's avonds werden bespied. De sfeer binnen het juridisch team was gespannen. In de spanning voorafgaand aan het proces raakte het geduld snel op en liepen de gemoederen op. Zelfs de onverstoorbare Sarge leek geagiteerd.

Op de avond voor het proces zaten Zoë en Joseph met het echtpaar Prentice op het terras lamskebab met couscous en komkommersalade te eten. Het was een frisse herfstavond, de sterrenhemel was helder. Tom en Carol verluchtigden het gesprek met anekdotes over hun belevenissen in Afrika. Zoë viel hen bij met herinneringen aan haar moeder, waarna Carol het gesprek overnam en verhalen vertelde over Catherine die Zoë nog nooit had gehoord – over Catherines ontmoeting met Nelson Mandela vóór de afschaffing van de apartheid; over de druk die ze op de regering van Clinton had gezet om Afrikaanse landen die generieke aidsremmers distribueerden hun gang te laten gaan, in weerwil van de Amerikaanse farmaceutische industrie; over de staatssecretaris van Buitenlandse Zaken die haar na te veel drankjes had willen versieren; over de ambassadeurs die dol op haar waren en degenen die haar verachtten. Al die tijd leek Joseph er niet helemaal bij. Op een gegeven moment zag Zoë hem staren naar een cipres achter in de tuin.

'Is er wat?' vroeg ze.

'Nee, niets,' zei hij, waarna hij verder at.

Nadat Carol en Tom naar bed waren gegaan, liepen Zoë en Joseph zoals elke avond door het huis om alle sloten op deuren en ramen te controleren. Daarna liep Zoë met hem naar de slaapkamer en probeerde hem te verleiden met een zoen. Joseph had echter geen zin in seks. Hij kleedde zich uit, glipte onder de dekens, wenste haar nog 'goedenacht' en legde zijn hoofd op het kussen. Nog geen minuut later lag hij te slapen.

Zoë ging naast hem liggen en genoot van zijn warmte. Ze lag wakker en luisterde naar de nachtvogels en het zachte geluid van zijn adem. Ze dacht aan de toekomst zoals die zou moeten zijn – aan Kuyeya, veilig voor mannen als Darious; aan Trevor en Jenna die gingen trouwen; aan Joseph en liefde, en dat wat er zou volgen. Een langdurige relatie? Een levenslange band? Was dat mogelijk? Verstandig? Hoe zou dat zijn? Rond middernacht werden haar oogleden zwaar en viel ook zij in slaap.

Het eerste wat ze hoorde was een schreeuw.

Haar ogen sprongen open en haar verwarde brein werd traag wakker. Ze hoorde een klap aan de andere kant van het huis. Ze keek om naar Joseph en op dat moment schrok ze zich lam.

Er stond een menselijke schim over het bed gebogen.

Nu was Zoë degene die begon te schreeuwen. De schim verstijfde en even leek het of de verschijning haar in de ogen keek. Daarna was hij verdwenen. Ze was zo diep geschrokken dat ze niet meer kon denken of praten, alleen maar reageren. Ze stak haar arm uit en wierp de klamboe open, met haar andere hand zocht ze naar haar bril. Ze draaide zich om en zag Joseph naar zijn geweer grijpen.

'Hier blijven!' siste hij, en hij stormde naar de deur.

In bed blijven liggen leek Zoë zelfmoord. Ze sprong eruit en rende achter Joseph aan – door de gang, langs de logeerkamers naar de woonkamer. Opnieuw hoorde ze een schreeuw en ze herkende de stem van Carol Prentice. Een man riep: 'Nee!' Daarna bonsde er iets zwaars tegen de muur en gaf Carol opnieuw een gil.

Even later zag Zoë een schim uit de slaapkamer van de Prentices komen, die in de donkere keuken verdween. Er glinsterde iets in zijn hand.

'Hij heeft een wapen!' gilde Zoë, terwijl Joseph zijn geweer oprichtte, klaar om te schieten.

Ze was totaal niet voorbereid op de voet die uit het niets verscheen en haar deed struikelen. Ze lag languit op de tegelvloer, haar bril was van haar hoofd gevallen. Nog voordat ze zelf kon opstaan werd ze door sterke armen van de vloer getild en voelde ze een hete adem in haar nek. Na de adem voelde ze een lemmet.

'Stil blijven staan! Anders ik je afmaken!' schreeuwde de man in haar oor.

'Help,' bracht ze met moeite uit, ook al voelde ze het mes in haar huid snijden.

Joseph reageerde onmiddellijk. Hij draaide zich om en richtte zijn geweer op de man die haar leven in zijn hand had. Ze keek in de loop van het geweer en begon onbedwingbaar te beven.

'Laat haar los,' schreeuwde Joseph.

De inbreker greep haar nog steviger vast. 'Waar is vrouw?' riep hij bars.

Ineens begreep Zoë wat er aan de hand was. De indringers dachten dat Anna in het huis was.

'Die is heel ver weg,' zei Joseph.

'Waar?' schreeuwde de man.

De seconden daarna leken zich in slow motion te voltrekken – Joseph die een stap naar achter deed en 'Oké, oké, ik vertel je waar ze zit' zei; het mes dat van haar hals werd genomen; de onverwachte vuurflits; de oorverdovende knal; de brandende pijn aan haar oorlel na het schot dat haar met een fractie had gemist; de zurige lucht van cordiet en metaalachtig bloed.

Zoë gilde en wurmde zich uit de greep van haar neergeschoten belager, die in elkaar zakte. Haar verstand stond stil in een shocktoestand, haar oren suisden. Het liefst wilde ze op de bank neerploffen en in huilen uitbarsten. Maar de andere indringer liep nog rond.

Ze zette haar bril op en concentreerde zich op de contouren van Josephs gezicht. Ze renden samen naar de keuken. De keuken was gedempt verlicht: de deur van de huishoudster stond open. Ze stonden op de drempel naast een rij lichtschakelaars en zochten in het donker naar iets wat bewoog. De nacht was volkomen stil – geen stemmen, geen voetstappen, zelfs geen zuchtje wind.

'Waar is de bewaker?' sputterde Joseph, terwijl Zoë's hart in haar borst tekeerging.

Hij zette de schakelaars om, waarna de tuin in een zee van kunstlicht baadde.

'Kom op,' zei hij. Hij ging naar buiten en rende naar de poort met zijn geweer in de aanslag. Zoë zuchtte diep en rende achter hem aan.

Ze vonden de bewaker ineengedoken op de grond. Zoë voelde zijn pols. 'Hij leeft nog,' zei ze.

Joseph controleerde de poort en zag dat die nog op slot stond. 'Ze zijn ergens anders binnengedrongen.'

Ze liep achter hem aan naar de achterkant van het huis. Het zwembad en het terras lagen er spookachtig bij in het bleke licht. Onder een hoge cipres stond hij vloekend stil. De stroomdraad boven de buitenmuur was doorgeknipt. Over de andere draden hing een zwaar kleed dat ze naar beneden trok. Zoë begreep ineens zijn afwezigheid tijdens de maaltijd. Ze maakte een reconstructie: ze waren via de tuin van de buren naar binnen gedrongen. Maar hoe waren ze binnengekomen?

Ineens wist ze het antwoord. 'Rosa!' schreeuwde ze.

De deur van het huisje van de huishoudster stond op een kier, de woonkamer was zo donker als een grafkelder. Zoë ging naar binnen, ondanks Josephs bevel. Ze knipperde met haar ogen in het donker en zag een zitbank, een fornuis en een bed. Op de matras lag een vrouw, roerloos, haar armen op een vreemde manier uitgespreid. Zoë rende op haar af, vreesde het ergste. Ze drukte haar vingers tegen Rosa's hals en blies de adem uit die ze al die tijd had ingehouden.

'Goddank,' fluisterde ze met bonzend hart.

'Ik doorzoek de rest van het terrein,' zei Joseph.

Zoë knikte gehaast. 'Ik ga met je mee.'

Ze rende achter hem aan naar de kunstmatig verlichte tuin. Samen zochten ze de muren en struiken af op zoek naar de indringer. Twee keer dacht Zoë ergens beweging te zien in het clair-obscur van licht en schaduw. Maar telkens bleek het een fantoom, een trucje van de geest. Nadat Joseph de carport had doorzocht liep hij met Zoë naar de poort en deed die van het slot. Hij richtte de loop van zijn geweer de straat in naar de plaats die kort daarvoor werd ingenomen door de grijze Prado. Zoë keek mee over zijn schouder.

Dunstan Sisilu was weg.

Joseph deed de poort weer op slot en samen liepen ze terug naar de woning van de huishoudster.

'Ik doorzoek de rest van het huis,' zei hij. 'Ga jij maar naar Tom en Carol.'

De lichten waren aan toen ze de bungalow in liepen. Carol stond met een betraand gezicht in haar nachtjapon bij het fornuis.

'Is Tom oké?' vroeg Zoë, terwijl ze Carol omhelsde.

'Hij is bewusteloos.'

Zoë liep door de gang naar de slaapkamer van de Prentices. De kamer was overhoopgegooid – het leeslampje naast het bed was kapotgeslagen, de ligstoel lag omver, overal lagen kleren. Tom lag ineengedoken op de vloer. Plotseling drong de ernst van het gebeurde tot Zoë door en ze zakte neer op haar knieën, overweldigd door een golf van schuldbesef. Dit is allemaal mijn schuld, dacht ze. Ik mocht bij hen schuilen en nu zijn ze zelf gewond.

Even later voelde ze een hand op haar schouder. 'De politie komt zo,' zei Carol zacht.

Zoë knipperde met haar ogen. 'Het spijt me zo,' fluisterde ze.

Toen Tom bij bewustzijn was, hielp Zoë Carol om hem in een stoel in de huiskamer te hijsen. Enkele minuten later arriveerde de politie van Kabulonga, die twee uur lang bezig was met het verzamelen van sporen. De neergeschoten indringer had geen identiteitsbewijs bij zich. Zijn kleren waren gewoontjes, evenals zijn mes. Zijn nationaliteit was niet bekend. Joseph meende dat hij een Congolees was, de rechercheur dacht een Angolees; hij was in elk geval geen Zambiaan.

De bewaker bij de poort kwam als eerste bij zijn positieven. Hij strompelde het huis in met grote ogen van verbijstering. De politie verhoorde hem, maar hij kon zich bijna niets herinneren. Even later kwam Rosa, met haar handen haar hoofd vasthoudend. Carol bracht haar naar de bank en ging naast haar zitten, terwijl de politie vragen stelde. De huishoudster herinnerde zich dat ze in het donker wakker werd van een geknars op de vloer. Daarna drukte een hand iets tegen haar mond. Ze herinnerde zich een chemisch luchtje, maar daarna niets meer.

Nadat de politie het lichaam had verwijderd was Tom bij zinnen genoeg om het beveiligingsbedrijf te bellen. Carol nam een valium en schrobde de vloer met chloor totdat de bloedvlek bijna was verwijderd. Zoë boende ondertussen in de badkamer haar gezicht totdat haar huid rood was. De snijwond van het mes was ingedroogd, maar haar oor bloedde nog steeds.

Ze bekeek zichzelf in de spiegel, overweldigd door emoties. De pijn welde in haar op, ze zeeg op de vloer en begon te huilen. Ze wist niet hoe lang ze daar gezeten had toen Joseph haar vond en naar bed bracht. Ze kroop onder de dekens en beefde over heel haar lichaam.

'Zijn ze weg?' vroeg ze.

'Ja,' zei hij. 'Ik heb nog wat telefoontjes gepleegd. Al onze collega's van de CILA zijn oké.'

Hij nam haar in de armen en zong zacht een Afrikaans slaapliedje – in het Nyanja, Tonga of Bemba, dat wist ze niet. De zachte cadans van de woorden was als balsem voor haar aangeslagen zenuwen, maar bood nauwelijks troost. Ze durfde niet te denken aan het proces dat over enkele uren zou beginnen. Ze kon zich nauwelijks voorstellen dat ze in de rechtszaal zou toekijken, terwijl Darious zijn onschuld zwoer en Frederick Nyambo toekeek alsof hij niets te verbergen had. Maar dat was precies haar taak. De zitting kon niet vanwege haar worden uitgesteld.

Ze sloot haar ogen en probeerde niet meer te denken aan al het geweld van die avond. Ze luisterde naar het liedje dat Joseph zong, het wiegende ritme, de vreemde woorden.

Eindelijk dommelde ze in slaap.

27

VLAK VOOR NEGEN UUR DE VOLGENDE OCHTEND nam Zoë plaats in zaal 10, in spanning wachtend op de verschijning van de rechter. Als acteurs die wachten tot het doek opgaat, maakten de partijen in het proces een ingetogen, peinzende indruk. De advocaten krabbelden gedachteloos in hun aantekenblokken, de getuigen uit Kanyama – Given, Dominic, Wisdom, Agnes en Abigail – zaten er stram als standbeelden bij, dokter Chulu ging steeds verzitten en wreef regelmatig in zijn handen. Zelfs Benson Luchembe, in een pak van Savile Row en omringd door zijn coterie van medewerkers, leek nerveus.

Dat hoopte Zoë tenminste.

De gebeurtenissen van de avond daarvoor hadden haar vertrouwen ernstig aangetast, en het kostte haar moeite om stil te blijven zitten. Niet alleen was er ingebroken in de bungalow van de Prentices, ook het kantoor van de CILA was geplunderd; dossiers waren verscheurd, computers en kantoorartikelen kapotgeslagen. Als Sarge en Niza niet alle gegevens van het proces mee naar huis hadden genomen, zouden ze met lege handen hebben gestaan. De nachtwakers waren net zo geschrokken als het personeel toen ze hoorden wat er was gebeurd. Ze beweerden niets verdachts te hebben gehoord of gezien. Niza en Zoë dachten daar anders over, maar konden hun medeplichtigheid niet bewijzen.

Zoë streek over de wond aan haar oorlel en keek naar Frederick Nyambo. Hij was alleen, zoals altijd sinds de aanklacht. Blijkbaar oefende zijn vrouw haar invloed achter de schermen uit. Zijn gezicht was het toonbeeld van onaantastbaarheid. Hij keek Zoë aan en lachte flauwtjes. De kaarten zijn geschud, leek hij te zeggen, en wij gaan winnen. Plotseling ging de deur open en kwam Flexon Mubita binnen met een jongeman, waarschijnlijk de griffier. Hij besteeg de rechterstoel en beval de zaalmedewerker de verdachte voor te leiden. Darious ging in de beklaagdenbank zitten en staarde wezenloos naar de rechter. Zijn ostentatieve gebrek aan spijt maakte Zoë woedend. Na alles wat ze had gedaan, de bergen werk die de CILA had verzet, rustte zijn lot in de handen van een rechter wiens integriteit twijfelachtig was.

'Geachte aanwezigen, goedemorgen,' begon de rechter met een hartelijk knikje naar Sarge en Benson Luchembe. 'We zijn aanwezig bij het proces tegen Darious Nyambo, die ervan beschuldigd wordt een meisje onder de leeftijd van zestien jaar te hebben onteerd. Zijn er nog zaken die moeten worden afgewikkeld voordat we verder kunnen gaan?'

Sarge stond langzaam op, hij leek een beetje te wankelen. 'Edelachtbare, gisteravond hebben gewapende indringers ingebroken in het huis waar Zoë Fleming logeert sinds ze in haar eigen flat bedreigd werd. Een van de indringers is omgekomen bij het gevecht, maar moet nog worden geïdentificeerd. Ook is ingebroken in ons kantoor en er zijn dossiers en materialen vernietigd. Zoals u weet is de rechtsgang al eerder gehinderd, maar dit geweldsniveau is ongekend. We kunnen deze aanslagen nog niet aantoonbaar in verband brengen met de verdachte, maar er is geen andere verklaring.'

Mubita leek oprecht gechoqueerd. Hij keek Benson Luchembe woedend aan. 'Heeft u hier weet van?'

De advocaat schudde heftig zijn hoofd. 'Natuurlijk niet, edelachtbare. Ik ben net zo geschokt als u. En ik betreur de beschuldiging van de raadsman, maar zonder bewijs van medeplichtigheid dient hij hierover te zwijgen.'

De rechter keek Darious kwaad aan. 'Als ik ontdek dat de verdediging bij deze illegale praktijken betrokken is geweest, laat ik u allen persoonlijk achter de tralies zetten wegens minachting van het hof.' Hij wendde zich opnieuw tot Sarge. 'Verzoekt u om uitstel?'

Sarge aarzelde. 'Nee, edelachtbare. We zijn er klaar voor de zaak vandaag te laten voorkomen.'

De rechter knikte. 'Hoe geschrokken ik ook ben van deze ontwikkelingen, ik wil het liefst meteen verdergaan.' Hij keek naar Zoë. 'Mevrouw Fleming, het spijt me voor u wat er is gebeurd. Ik neem aan dat u uw huis nu strenger laat bewaken.'

'Daar is al voor gezorgd,' antwoordde Zoë vlak.

'Goed,' antwoordde Mubita, terwijl hij zijn pen oppakte. 'Ik ben gereed voor de eerste verklaringen.'

Sarge en Benson Luchembe deden met weinig omhaal hun verklaringen. Sarge vatte de feiten achter de aanklacht samen, maar bleef terughoudend over Darious' motief en de familiegeschiedenis met Charity Mizinga. Luchembe daarentegen somde alle zwakheden op in het betoog van de aanklager: Kuyeya's onvermogen om de verdachte te beschrijven en de onmogelijkheid van de aanklager om een ooggetuige op te roepen die de verkrachting had gezien. Daarna gelastte de rechter Sarge zijn eerste getuige op te roepen.

'Ik roep Given Sensele op,' zei Sarge.

De ondervraging van een minderjarige was altijd een gevoelige kwestie, maar Sarge ging met geoefende charme met Given om. Hij liet haar foto's zien van de steeg waar ze de zilverkleurige SUV had gezien en foto's van Darious' Mercedes, en ze stelde vast dat het logo dat ze op de achterkant van de SUV gezien had, hetzelfde was als dat van de Lusaka Golf Club. Luchembe tekende bezwaar aan toen Sarge Darious vroeg op te staan en zich om te draaien, maar de rechter schoof dat terzijde. Nadat Darious had gehoorzaamd, wees Sarge naar hem.

'Lijkt de verdachte op de man die jij in dat steegje hebt gezien?'

Givens antwoord galmde door de zaal. 'Ik heb zijn gezicht niet gezien. Alleen maar zijn rug. Maar ja, hij lijkt op de man die ik toen zag.'

Toen Sarge het woord aan Luchembe gunde, glimlachte die beleefd naar het meisje. 'Juffrouw Sensele, je zei dat je op weg naar huis was toen je de zilverkleurige SUV zag. Hoe snel liep je toen?'

Het meisje dacht even na. 'Ik liep snel.'

'Liep je snel omdat je alleen was en het donker was buiten?'

Given knikte.

'Liep je snel toen je de zilverkleurige SUV zag?'

'Ja. Maar ik stond stil toen ik hem zag.'

De advocaat van de verdediging fronste zijn wenkbrauwen. 'Waarom, als ik vragen mag?'

Given leek even van haar stuk gebracht. 'Het was een dure auto. Ik vroeg me af wie erin zat.'

'Maar je zag niet wie erin zat. Je zei dat je zijn gezicht niet hebt gezien.'

'Hij leek op de man die daar zit,' antwoordde het meisje.

Luchembe trok zijn schouders op. 'Maar je weet niet zeker of hij het is, of wel?'

Given leek geïrriteerd. 'Ik heb toch gezegd wat ik heb gezien?'

De advocaat tuitte zijn lippen en had geen vragen meer.

De volgende getuige op de lijst was Wisdom. De tienerjongen beende naar voren, een karikatuur van volwassen bravoure. Hij monsterde Darious, wierp een zelfverzekerde blik op de rechter en richtte zich op Sarge, die met hem de avond van de verkrachting doornam: het tv-programma waarnaar hij had gekeken, het geluid van de automotor op straat, de remlichten van een zilverkleurige SUV. Ook liet Sarge hem een met de hand getekende plattegrond zien van zijn buurt en vroeg hem aan te wijzen waar hij woonde.

Even later gaf Sarge de jongeman over aan Benson Luchembe, die meteen gehakt maakte van zijn getuigenis door vast te stellen dat hij geen idee had van het merk en model van de SUV, laat staan dat hij wist wie er in die wagen zat, of er nog meer passagiers in zaten, waar het voertuig vandaan kwam of naartoe ging toen de SUV voorbij zijn huis reed. 'Kortom,' sneerde Luchembe, 'eigenlijk heb je die avond helemaal niets gezien.'

Wisdom keek Luchembe nors aan.

'Dat beschouw ik als een bevestiging,' zei de advocaat, waarna hij ging zitten.

Daarna riep Sarge Dominic op. 'De jongen spreekt een heel klein beetje Engels,' zei Sarge terwijl hij hem naar de getuigenbank bracht. 'Zijn moedertaal is Nyanja.'

De rechter zwaaide naar zijn griffier. 'Timothy treedt op als tolk.'

Toen Timothy naast Dominic ging staan, legde Sarge de jongen een aantal zaken uit over de procesgang en de aard van een getuigenis. Dominic gaf eenvoudige antwoorden, maar leek dicht bij zichzelf te kunnen blijven in een ruimte vol advocaten.

'Ik acht deze jongen niet toerekeningsvatbaar,' wierp Benson Luchembe tegen. 'De vrijheid van mijn cliënt mag niet door onbetrouwbare herinneringen van een zevenjarige in gevaar worden gebracht.'

De rechter schudde zijn hoofd. 'De jongen lijkt helder. Ik ben benieuwd naar de herinneringen van deze knul.'

Luchembe ging pontificaal zitten, terwijl Sarge begon met zijn verhoor. Het jongetje was slim en leek ervan te genieten dat hij de rechter zijn verhaal kon vertellen. Hij gaf korte antwoorden in het Nyanja, en Timothy vertaalde die. Sarge liet Dominic de getekende plattegrond zien die hij ook Wisdom had voorgelegd. Het kostte de jongen moeite om zijn huis aan te wijzen totdat hij begreep dat het struikje in het midden een symbool was voor de boom in Abigails tuin. Hij wees naar een huis verderop in de straat.

'Daar woon ik,' zei hij.

Sarge liet Dominic de foto's zien van Darious' SUV en het logo van de Lusaka Golf Club, die de jongen beide herkende. Ook herkende hij Kuyeya op een foto waarop ze speelde in de tuin van het St.-Franciscus. 'Dat meisje heb ik gezien,' zei hij. 'Ze lijkt blij. Die avond stond ze te huilen.'

Luchembe schoof een stoel naar de getuigenbank, zodat de jongen niet hoefde te blijven staan. 'Ik ben Benson,' begon de advocaat op vaderlijke toon. 'Je vertelde de heer Zulu dat het donker was toen je de truck en het kind zag, klopt dat?'

Dominic zat te wiebelen op zijn stoel. ''s Avonds is het donker.'

Luchembe glimlachte. 'Dat klopt. Dominic, je zei dat de man die jij hebt gezien op die man daar lijkt, toch?' De advocaat wees naar Darious in de beklaagdenbank, en de jongen knikte. 'Herken je de man die daar voor in de galerij zit? Hij draagt een grijs pak.'

De jongen boog zich naar de betreffende man, en Zoë volgde zijn blik. De man – iemand van de verdediging – keek Dominic aan. De jongen fronste zijn wenkbrauwen en schudde zijn hoofd.

'Dus je hebt die man nog nooit gezien?' informeerde Luchembe.

'Ik kan me hem niet herinneren,' zei de jongen, verward.

'Weet je het zeker? Denk nog eens goed na.'

Zoë keek van de jongen naar de man en maakte zich oprecht zorgen. De getuigenis van Dominic was cruciaal, maar de verdediging leek zijn verklaring onschadelijk te willen maken.

'Ik geloof niet dat ik hem ooit heb gezien,' zei de jongen, minder zeker van zichzelf.

Luchembe trok zijn wenkbrauwen op. 'Je herinnert je niet dat je hem ongeveer drie maanden geleden bij jouw huis hebt gezien. Je speelde een spel met een groepje andere jongens.'

'Ik teken bezwaar aan,' riep Sarge. 'De verdediging suggereert feiten die niet zijn bewezen.'

Luchembe stond op en trok respectvol zijn schouders op. 'Edelachtbare, ik suggereer niets. Ik wil alleen maar weten wat de jongen zich herinnert.'

De rechter keek naar Sarge. 'Bezwaar verworpen. De vraag is terecht.'

De advocaat wendde zich weer tot de jongen. 'Je zei dat je de man in het grijze pak niet hebt gezien. Ik wil weten of je je herinnert hem voor je huis in Kanyama te hebben gezien.'

'Ik denk niet dat ik die man ooit heb gezien,' zei de jongen, bijna fluisterend.

De advocaat knikte ernstig. 'Herinner je je dat je mij die dag hebt gezien?'

Dominic leek van zijn stuk gebracht. 'Ik zie u nu.'

'Inderdaad,' reageerde Luchembe, met een blik op de rechter. 'Daar heb ik niets aan toe te voegen, edelachtbare.'

Mubita staarde naar Sarge. 'Verder nog iets?'

Sarge stond langzaam op. 'Dominic, herinner jij je de muzungu-vrouw die ook daar op de eerste rij van de galerij zit?'

Zeg alsjeblieft ja, dacht Zoë, toen de jongen zich naar haar omdraaide. Tot haar grote opluchting begon hij te knikken. 'Ik heb haar eerder gezien. Ze is in mijn huis geweest. Ze liet me een foto zien van een meisje.'

'Was dat hetzelfde meisje als het meisje dat je die avond daarvoor bij je huis hebt gezien?'

Benson Luchembe stond fel op. 'Ik teken bezwaar aan. Deze vraag is misleidend.'

De rechter knikte. 'Toegewezen.'

Sarge omzeilde het bezwaar. 'Wie was dat meisje op de foto, weet je dat nog?'

Dominic glimlachte blij. 'Het meisje dat ik had zien huilen.'

Sarge knikte tevreden. Hij keek op zijn horloge. 'Edelachtbare, ik ben klaar met deze getuige. Misschien is het tijd voor de lunch.'

Mubita legde zijn pen neer, zichtbaar opgelucht. 'Het hof gaat voor een uur uiteen.'

Om halftwee verzamelden de advocaten zich weer in de rechtszaal. De rechter verscheen prompt en nam plaats op de bank. Sarge begon de middagsessie met Agnes en Abigail. Hij liep hun getuigenissen chronologisch door en stond alleen stil bij de essentiële feiten – de locatie van hun huizen, de motor en de drumslagen die Agnes had gehoord, Abigails ontdekking van Kuyeya op straat, haar bevindingen en het bloed dat ze op Kuyeya's been had gezien. Bij het kruisverhoor beperkte Luchembe zich tot een paar vragen, een poging om aan te tonen dat geen van de twee vrouwen Darious of zijn suv op straat hadden gezien. Sarge had geen vragen meer en riep dokter Chulu als getuige op.

De arts ging zitten op de getuigenbank met een map op zijn schoot. Nadat hij als kindergeneeskundige was erkend, vroeg Sarge hem naar de aard van Kuyeya's verwondingen.

'Er zaten blauwe plekken en scheuren in de schaamstreek,' bevestigde dokter Chulu. 'Ze had huidwonden. Ik heb monsters genomen van het bloed en het sperma en enkele foto's genomen met de vaginascoop, maar door haar lichamelijke conditie was grondig onderzoek niet mogelijk.'

Sarge gaf Mubita de foto's van de vaginascoop, en de rechter keek ernaar. 'Vergeleken bij de ergste gevallen die u heeft gezien,' vroeg Mubita, 'hoe erg is dit?'

'Het kind was er erg aan toe,' antwoordde dokter Chulu, 'maar de fysieke schade was oppervlakkig. Er waren geen tekenen van fistula, dat wil zeggen een scheuring van de wand tussen de vagina en het rectum. In die zin heeft het kind geluk gehad. Haar lichaam is redelijk snel genezen.'

Met een knikje vroeg de rechter Sarge om door te gaan.

De aanklager leunde op de tafel. 'Op basis van alle medische gegevens die u die avond hebt verzameld en uw ervaring als arts, wat was de oorzaak van Kuyeya's verwondingen?'

Dokter Chulu keek naar de rechter. 'Er is geen twijfel over mogelijk dat het meisje is verkracht. Het bloed, het sperma, de oppervlaktewonden wijzen op niets anders.'

Nadat Sarge was gaan zitten, stond Benson op. 'Dokter Chulu, uw ervaring in dit soort zaken is indrukwekkend, maar er zit een leemte in uw getuigenis. U zegt dat het meisje is onteerd, maar kunt u ook iets zeggen over de persoon die deze afschuwelijke misdaad op zijn geweten heeft?'

De arts keek sceptisch. 'Het biologische bewijsmateriaal dat ik bij het slachtoffer heb afgenomen had als DNA-bewijs kunnen dienen, maar is gestolen voordat we het konden vergelijken met een monster van het bloed van de verdachte.'

Luchembe stak in redelijkheid zijn handen in de lucht. 'Er wonen 1,7 miljoen mensen in Lusaka. Waarom denkt u dat het DNA van mijn cliënt overeen zou komen?'

'Misschien omdat een aantal ooggetuigen hem op de plaats delict hebben gezien.'

'De plaats delict? U bedoelt, iemand heeft mijn cliënt het slachtoffer zien onteren?'

'Nee,' gaf dokter Chulu toe. 'Ik geloof niet dat iemand de ontering zelf heeft gezien.'

'Precies. En dat is een probleem, toch? Niemand weet wie het kind daadwerkelijk heeft onteerd. Men kan alleen maar vaststellen dat het kind feitelijk is onteerd, klopt dat?'

De in een hoek gedreven arts kon zijn woede nauwelijks bedwingen. 'De afgelopen tien jaar heb ik minstens vijfduizend gevallen van kinderverkrachting op mijn bord gehad. Telkens als ik getuig, reageren advocaten hetzelfde. DNA zou daar verandering in kunnen brengen. Gelukkig voor uw cliënt is het bewijsmateriaal verdwenen. Voorlopig kan ik alleen maar zeggen dat Kuyeya door *iemand* is verkracht.'

Luchembe ging weer zitten en leek buitengewoon tevreden. De rechter liet dokter Chulu gaan. Op weg naar de uitgang mompelde de arts een verontschuldiging naar Zoë. Met moeite bracht ze een geruststellende glimlach op die haar gevoelens tegensprak. De arts had zijn best gedaan de verkrachting te koppelen aan Darious, maar hij had geen indruk gemaakt.

Het proces werd na een korte pauze hervat, en Sarge liet Joseph opkomen als getuige. Snel werden de basisgegevens opgelepeld – Doris' aangifte bij de politie, het meisje Given, de vondst van de pop en de bril in het steegje en de teruggave daarvan aan Kuyeya – waarna ze meteen tot de kern kwamen van de zaak tegen Darious.

'Wanneer besloot u uw aandacht te richten op de verdachte?' vroeg Sarge.

In heldere, duidelijke taal vertelde Joseph over de ontdekking van het logo van de Lusaka Golf Club, de vondst van de zilverkleurige Mercedes bij het Intercontinental Hotel door Zoë, hun achtervolging van Darious tot aan zijn huis in Kabulonga. Hij raakte in een discussie met Luchembe over het belang van Darious' bezoekjes aan de Alpha Bar en zijn hang naar prostituees, maar Mubita liet de getuige doorgaan nadat Sarge hem had verzekerd dat het belang later duidelijk zou worden.

'Viel u iets bijzonders op toen u de verdachte in de Alpha Bar observeerde?' vroeg Sarge, een belangrijke schakel in de bewijsvoering leggend.

Joseph knikte. 'Hij was heel mager. Hij had maar twee biertjes gedronken, maar bezocht vier keer het toilet. Ook had hij vlekken in zijn gezicht en nek die duidden op Kaposisarcoom.'

'Ik teken bezwaar aan!' riep Luchembe. 'De agent is geen dokter.'

De rechter kneep zijn ogen toe. 'Agent Kabuta, beperk u tot uw observaties en laat deskundigen hun conclusies trekken.'

'Raakten uw observaties u persoonlijk?' vroeg Sarge.

Joseph slaakte een diepe zucht. 'De verdachte leek ziek. Mijn zus had dezelfde symptomen voordat ze stierf.'

'Waaraan is uw zus overleden?' vroeg Sarge zacht.

'Aan aids,' antwoordde Joseph bondig.

Luchembe kwam woedend overeind. 'Edelachtbare, deze getuigenis is van de ratten besnuffeld. Ik sta niet toe dat de aanklager de reputatie van mijn cliënt schaadt met deze verschrikkelijke suggestie.'

Mubita keek naar Joseph met een mengeling van geïrriteerdheid en sympathie. 'Het spijt me van uw zus, maar ik moet uw vermoeden over de gezondheidstoestand van de verdachte buiten beschouwing laten. Ik verzoek u nogmaals u tot uw waarnemingen te beperken.'

Joseph staarde de rechter een lange poos aan, zijn blik vertroebeld door wantrouwen. Daarna keerde hij zich tot Sarge, die het gesprek een andere wending gaf.

'U was de agent die de arrestatie uitvoerde?' vroeg de aanklager.

'Ik leidde de arrestatie, er waren nog drie andere agenten bij.'

'Had u een arrestatiebevel?'

'Dat was niet vereist. Maar ik ga voorzichtig te werk. Ik arresteer nooit iemand wanneer het bewijs geen standhoudt in de rechtszaal. In dit geval nam ik foto's van de verdachte en zijn suv en liet die aan Given en Dominic zien. Ze vertelden me wat ze u vandaag hebben verteld.'

'Hoe reageerde de verdachte toen hij gearresteerd werd?'

Joseph knikte. 'Hij lachte ons uit.'

Sarge trok zijn wenkbrauwen op. 'Hij lachte u uit?'

'Hij zei dat onze wapens zo oud waren dat ze waarschijnlijk in onze handen zouden ontploffen.'

'Werkte hij tegen?'

Joseph schudde zijn hoofd. 'Hij ging mee naar het bureau en gaf antwoord op mijn vragen. Hij beweerde een alibi te hebben voor de betreffende avond.'

'Ik heb verder geen vragen meer voor de getuige,' zei Sarge.

Benson Luchembe stond op en beende naar de rand van de balie. Even vreesde Zoë dat hij iets over Joseph wist, een verschrikkelijk geheim dat het hele onderzoek in diskrediet zou brengen. Maar haar zorg verdween toen Luchembe begon te spreken. Zijn kruisverhoor was een oefening in aanvallen. Als in een zich eindeloos herhalend lied zong hij zoveel variaties op het refrein 'jullie kunnen er niet zeker van zijn', dat Zoë er ongeduldig van werd. Joseph pareerde echter elke aanval en gebruikte zijn antwoorden om zijn eerdere getuigenis te staven. Toen Luchembe zijn misrekening besefte, was het te laat: Mubita had Joseph dezelfde punten tweemaal naar voren horen brengen.

Toen Luchembe het veld had geruimd, keek de rechter vermoeid op zijn horloge. 'Het is bijna vijf uur. Sarge, hoeveel getuigen hebt u nog voor vandaag?'

'Nog één, edelachtbare.'

Mubita slaakte een zucht. 'In dat geval gaat het hof een uur uiteen voor het avondeten.' Hij stond op en stommelde de treden af en ging Timothy voor naar de achterkamer.

Joseph ging naast Zoë zitten. 'Hoe deed ik het?'

Ze glimlachte bemoedigend. 'Hij heeft je niet kunnen pakken.'

Hij streelde haar knie met zijn vingers. 'Je hebt nog een uur om Doris voor te bereiden.'

Ze knikte. 'Ik denk dat ze dat wel nodig heeft.'

'Ik kan haar wel een tip geven. Zeg dat ze zich Luchembe moet voorstellen als een baviaan.'

Zoë begon te giechelen. 'Heb jij dat ook gedaan?'

Joseph grinnikte spottend. 'De beste manier om een verhoorder te verslaan is door de spot met hem te drijven.'

Nadat het proces was hervat, riep Sarge Doris op als getuige. Zoë liep snel naar de uitgang, negeerde de blik van Frederick Nyambo en sms'te Maurice. Een paar seconden later liep de chauffeur met Doris door de verlichte arcade. In haar elegante chitenge-jurk leek ze de vrouw van een politicus. Ze zag er echter moe uit, getekend door angst.

Alle ogen waren op hen gericht toen ze de zaal in liepen. Darious, die al die tijd achterover in de beklaagdenbank had gezeten, ging meer rechtop zitten en keek Doris indringend aan. De luipaard is bang voor de kat omdat die ook ziet in het donker, dacht Zoë toen ze Doris aan Sarge overdroeg.

'Vertel het hof hoe u heet, alstublieft,' begon hij nadat ze op de getuigenbank was gaan zitten.

Doris legde haar handen gevouwen in haar schoot en sprak met heldere stem. 'Ik ben geboren als Priscilla Kuwema, maar mensen als Darious noemen me "Doris".'

Sarge deed alsof hij zich verbaasde. 'Kent u de verdachte?'

'Hij was vroeger een klant van me,' antwoordde ze met een nerveuze blik op de rechter. 'Ik werk als mahule. Het is geen werk waar ik trots op ben, maar ik ben arm en de mannen die me mijn dochters schonken, weigerden met me te trouwen.'

Er werd gefluisterd in het team van de verdediging, maar de rechter maande hen met strenge blik tot stilte.

'Wanneer heeft u de verdachte voor het eerst ontmoet?' vroeg Sarge.

'Jaren geleden. Hij was in het begin geen klant van mij. Hij was een klant van een vrouw die bij mij inwoonde. Ze heette Charity, maar de mannen noemden haar Bella. Kuyeya is de dochter van Charity.'

'Bezwaar,' riep Benson Luchembe. 'Dit proces gaat niet om de moeder van het kind.'

'Edelachtbare,' riposteerde Sarge licht geïrriteerd, 'deze zaak heeft alles te maken met de moeder van het kind.'

De rechter fronste naar Sarge. 'Mijn geduld is niet eindeloos. Leg snel het verband.'

Sarge keek naar Doris. 'Vertel het hof alstublieft over de relatie die Bella had met de verdachte.'

Doris sloot haar ogen en begon te praten. Ze vertelde Mubita over de ontmoeting met Charity op straat; over haar relatie met Darious en hoe die op abrupte wijze was geëindigd; over de bijnaam die ze voor hem had: Siluwe, de luipaard; en over haar ziekte en voortijdige dood.

'Heeft Bella haar relatie met de beschuldigde op de een of andere manier gedocumenteerd?'

Doris knikte. 'Ze hield een dagboek bij. Dat was haar zeer dierbaar.'

Sarge gaf haar het derde deel van Bella's dagboek. 'Heeft u het hierover?'

'Ja,' antwoordde Doris. 'Ik heb het na haar dood bewaard.'

Luchembe stond op. 'Edelachtbare, ik ben niet in de gelegenheid gesteld dit dagboek in te zien, maar het staat vast vol met leugens.'

De rechter keek Sarge sceptisch aan. 'Biedt u het dagboek aan als bewijsstuk?'

'Ja,' antwoordde de aanklager. 'Er is geen reden te twijfelen aan de waarachtigheid van de opmerkingen die Bella opschreef in haar geheime dagboek.'

'Ook als de aanklager gelijk heeft,' reageerde Luchembe, 'zijn ze niet relevant in deze zaak.'

Mubita ging tegen Sarge in. 'Mijn geduld met dit uitstapje in uw betoog raakt op. Wat heeft het dagboek te maken met de ontering?'

Sarge raakte geïrriteerd. 'Het tekent het motief van de verdachte. We kunnen bewijzen dat dit geen willekeurige daad is geweest, maar dat Darious Kuyeya kende en haar om een heel duidelijke reden heeft verkracht.'

Luchembe reageerde snel. 'Edelachtbare, ontering is een strikte aansprakelijkheidsdaad. Het motief doet er niet toe.'

De rechter keek woedend naar Sarge. 'Ik laat het proces niet ondermijnen door geruchten; ook sta ik geen suggesties toe over zaken die het hof niet aangaan.' Hij zweeg. 'Echter, met uw welnemen neem ik het bezwaar in overweging en beslis ik later.'

In de galerij keek Zoë naar Joseph en stelde met haar ogen zwijgend een vraag. Mubita's gedrag als rechter was niet logisch. Het ene moment gaf hij Sarge een standje, dan weer een cadeautje. Waar wil je heen? vroeg ze zich af, vergeefs zoekend naar een antwoord in Mubita's gezicht.

'Heeft u de verdachte nog gezien na de dood van Bella?' vroeg Sarge.

'Een paar keer,' antwoordde Doris zonder aarzelen.

'Wanneer voor het laatst?'

Doris wierp behoedzaam een blik op Darious. 'Een paar weken voordat

Kuyeya is verkracht. Hij zat in een auto vlak bij mijn flat.'

Sarge keek naar de rechter. 'Heeft hij u gezien?'

'Dat is mogelijk.'

'Is hij wel eens in uw flat geweest?'

'Heel vaak.'

'Was Kuyeya er, wanneer hij op bezoek was?'

'Altijd.'

Sarge pauzeerde even. 'Wat is er gebeurd op de avond van de ontering?'

In korte, bedachtzame zinnen vertelde Doris de rechter wat ze voor Zoë tijdens hun eerste ontmoeting verborgen had gehouden. Deze keer verzweeg ze echter niet dat ze Kuyeya met Bright en Gift had thuisgelaten om met een klant naar de markt te gaan.

'Weet u hoe Kuyeya de flat is uit gegaan?' vroeg Sarge.

Doris knikte. 'Mijn dochters hadden de deur open laten staan.' Ze keek neer op haar handen, haar gezicht doorgroefd van spijt. 'Ik had beter op haar moeten passen. Lusaka is een gevaarlijke plek voor meisjes zoals zij. Ik had me ervan moeten verzekeren dat ze binnenbleef.'

Meteen nadat Sarge op zijn stoel zat, ging Benson Luchembe in de aanval. Doris leek zich niets aan te trekken van zijn afslachting. Hij beschuldigde haar ervan een crimineel te zijn en ze repliceerde dat in dat geval niet alleen zij, maar ook de agenten, politici en juristen die van haar diensten gebruikmaakten dat waren. Vervolgens maakte hij de fout een vraag over Bella aan te grijpen om te beginnen over de irrelevantie van haar relatie met Darious. Sarge tekende snel bezwaar aan, en de rechter aanvaardde dat met een frons. Na nog enkele vragen, die Doris allemaal met onverstoorbare kalmte beantwoordde, staakte Luchembe zijn kruisverhoor en ging weer zitten.

Toen Sarge verder geen vragen meer had, gunde Mubita zichzelf een zeldzame glimlach. 'Morgenvroeg om halfnegen gaan we verder. Tot dan wordt het hof ontbonden.'

Toen Zoë de rechter vermoeid de treden af zag lopen, besefte ze hoe uitgeput ze zelf was. Duizelig van slapeloosheid en stress raakte ze in de verleiding haar hoofd op Josephs schouder te laten rusten. Ze wachtte tot Darious uit de beklaagdenbank werd geleid en Luchembe en zijn entourage waren vertrokken, voordat ze zich bij Sarge en Niza voegde om Doris te feliciteren.

Doris leek beduusd van alle aandacht. 'Mag ik nu naar huis?' vroeg ze aan Zoë.

Zoë knikte en bracht haar naar de uitgang. 'Ik weet dat het onaangenaam was,' zei ze, 'maar je deed het geweldig. Dank je wel.'

Doris lachte flauwtjes. 'Ik heb je raad opgevolgd. Ik stelde me die advocaat voor als een baviaan. Daarna maakte het niets meer uit wat hij zei.'

Toen ze bij de arcade waren aangekomen, legde Doris haar hand op Zoë's arm. 'Ik heb iets voor Kuyeya.' Ze rommelde in haar tas en haalde er een ring uit die met kleine edelsteentjes was bezet. 'Deze was van Bella. Ze schoof hem altijd om Kuyeya's vinger voordat we 's avonds uitgingen.'

Zoë's hart kromp ineen toen ze zag hoe de edelsteentjes glansden in het lamplicht. Ze nam de ring aan, dankbaar om de grote betekenis die het sieraad had.

'Ik zal hem morgen aan haar geven,' zei ze.

28

DE VOLGENDE DAG REDEN JOSEPH EN ZOË naar Kanyama om Amos op te halen, de nganga. De opkomende zon goot een gouden licht over de randen van de compound, maar in het fijnvertakte netwerk van smalle straatjes overheerste de schaduw. Joseph sloeg links af bij het bord met de naam van Amos en reed naar het huis met de rode deur. Het was druk op straat met haastige voetgangers, spelende kinderen, luierende oude mannen en vrouwen die de was ophingen. Maar rondom het huis met de rode deur was het stil.

'Hij zou toch klaarstaan?' zei Zoë, toen Joseph zijn auto naast die van de nganga parkeerde.

'Ik heb Bob Wangwe gisteren nog een sms'je gestuurd,' zei Joseph. Hij pakte zijn geweer van de achterbank.

Zoë liep achter hem aan naar de veranda. Joseph klopte op de deur en riep de nganga bij zijn naam. Toen ze geen reactie hoorden, greep hij de deurknop beet. De deur ging zomaar open.

'Amos!' riep Joseph. Hij stommelde de overvolle woonkamer in. Zoë bleef vlak achter hem en kromp bijna ineen van misselijkheid. Het stonk er als in een knekelhuis.

'Amos!' riep Joseph weer. Hij richtte de geweerloop op de schemerige keuken.

Toen er geen reactie kwam, liepen ze door naar de achterkant van het huis, voorzichtig om de tafels met kruiden en karkassen heen. De stank was zo erg dat Zoë haar neus dichtkneep. Joseph richtte zijn geweer naar de slaapkamer, Zoë wierp een blik in de consultkamer. Ze greep zich vast aan Josephs arm. Op de vloer lagen twee wanstaltige hopen.

De ene hoop was het verkoolde geraamte van een vogel.

De andere was Amos.

Joseph liep naar het raam en trok de gordijnen open.

'Mijn god,' hijgde Zoë, starend naar de diepe snijwond in de hals van de nganga.

Joseph hurkte neer om het lijk nader te bekijken. Hij trok de nganga aan zijn vingers. 'Hij is al een paar uur dood. Het moet vannacht gebeurd zijn.'

'Wat heeft dat vogelkarkas te betekenen?' vroeg ze zacht, misselijk van afgrijzen.

Hij keek vol walging naar het skelet. 'Daarmee dwing je bescherming af.'

Ze liep met hem de woonkamer in. 'We hebben tenminste een opname van zijn bekentenis.'

Joseph keek zorgelijk. Hij koos een telefoonnummer op zijn mobiel. Knarsetandend luisterde hij het bericht af. 'Meneer Wangwe, u spreekt met agent Kabuta. Uw cliënt is vannacht vermoord. Ik weet niet waar u bent, maar u dient onmiddellijk met ons contact op te nemen bij de rechtbank om de opname te bevestigen. Als u niet verschijnt, laat ik u oppakken wegens minachting van het hof.'

Joseph stopte zijn telefoon in zijn zak, zijn gezicht strak van de spanning.

'Hij geeft niet thuis, zeker?' merkte Zoë op.

Joseph knikte. 'Hij weet het vast al.'

'Wíj kunnen toch de authenticiteit van de opname bevestigen?' opperde ze optimistisch.

'Dat kunnen we proberen,' antwoordde hij. 'Maar ik vraag me af of de rechter daarmee akkoord gaat.'

De zitting werd precies op tijd hervat. Nadat iedereen zijn plaats had ingenomen, liet Flexon Mubita Darious naar de beklaagdenbank leiden. Tegen Sarge zei hij: 'U kunt uw getuigen oproepen.'

'Edelachtbare,' antwoordde de aanklager, zijn woede nauwelijks bedwingend, 'we hebben zojuist vernomen dat onze getuige voor deze ochtend – een kroongetuige – vannacht is vermoord. Agent Kabuta heeft hem in zijn huis aangetroffen.'

Mubita's mond viel open en hij staarde als aan de grond genageld naar Sarge. De schrik in zijn ogen leek oprecht. 'Kunt u een verband aantonen tussen deze moord en de verdachte?'

Sarge schudde zijn hoofd. 'Nee, dat kunnen we niet.'

Mubita zette zijn bril af en wreef over zijn neusbrug. 'In alle jaren dat ik voor de rechtbank werk, heb ik zoiets nooit meegemaakt. Wilt u een schorsing? Die kan ik u geven.'

Sarge schudde zijn hoofd. 'Nee, edelachtbare. Agent Kabuta heeft maanden geleden een opname gemaakt van de getuigenverklaring van deze man. We willen deze opname graag presenteren als een bewijsstuk.'

Verbaasd keek Mubita op.

Benson Luchembe kwam geagiteerd overeind. 'Edelachtbare,' zei hij, 'wij keuren het geweld van de afgelopen twee dagen ten diepste af. Maar het voorstel van mijn collega heeft ernstige gevolgen voor de verdediging van mijn cliënt. Als de getuige niet komt opdagen, kan ik hem geen tegenvragen stellen. De verdachte zou pijnlijk worden benadeeld als een niet-geverifieerde opname tegen hem werd gebruikt. En de vrijheid van mijn cliënt, niet die van de aanklager, is in dit proces in het geding.'

De rechter keek woedend naar Luchembe, maar gaf hem geen berisping. In plaats daarvan vroeg hij aan Sarge: 'Hoe stelt u voor de opname te verifiëren?'

'Er waren vier mensen aanwezig tijdens de opname,' antwoordde Sarge. 'De overledene, zijn advocaat Bob Wangwe, agent Kabuta en mevrouw Fleming. De heer Wangwe zou op deze zitting verschijnen, maar lijkt van de aardbodem te zijn verdwenen.'

'Verdwenen?' riep Mubita met toegeknepen ogen.

'We hebben hem niet kunnen bereiken. Het enige wat ik u kan aanbieden is de getuigenis van agent Kabuta en mevrouw Fleming. Hun stemmen komen op de opname voor.'

De rechter schraapte zijn keel. 'Als de agent de authenticiteit van de opname bevestigt, zal ik die onder voorbehoud accepteren. Ik moet er de boeken op naslaan.'

Sarge was zichtbaar opgelucht. 'Heel goed. Dan roep ik Joseph Kabuta als getuige op.'

Uiteindelijk stond de rechter toe dat de opname in de rechtszaal werd afgespeeld. Sarge zette het afspeelapparaat op de tafel, draaide het volume omhoog en drukte op de playknop. Een gepiep galmde door de gewelfde ruimte, daarna volgde de inleiding van Joseph. Toen hij de naam van de getuige noemde, dokter Mwenya Amos, gebaarde Darious haastig naar Luchembe en zag Zoë paniek in zijn ogen. Wist je hier niets van? dacht ze verbijsterd. Dat betekent dat je ouders de touwtjes in handen hebben.

Luchembe leek van zijn stuk gebracht, maar vermande zich snel. 'Ik wist niet dat de getuige een arts was,' wierp hij tegen, nadat Sarge de geluidsopname had stopgezet. 'Ik vrees dat deze getuigenis een schending is van het beroepsgeheim van de arts.'

'Edelachtbare,' onderbrak Sarge, 'dat beroepsgeheim hangt af van de juridische omstandigheden. Als de getuigenis relevant is voor de zaak, gaat dat belang voor. Met alle respect verzoek ik u om toestemming de opname in zijn geheel te laten horen. Hij is van cruciaal belang.'

De rechter fronste vermoeid zijn wenkbrauwen. 'Ga verder.'

Luchembe ging weer zitten en deed er het zwijgen toe. De verdachte werd echter steeds nerveuzer toen Amos vertelde over Darious' zorgen over aids, het beloop van zijn behandeling, de angst voor zijn vader en zijn haat tegen de niet bij naam genoemde mahule die zijn familie zou hebben behekst met 'veel strijd en pijn' en hem besmet had met een dodelijke ziekte.

Halverwege de getuigenis keek Zoë achterom naar Frederick op de achterste rij. Hij leek geïrriteerd maar niet uit het veld geslagen. Ze luisterde weer naar de opname waarin Amos de laatste bezoeken van Darious beschreef, slechts een maand voor de verkrachting – zijn obsessie met de vloek van de mahule, zijn fixatie op maagdelijke reiniging en zijn onwrikbare besluit de 'heks te beheksen'.

'Heeft hij dat letterlijk zo gezegd?' vroeg Joseph op de opname, die galmend door de rechtszaal klonk.

'Zoiets vergeet je niet,' antwoordde Amos.

Toen de rechter Sarge vroeg zijn volgende getuige op te roepen, knikte de aanklager naar Zoë. Daar gaan we dan, dacht ze, terwijl ze opstond en naar de uitgang liep. Achter zich hoorde ze hem zeggen: 'Ik roep Kuyeya Mizinga als getuige op.'

Na deze woorden ontstond er een felle discussie onder de advocaten over de vraag of Kuyeya in staat was te getuigen. Luchembe fulmineerde en citeerde het eerste verslag van dokter Mbao, Sarge verweerde zich op basis van de meer recente bevindingen. Hij liet het hof de verklaring van de psychiater zien, waarin stond dat Kuyeya antwoord op eenvoudige vragen kon geven. Luchembe eiste de psychiater te verhoren, Sarge wierp tegen dat haar verklaring voldoende was.

Zoë liep de zaal uit en ontmoette zuster Irina op de trap van het gerechtsgebouw. Het busje van het St.-Franciscus draaide stationair voor de stoeprand met zuster Anica achter het stuur.

'Hoe gaat het met haar?' vroeg Zoë met een blik op Kuyeya door het raam.

'Ze heeft in bed geplast vannacht,' antwoordde Irina. 'En vanochtend was ze in de war. Maar nu gaat het wel. Ze luistert veel naar jouw muziek.'

'We moeten om een second opinion vragen over haar gezondheidstoestand. Ik zal met Joy Herald bespreken of we een afspraak voor haar moeten maken in een privékliniek. Is haar pop mee?'

Zuster Irina tilde de tas op die ze bij zich droeg. 'Ik heb ook een rolstoel meegenomen. Ik ben bang dat ze weer valt.'

'Goed idee,' antwoordde Zoë, terwijl ze de schuifdeur van de bus opende. Ze begroette Kuyeya en hielp haar uit de stoel, ervoor zorgend dat haar oordopjes niet in de war raakten. Toen het meisje eenmaal in de rolstoel zat, duwde Zoë haar over de plank en door de arcade naar de rechtszaal.

Er ontstond geroezemoes toen ze de galerij binnenkwamen. Uit de tevreden blik van Sarge maakte Zoë op dat de verklaring van dokter Mbao voldoende was om Kuyeya te laten getuigen. Zoë manoeuvreerde de rolstoel naar een plek naast de getuigenbank en haalde voorzichtig de dopjes uit haar oren. Ze nam de bril af van Kuyeya's hoofd en overhandigde de spullen aan Sarge. Ze hadden deze gang van zaken zorgvuldig voorbereid. Ze wilden niet dat Kuyeya Darious te snel zou zien.

'Edelachtbare,' zei Sarge, 'om het welzijn van het kind vraag ik u of zuster Irina, haar begeleidster, bij haar mag blijven.'

'Toegestaan,' zei de rechter. 'Komt u maar naar voren, zuster.'

Nadat de non was gaan zitten, schoof Sarge zijn stoel naar de getuigenbank. 'Hallo,' zei hij tegen Kuyeya. 'Wat een mooie jurk heb je aan vandaag. Kun je vertellen hoe je heet?'

Het meisje wiegde een beetje in haar stoel en antwoordde: 'Kuyeya.'

Zoë liet haar ingehouden adem ontsnappen. In de maand daarvoor had ze Kuyeya samen met Sarge drie keer bezocht om haar op dit proces voor te bereiden. Het meisje wilde er eerst niet veel van weten, ze keek Sarge nauwelijks aan en gaf geen antwoord op zijn vragen. Na een tijd, met hulp van dokter Mbao, stelde ze zich voor hem open. Maar een rechtszaal vol vreemdelingen leek in niets op de tuin van het St.-Franciscus. Zoë was bang dat het meisje zou dichtklappen.

'Dat is een mooie naam,' zei Sarge zacht. 'Hoe heet je mama?'

Kuyeya straalde. 'Mama heet Charity.'

Sarge knikte. 'Vertelde mama je verhaaltjes?'

'Mama vertelt verhaaltjes,' zei ze. 'Van de bijeneter en het nijlpaard.'

Sarge glimlachte. 'Speelde een rivier een rol in die verhaaltjes?'

Kuyeya trok haar aap naar zich toe en gaf geen antwoord.

Sarge probeerde het via een omweg. 'Is het de rivier de Yangtze?'

Het meisje dacht even na. Na een poos schudde ze haar hoofd.

'Is het de Zambezi?'

Kuyeya's ogen begonnen te stralen. 'De bijeneter en het nijlpaard wonen in de Zambezi.'

Sarge keek naar de rechter. 'Edelachtbare, ik stel vast dat het kind in staat is eenvoudige vragen te beantwoorden. Ik hoef maar een paar dingen te weten.'

Benson Luchembe stond op. 'Op formele gronden móét ik hier bezwaar tegen aantekenen. Is de aanklager van plan het kind woorden in de mond te leggen?'

De rechter keek naar Sarge. 'U mag alleen concrete vragen stellen aan de getuige. Voor de rest dient u zich te houden aan de regels der bewijsvoering.'

Sarge knikte en richtte zich weer tot Kuyeya. 'Jouw mama vertelde je verhalen. Ze heeft je vast heel veel geleerd. Wat heeft jouw mama je geleerd over mannen?'

Kuyeya's ogen gingen even scheel staan, vervolgens antwoordde ze: 'Ik hou niet van mannen.'

'Waarom niet?' vroeg Sarge, zo zachtaardig mogelijk.

Kuyeya begon weer heen en weer te wiegen. 'Mannen zijn slecht.'

Zoë boog naar voren. Verder was het meisje tot dan toe niet gegaan als het ging over de verkrachting. Je kunt het, dacht ze, vertel de rechter wat de man jou heeft aangedaan.

'Waarom zijn mannen slecht?' vroeg Sarge.

Kuyeya begon heviger te wiegen en te brommen.

Sarge hield aan. 'Heeft je mama wel eens verteld dat mannen je misschien willen aanraken?'

Plotseling kreeg het meisje haar stem terug. 'Mannen mogen niet aanraken. Mama mag aanraken, maar mannen mogen niet aanraken.'

'Kuyeya,' ging Sarge verder, op kalmerende toon, 'ben je wel eens aangeraakt op een plekje waar alleen mama je mag aanraken?'

Kuyeya's gebrom klonk steeds zorgwekkender en Zoë maakte zich zorgen. Ze had dit eerder gehoord, in de onderzoekskamer in de nacht van de verkrachting.

'Heeft u de pop meegenomen?' vroeg Sarge aan zuster Irina.

Ineens schoot Zoë iets te binnen. Dat ze daar niet eerder aan had gedacht! Ze stond op en riep: 'Wacht!'

Alle ogen in de rechtszaal waren op haar gericht. Sarge fronste. De rechter knipperde met zijn ogen. Enkele medewerkers van Luchembe begonnen te fluisteren.

'Edelachtbare,' zei Zoë, het protocol met voeten tredend, 'ik vraag u om een kort onderhoud met de aanklager.'

Mubita keek afkeurend. 'Mevrouw Fleming, dien ik u te herinneren aan

het feit dat u geen lid bent van de Zambiaanse balie? Ik houd niet van on-
derbrekingen.'

Met bonzend hart sloeg Zoë haar meest vleierige toon aan. 'Dat begrijp
ik, edelachtbare, maar het is heel belangrijk dat ik de heer Zulu nu even
spreek voordat hij verdergaat. Vijf minuten is voldoende.'

Mubita staarde haar een lange poos aan en haalde toen zijn schouders
op. 'Voor deze ene keer sta ik het toe. Vijf minuten maar.' Hij liep de rechtszaal uit met wapperende toga.

Zoë negeerde het gegniffel van Luchembes team en reed met Kuyeya
naar de arcade. Zuster Irina, Joseph en de twee advocaten van de CILA liepen achter haar aan. Ze gingen op een rustig plekje naast een klein gazon
staan.

'Wat een waagstuk!' zei Niza.

Zoë knikte, ze wist dat het een gok was. 'Luister. Als je haar straks de pop
geeft, zal ze van slag raken en zeggen wat we verwachten: "De man is stout.
Baby is niet stout." Het is dramatisch en roept sympathie op, maar daarmee
wijst ze nog niet Darious aan als de dader.'

Zoë zocht in haar zak en pakte de ring met de steentjes. 'Gisteravond
heeft Doris me deze ring gegeven. Hij was van Charity. Ik wil hem nu aan
Kuyeya geven, en daarna wil ik dat je haar bril opzet en haar confronteert
met Darious. Ik heb geen idee wat ze zal doen, maar het is misschien onze
enige kans om een bruikbare getuigenis uit haar te krijgen.'

Sarge leek sceptisch. 'Laten we kijken hoe ze op de ring reageert.'

Zoë knielde voor de rolstoel neer en bracht haar gezicht dicht bij dat van
Kuyeya. 'Ik heb een cadeautje van je mama,' zei ze, met de ring tussen haar
vingers. 'Hij is mooi, vind je niet?'

Kuyeya's reactie overtrof Zoë's verwachtingen. Haar mond veranderde in
een brede glimlach en ze begon te lachen. Ze hield de ring in haar handen
alsof het iets levends was.

'Mama lief voor mij,' zei ze tussen het gegrinnik door. 'Mama straks weer
thuis.' Haar stem werd zwakker, maar die laatste twee woorden bleef ze fluisterend herhalen als een gebed. 'Weer thuis... Weer thuis... Weer thuis...'

Zoë stelde zich voor hoe Charity tijdens haar voorbereidingen op een
avond in het bed met een vreemde, haar dochter beloofd had dat ze snel
weer thuis zou zijn, hoe Kuyeya in haar bedje deze woorden herhaalde,
krassend met haar vingernagels tegen de muur. Ze stelde zich voor wat Charity dacht wanneer ze achter Doris aan naar buiten liep: alles wat ik doe,
doe ik voor jou, Kuyeya.

Zoë streek Kuyeya over haar gezicht. 'Ja, jouw mama houdt van je. Ze houdt heel veel van je.' Ze keek naar Sarge en zag in zijn ogen dat hij het begreep.

'Laten we haar aan Darious voorstellen,' zei hij.

'Edelachtbare,' begon Sarge, toen iedereen weer terug was in de rechtszaal, 'ik heb maar een paar vragen voor het kind. Het is daarbij wel van cruciaal belang dat ze de verdachte duidelijk kan zien. Daarom verzoek ik u de verdachte te vragen voor haar te gaan staan.'

Benson Luchembe stond zo bruusk op dat hij bijna voorover viel. 'Bezwaar! Mijn cliënt is geen...' Hij zocht naar het juiste woord. '... geen marionet. En dit proces is geen goedkoop theater.'

'Dat lijkt me geen goed idee,' snauwde Mubita naar Sarge. 'Eerst heb ik het ongekende verzoek van mevrouw Fleming ingewilligd, en nu vraagt u me verandering te brengen in de opzet van deze rechtszaal.' Hij maakte een notitie. 'Maar ja, als het kind niet kan zien wie...' Hij wuifde naar de zaalmedewerker en riep: 'Breng de verdachte naar een plek naast de tafel van de aanklager.'

Zoë hield haar adem in toen Darious schuin de vloer overstak en voor de getuigenbank ging staan. Sarge zette Kuyeya haar brilletje op en deed een stap opzij. Het meisje knipperde een keer met haar ogen, daarna nog eens, verwonderd om de omgeving die ze plotseling kon zien. Wat als ze helemaal niet reageert? dacht Zoë. Wat als ze zijn gezicht niet herkent?

'Kuyeya,' zei Sarge zacht, 'dat is een mooie ring, hè, van je mama?'

Het meisje knikte.

'Weet je nog wat mama zei?' ging hij verder. 'Je mag je niet door mannen laten aanraken.' Hij wees naar Darious. 'Heeft deze man je aangeraakt op plekken waar alleen je mama je mocht aanraken?'

Kuyeya wierp een blik op Darious en keek weg. Enkele ondraaglijke seconden lang gebeurde er niets. Niemand in de zaal verroerde zich; niemand durfde iets te zeggen; het bleef muisstil. Toen keek Kuyeya weer op naar Darious. Langzaam begon ze te wiegen. Daarna gromde ze weer. Eindelijk brak de dam door en kwamen de woorden als een stroom eruit.

'Giftie weg, Auntie weg,' zei ze, starend naar de vloer. 'Deur staat open. Heleboel lawaai op straat. De jongen rent weg. De auto doet vroem vroem. De man heeft snoepjes.' De cadans van haar geschommel werd sterker. 'Mannen mogen niet aanraken. Mogen niet aanraken.'

Zoë zat als aan de grond genageld, ze voelde dat ze nu heel dicht bij een doorbraak waren. Maar het laatste duwtje was ook het meest gevoelige. Als Sarge maar net de verkeerde toon zou aanslaan, was hij haar kwijt.

'Kuyeya,' zei Sarge met alle zachtheid die hij in zich had, alsof hij haar uit haar slaap wilde wekken. 'Heeft deze man jou aangeraakt? Heeft hij je pijn gedaan?'

Het meisje keek naar Darious en haar gegrom werd luider. Haar mond ging open, maar ze maakte geen geluid. Zoë keek naar haar lippen en pakte Joseph bij de hand. Kom op, Kuyeya, zeg het! Je kunt het!

Plotseling flapte het meisje het eruit. 'Hij mij aangeraakt. Hij mij niet mogen aanraken.' Ze herhaalde de beschuldiging een tweede en een derde keer, alsof ze de waarheid van haar uitspraak wilde verzegelen.

Door haar getuigenis veranderde de sfeer in de rechtszaal. Darious verloor zijn arrogante blik; Benson Luchembe zonk moedeloos in zijn stoel neer; zijn teamleden verroerden geen vin; Sarge straalde; Niza's ogen glansden van haar tranen, iets wat Zoë nog nooit bij haar had gezien; zuster Irina leek verbijsterd; Timothy, de griffier, stopte met schrijven. Zoë zag de blikkering in de ogen van Frederick Nyambo, zijn absolute vastberadenheid. Toen ze opkeek naar de rechter sloeg haar vreugde om. Mubita zat in zijn stoel als een gepotte plant, hij leek niet erg onder de indruk. Waag het niet dit van haar af te nemen, dacht Zoë, haar verontwaardiging in bedwang houdend.

Plotseling gebaarde Mubita naar Darious. 'Ik heb genoeg gehoord. Gaat u terug naar de beklaagdenbank. Sarge, ik neem aan dat er verder geen vragen zijn.'

'Ik ben klaar, edelachtbare,' antwoordde Sarge, een heel klein beetje triomfantelijk.

De rechter keek naar Luchembe. 'Heeft u nog vragen voor deze getuige?' De advocaat schudde zijn hoofd.

Mubita ging weer zitten. 'Volgens mijn telling is uw volgende getuige de laatste.'

'Dat klopt,' antwoordde Sarge.

'Laat maar komen.'

Sarge duwde Kuyeya in haar rolstoel naar de balie. Zoë nam haar vandaar over en liep met haar de rechtszaal uit. Het meisje zat met haar handen in elkaar gevouwen op schoot en fluisterde iets over haar moeder. In de arcade peuterde Zoë de ring uit de vuist van het meisje en deed die om de middelvinger van haar linkerhand, de enige vinger die er dik genoeg voor was.

'Je hebt het heel goed gedaan,' zei ze, terwijl ze Kuyeya een kus op haar voorhoofd gaf. 'Ik ben trots op je.' Ze keek naar zuster Irina. 'Neem haar maar weer mee naar het St.-Franciscus. De muziek en de tuin zullen haar goeddoen.'

'Ik hoop het,' zei zuster Irina zacht.

Even later zag Zoë Jan Kruger naar haar kijken vanaf een bankje verder-op. Haar eerste gedachte was onvriendelijk: blijf uit de buurt. Haar tweede gedachte was toegeeflijker: je bent tenminste komen opdagen.

'Dokter Kruger,' zei ze, naar hem toe lopend.

Hij stond op. 'Noem me maar Jan. Dat formele gedoe lijkt me nu onge-past.'

'Heb je alle documenten meegenomen?'

'Hier zit het allemaal in.' Hij hield een leren tasje omhoog.

Samen gingen ze de zaal in, en Zoë liep met hem mee naar de balie. Daar-na draaide ze zich om en staarde in de ogen van Frederick Nyambo. De ou-dere Nyambo leek verbijsterd.

'Edelachtbare,' zei Sarge, 'mijn laatste getuige is dokter Jan Kruger.'

Nadat de rechter de eed had afgenomen, nam Sarge met dokter Kruger zijn levensloop door. Jan gaf zelfverzekerd, maar voorzichtig antwoord, sprak zijn woorden zorgvuldig uit.

'U bent professor aan een universiteit en tevens arts?'

'Ik doceer epidemiologie. Daarnaast doe ik klinisch werk in de town-ships.'

'Ik wil het met u hebben over uw activiteiten in het jaar 1996. Wat deed u in maart en april van dat jaar?'

'Ik rondde een onderzoek af in het Algemeen Ziekenhuis van Living-stone. We zochten naar een verband tussen hiv-infectie en veelvoorkomen-de kinderziektes als longontsteking, malaria, tuberculose, diarree.'

'Gaf u naast uw onderzoek ook les?'

Jan knikte. 'Ik verzorgde een praktische cursus aan de verpleegkundeop-leiding.'

'Was er een studente met wie u bijzonder nauw samenwerkte in die pe-riode?'

'Ja. Ze heette Charity Mizinga.'

Sarge keek op naar de rechter om er zeker van te zijn dat hij goed oplette. 'Hoe goed was de band die u met haar had?' vroeg hij.

Jan wachtte even voor hij antwoordde. 'We hadden een intieme relatie.'

Er ontstond geroezemoes in de zaal en de rechter raakte uit zijn hum. 'Stil-te!' Met een geïrriteerde blik wendde hij zich tot Kruger. 'Gaat u verder.'

'Wat bedoelt u met "intiem"?' ging Sarge verder.

Met de exactheid van een klinisch medicus vatte Jan zijn affaire met Cha-rity samen – hun samenwerking als arts en verpleegkundige, hun korte ro-mance, de manier waarop hij haar hart had gebroken.

'Wanneer heeft u haar voor het laatst gezien?' vroeg Sarge.

'In april 1996. Voordat ze naar Lusaka vertrok.'

'Had ze in die periode een kind?'

Jan schudde zijn hoofd. 'Nee, nog niet.'

'U vertelt dat ze naar Lusaka vertrok. Weet u waarom?'

'Ik vrees omdat ik dat had voorgesteld.'

Zoë keek naar Darious en zag zijn ontsteltenis. Dit gedeelte van het verhaal ken je nog niet, dacht ze.

'Waarom stelde u dat voor?' informeerde Sarge.

'Omdat Frederick Nyambo haar een baan had aangeboden en had beloofd voor haar te zorgen.'

Dit gegeven leek de rechter te verrassen. 'Verklaar u nader,' zei hij dwingend, terwijl hij Sarge negeerde, die op het punt stond een andere vraag te stellen.

Jan keek Mubita aan met een berustende blik in zijn ogen. 'Frederick was in die tijd een patiënt van me,' antwoordde hij, waarna hij de rechter de rest van het verhaal vertelde.

Toen hij klaar was, vroeg Sarge: 'Weet u hoe het Charity is vergaan nadat ze Livingstone had verlaten?'

'Jazeker. De heer Nyambo nam haar aan als zijn persoonlijke assistent en had een affaire met haar.'

'Edelachtbare!' wierp Luchembe luid tegen. 'De heer Frederick Nyambo staat hier niet terecht!'

'Daar heeft u gelijk in,' zei Mubita. 'Mogelijk sta ik deze getuigenis niet toe. Maar de heer Kruger is helemaal uit Zuid-Afrika gekomen. Ik ben benieuwd wat hij te vertellen heeft.'

'Komt u dit bekend voor?' ging Sarge verder, terwijl hij een spiraalblok omhoogheld.

Het eerste deel van het dagboek, dacht Zoë. Dat zal wel wat beroering teweegbrengen in de rechtszaal.

'Jazeker,' antwoordde Jan. 'Ik heb elk woord daarin gelezen.'

Sarge gaf hem het dagboek aan. 'Kunt u vertellen wat erin staat?'

'Dit is Charity's dagboek dat ze bijhield in haar eerste jaar in Lusaka.'

Zoë hoorde voetstappen in het gangpad. Ze draaide zich om en zag Frederick Nyambo met een woedende blik naar de balie lopen. 'Edelachtbare,' zei hij luid, 'dat document is een falsificatie. U dient na te gaan hoe het OM daaraan gekomen is.'

Luchembe stond op. 'Ik verzoek om een reces voor overleg met mijn cliënt.'

Mubita negeerde de advocaat en richtte zich op Nyambo. 'Meneer Nyambo,' zei hij op vlakke toon, 'ik waardeer uw bezorgdheid, maar deze onderbreking is ongepast. Gaat u alstublieft weer zitten.'

Frederick Nyambo bleef de rechter een lange poos aankijken. Vervolgens knikte hij en ging terug naar zijn plaats. Zoë's hart begon te bonzen. Hadden ze zojuist overleg gepleegd? vroeg ze zich af. Ze keek achterom naar Frederick. Hij keek haar in de ogen met een stalen gezicht.

'Gaat u verder, alstublieft,' zei de rechter.

Sarge begon over het dagboek in Jans handen. 'Ik heb een passage gemarkeerd. Zou u die willen voorlezen?'

Zoë zag Jan bladeren naar de bewuste bladzijde. Zijn vingers trilden toen hij het dagboek opende. Ze sloot haar ogen en hoorde hem de brief voorlezen die zoveel verklaarde.

Beste Jan,

Een paar weken geleden heb ik het leven geschonken aan een kind. Ik heb haar Kuyeya genoemd, wat 'geheugen' betekent in het Tonga. Mijn grootmoeder zei dat het geheugen het enige instrument is van de mens om de dood te overwinnen. Tijdens de zwangerschap was ik bang dat het van Field zou zijn. Frederick denkt dat het van hem is. Maar dat geloof ik niet, want dat zou te vroeg zijn. Toen werd ze geboren en ik zag haar gezichtje. Haar huid is lichter dan de mijne. Ik weet zeker dat ze jouw dochter is.

Dit maakt me blij en bang. Wat zal er gebeuren als Frederick dit ontdekt? Ik ben bang dat hij me zal ontslaan. Ik ben bang dat hij me pijn zal doen. Soms denk ik eraan mijn opleiding weer op te pakken. Maar ik kan niet terug naar Livingstone. Ik zou er sterven van schaamte.

Met Kuyeya gaat het niet zo goed. Volgens de nganga van Frederick is ze vervloekt. Ik geloof er niets van. Ze is prachtig. Ik wou dat je haar kon zien. Ik wou dat ze jou kon leren kennen. Ik moet ophouden zo te denken. Het is dwaas, zoals het dwaas was te denken dat je met me zou trouwen.

Kuyeya en ik hebben elkaar. We redden ons wel.

Zoë opende haar ogen en zag dat bij Mubita langzaam het besef doordrong.

'Sarge,' zei de rechter, 'ik wil de arts graag enkele vragen stellen.' Hij richtte zijn blik op Jan. 'Wie is die Field?'

'Dat is een oom van Charity. Ik vermoed dat hij haar destijds heeft verkracht.'

Mubita schudde streng het hoofd. 'Erkent u het kind?'

Jan verschoof op zijn stoel. 'Ik kan het niet ontkennen. Ik heb het bewijs gezien.'

'U heeft bewijs dat u de vader bent?' vroeg de rechter verbaasd.

Jan knikte vermoeid. 'Ze heeft mijn DNA.'

Op dat moment stond Sarge op met een rapport in zijn hand. 'Edelachtbare, de test is uitgevoerd in Johannesburg. Dit is het verslag, met een verklaring van agent Kabuta die het bloedmonster naar het lab heeft gebracht, en een verklaring van dokter Chulu die de authenticiteit van het verslag bevestigt. Dokter Kruger is voor 99,99 procent zeker de vader van Kuyeya.'

'Ik teken bezwaar aan!' schreeuwde Luchembe, die als een kat was opgesprongen. 'De verdediging is hier niet van op de hoogte gebracht.'

De rechter schraapte zijn keel. 'Het hof ook niet.' Hij nam de documenten van Sarge aan. 'Alles lijkt in orde. Heeft u nog meer vragen voor deze getuige?'

'Nog twee,' zei Sarge. 'Dokter Kruger, weet u hoe oud uw dochter Kuyeya is?'

Jan gaf duidelijk antwoord. 'Als ze in maart of april 1996 is verwekt, moet ze in januari of februari 1997 zijn geboren. Dat betekent dat ze vijftien is.'

Sarge onderdrukte met moeite zijn grijns en knikte. 'Tot slot: weet u hoe het verderging met Charity Mizinga nadat ze de brief had geschreven die u zojuist hebt voorgelezen?'

Met ernstige blik antwoordde Jan: 'Dat weet ik niet precies. Ik weet wel dat ze uiteindelijk is geëindigd als straatprostituee. Inmiddels is ze overleden. Aan aids, heb ik begrepen.'

'Meer vragen heb ik niet,' zei Sarge, die terugliep naar zijn plaats.

Luchembes kruisverhoor was kort en formalistisch. Hij dwong Jan toe te geven dat hij niets wist van de ontering van Kuyeya en, opnieuw, dat hij geen idee had wat er met Charity was gebeurd nadat ze had ingezien dat hij de vader van haar dochter moest zijn. Maar de schade was aangericht. Jans getuigenis bevestigde de opgenomen verklaring van Amos en stelde zonder twijfel Kuyeya's leeftijd vast.

Toen Luchembe weer ging zitten, zei Sarge: 'Edelachtbare, de aanklager is klaar met de bewijsvoering.'

'In dat geval,' zei de rechter, 'gaat het hof voortijdig uiteen voor de lunch en beginnen we om halfeen met de getuigen van de verdediging.'

Zoë liep naar Jan bij de getuigenbank en wandelde daarna met hem naar de arcade. Het was zichtbaar een zware beproeving voor hem geweest, maar hij had zich er waardig doorheen geslagen.

'Dank je wel,' zei ze met een glimlach.

Hij haalde zijn schouders op. 'Ik heb gezegd wat ik wilde zeggen.'

Ze zag Frederick Nyambo naar de gang lopen, in gesprek op zijn mobiel. 'Ga je vandaag alweer terug?' vroeg ze.

'Vanmiddag al,' zei hij, wegkijkend.

'Heb je nagedacht over haar toekomst?'

'Ja,' antwoordde hij voorzichtig. 'maar ik zie daarin voor mezelf geen rol weggelegd.'

Zoë reageerde boos. 'Je bent haar vader! Hoe kun je dat zeggen?'

'Het vaderschap vereist een relatie. Ik heb alleen een genetische band met haar.' Vervolgens krabbelde hij terug, alsof hij besefte hoe egoïstisch hij klonk. 'Luister, ik wil mijn verantwoordelijkheid niet ontkennen. Ik zal haar steunen in de zorg die ze nodig heeft. Maar daar blijft het bij...'

'Je houdt je verre van de moeilijke kanten van haar leven,' zei Zoë.

Hij zuchtte diep. 'Zo zou ik het niet willen stellen.'

'Hoe dan wel?'

'Luister, ik heb Charity vijftien jaar geleden leren kennen. Kuyeya heeft mij nog nooit ontmoet. Ze heeft mij niet nodig. Ze heeft iemand nodig die voor haar zorgt. Voor haar ben ik niets meer dan een muzungu.'

Zoë schudde haar hoofd. 'Ik zeg niet dat je haar mee naar huis moet nemen. Maar wel dat je een rol kunt spelen in haar leven. Kinderen als zij hebben twee dingen nodig: regelmaat en liefde. Regelmaat kun je haar niet geven, maar liefde zeker wél.'

Hij deinsde achteruit. 'Ik zal erover nadenken.'

Met die woorden draaide hij zich om en liep weg.

De verdediging van de verdachte was bot en eenduidig. Benson Luchembe beperkte zich voor zijn getuigen tot de familie en riep eerst Frederick en vervolgens Darious Nyambo op. Irritanter, en verdacht, vond Zoë de beknoptheid van hun getuigenissen. De Nyambo's lieten grote delen uit de bewijsvoering van de aanklager onbesproken en brachten alleen maar in dat ze op de avond van de verkrachting zaten te dineren in het Intercontinental; Darious was daar op uitnodiging van Frederick. In feite boden ze Mubita niet meer dan een formele grond voor redelijke twijfel.

Luchembes benadering gaf de verdediging een tactisch voordeel. Aangezien de procedureregels eisten dat de tegenvragen van de aanklager zich beperkten tot de zaak in kwestie, mochten er aan de Nyambo's geen vragen worden gesteld over Charity, Darious' voorliefde voor prostituees, noch over dokter Amos en hiv. In de twee uur die Luchembe nodig had om Darious een alibi te verschaffen, zat Zoë zich te ergeren in de zaal, denkend aan alle vragen die Sarge niet mocht stellen. Eén vraag bleef haar in het bijzonder bezighouden: hoe had Darious ontdekt dat Bella de maîtresse van zijn vader was geweest? Zoë meende het antwoord te weten – Kuyeya's naam was de aanwijzing geweest –, maar ze was er niet helemaal zeker van.

Om drie uur in de middag stuurde Mubita Darious weg uit de getuigenbank.

'De verdediging is klaar met de bewijsvoering,' dreunde Luchembe.

'Een weerwoord?' vroeg de rechter.

'Jazeker, edelachtbare,' zei Sarge. Hij stond weer op. Net als zijn openingsverklaring was zijn conclusie een toonbeeld van beknoptheid. Hij somde alle argumenten op die het delict de ernst gaven van het misdrijf 'ontering' – de leeftijd van het slachtoffer, het feit van de penetratie en de identiteit van de dader – en bracht vervolgens verschillende momenten uit het verleden met elkaar in verband om het motief van Darious uiteen te zetten.

'Onze bewijsvoering is rond,' zei hij, 'en we zijn ervan overtuigd ons van onze taak te hebben gekweten. Denk aan wat onze getuigen hebben verteld, lees het dagboek van Kuyeya's moeder, denk aan de woorden van Kuyeya zelf toen ze met de verdachte werd geconfronteerd, en kijk naar het gedrag van Darious Nyambo voor u. Dit was geen willekeurige misdaad. Dit was een met voorbedachten rade gepleegd misdrijf. Kuyeya verdient rechtvaardigheid. Ik vertrouw erop dat de rechter daarop toeziet.'

Toen Sarge ging zitten keek Mubita over zijn bril naar Luchembe. 'Benson?'

De advocaat van de verdediging stond op en trok zijn das recht. 'Edelachtbare, de aanklager heeft dit hof een grote illusie voorgetoverd – de illusie van Darious Nyambo, het monster. In werkelijkheid is mijn cliënt een televisieproducent uit Lusaka en de zoon van gerespecteerde ouders. Zijn vader is een voormalig minister. Zijn moeder een rechter bij het hooggerechtshof. We ontkennen niet dat het kind is onteerd. Maar door wie? Haar verzorgster, Doris, weet niet wat er met haar is gebeurd nadat het kind uit haar flat is weggelopen. Iedereen kan het hebben gedaan, een buurman, een kennis, een vreemdeling. Iedereen behalve de verdachte. Frederick Nyambo heeft zijn alibi bevestigd.'

Luchembe liet een korte stilte vallen. 'Misdaden als deze vormen een zwarte vlek in de Zambiaanse samenleving. Maar de ontzetting die we voelen, rechtvaardigt niet de veroordeling van een onschuldige. De aanklager heeft zich niet van zijn taak gekweten. Het recht vraagt om vrijspraak.'

Opnieuw werd het stil in de zaal.

'Dit is een belangrijke zaak,' zei de rechter na een poos. 'Ik heb veel om over na te denken. Ik zal op schrift mijn oordeel vellen na mijn beraadslagingen. Dank voor uw medewerking. Ik besef dat het voor iedereen zwaar was. Ik verklaar deze zitting voor gesloten.'

Nadat Mubita was vertrokken trok Zoë zich zwijgend terug in zichzelf. Om haar heen barstte onder de advocaten een discussie los. Sarge schudde Benson Luchembe de hand. De zaalmedewerker leidde Darious uit de beklaagdenbank. Niza stopte haar papieren terug in haar aktetas. Zoë staarde naar de lege rechterstoel en er ging een wirwar van emoties door haar heen. Ze hadden alles gedaan om hun zaak overtuigend neer te zetten. Maar was het voldoende?

'Ik wil naar buiten,' zei ze, Josephs hand strelend.

Ze liep voor hem uit en stapte in het felle zonlicht op de parkeerplaats. Ze slaakte een diepe zucht, zoog haar longen helemaal vol en ademde langzaam uit. 'Dit gedeelte vind ik vreselijk. Het wachten, de onzekerheid.'

Joseph keek haar medelevend aan. 'Je moet het loslaten. Je kunt nu niets meer doen.'

'Weet ik,' zei ze, maar toch voelde ze de spanning. Aan de andere kant van het parkeerterrein zag ze de grijze Prado staan, met Dunstan Sisilu achter het stuur. 'Denk je dat we die eikel met die zonnebril ooit kunnen oppakken?'

Joseph trok zijn schouders op. 'Niet zonder bewijs.'

Ze liet haar frustratie de vrije loop. 'Ik kan niet geloven dat hij hiermee wegkomt: twee inbraken, nee, drie, als je ons kantoor meetelt, verduistering van bewijsmateriaal, moord op een getuige. Soms wou ik maar dat we het spel niet volgens de regels speelden.'

Joseph keek haar aan. 'Dat gevoel heb ik bijna dagelijks.'

Ze lachte droogjes. 'Heb ik je verteld wat hij op de Zambezi tegen me zei?'

Joseph schudde zijn hoofd.

'Hij vertelde me dat ik moest oppassen wie ik beledigde. Hij realiseerde zich niet dat me dat geen barst kon schelen.'

Terwijl ze toekeek zag ze Josephs frons veranderen in een glimlach. 'Laten we hier weggaan,' zei hij.

DEEL VIJF

Het goede eindigt nooit.
– Afrikaans gezegde

Darious

Lusaka, Zambia, augustus 2011

*D*e geesten der voorvaderen waren hem gunstig gezind. Kuyeya was in haar eentje de flat van Doris uit gelopen en via de hoofdweg een verlaten steeg in geslenterd. Het was alsof de sterren zich hadden verenigd om zijn succes te garanderen. Hij duwde de kap boven het meisje dicht en keek naar de gebouwen om hem heen. Hij was door niemand vanuit de ramen gezien. Niemand lette op de straat. De buren zouden zich niets bijzonders herinneren.

Hij stapte in zijn Mercedes en reed naar Chilimbulu Road, denkend aan hoe het was begonnen. Wat vroeger dan normaal kwam hij op een dag thuis van school en als altijd ging hij via de achterdeur naar binnen. Hij was geschrokken van de hevige ruzie. Hij had zijn moeder nog nooit naar zijn vader horen schreeuwen. Hij was door de hal geslopen en had ze in de woonkamer gezien: Patricia stak het schrijfblok als een wapen in de lucht; Frederick zat verslagen op de bank. Jaren later kon hij de beschuldigingen van zijn moeder nog horen en de schaamte van zijn vader voelen. Dat hij was gevallen voor een meisje met een bastaardkind! De mukwala van Frederick was legendarisch. Hoe was het mogelijk?

Hij had gewacht tot middernacht om het schrijfblok te zoeken. Hij vreesde dat zijn moeder het had weggegooid, maar daar lag het, in haar kast. Hij sloop terug naar zijn slaapkamer en bleef uren lezen. De brieven maakten hem woedend. De Frederick Nyambo die erin beschreven werd, leek in niets op de man die Darious al zestien jaar lang bewonderde. Volgens de vrouw – Charity Mizinga – was zijn vader een humeurige, seksverslaafde ploert, een ongelukkige dwaas die dacht dat hij haar kind verwekt had, terwijl zij met een andere *vent naar bed was gegaan. Walgelijke leugens waren het. Maar de twijfel bleef aan hem knagen: stel dat er een kern van waarheid in zat?*

Die nacht had het leven van Darious veranderd. Nog geen maand later had hij voor het eerst seks met een prostituee. Binnen een jaar ging hij twee keer per week. Daarnaast had hij vriendinnetjes. Hij imponeerde hen graag met zijn intelligentie, overlaadde hen met cadeaus. Hij dacht nooit aan geweld, totdat een vriendinnetje hem had belazerd. Zijn woede had hem tot de verkrachting gedreven. Maar er was iets in hem losgemaakt. De verkrachting gaf een machtig gevoel. De mukwala ervan was absoluut.

Darious reed noordwaarts naar de Lusaka Golf Club, daarna richting Kabulonga in het oosten. Alles zat mee. Zijn vader was op zakenreis, zijn moeder op bezoek bij familieleden. Er was niemand thuis, behalve Anna, maar die woonde in haar huisje achter op het terrein. Het slaapmiddel zou een uur werken, daarna zou Kuyeya wakker worden. Daar wachtte hij op. Hij wilde dat ze de pijn voelde. Het maakte niet uit of zij hem zag. Ze kende hem toch niet. Rond middernacht zou hij terug naar Kanyama rijden en haar daar dumpen. Als alles mee bleef zitten, zou ze zonder een spoor verdwijnen.

Hij groette de nachtwaker, reed de laan op en parkeerde in de garage. Hij zette de motor uit en bleef in het donker en de stilte voor zich uit zitten turen. Hij dacht aan Bella zoals hij haar die avond voor het eerst had gezien – haar rode jurk, haar sensuele dansbewegingen. Hij haatte haar bedrog, de krankzinnigheid die ze bij zijn vader had veroorzaakt, en de wig die ze tussen zijn ouders had gedreven. Hij haatte haar vanwege de ziekte waarmee ze hem had besmet, vanwege de schaamte die hij altijd voelde.

Hij stapte uit de suv *en liep over het terrein. Via de zijdeur ging hij naar binnen. Hij beende door de hal en de huiskamer, liet de lichten uit. De slaapkamer van zijn ouders lag in de andere vleugel, was verboden terrein, officieel tenminste. Als tiener sloop hij er 's nachts doorheen om te kijken terwijl zijn ouders sliepen. Een paar keer was zijn moeder wakker geworden om naar de wc te gaan. Dan bleef hij roerloos staan, een schaduw in de schaduwen, ze had hem nooit betrapt.*

Hij vond het schrijfblok in de kast waar Patricia het jaren daarvoor had neergelegd. Hij sloeg het open in het donker. Hij begreep niet hoe Bella's vloek sterker kon zijn dan zijn vaders macht. Maar dat hoefde hij ook niet te begrijpen. Hij moest het temmen, de vloek tegen zichzelf laten keren. Met het schrijfblok in zijn handen voelde hij zich onoverwinnelijk. Hij had er Bella mee ontmaskerd, door het kind in haar leven te koppelen aan het kind in de brieven, via de naam die ze haar gegeven had.

Hij legde het schrijfblok terug op zijn plek, hield zijn hoest in en liep dezelfde weg terug als hij gekomen was, zich pantserend tegen de ziekte die hem al zijn energie ontnam. Hij keek om naar Anna's huisje onder de stinkhoutboom. Er brandde nog licht. Had ze hem gezien? Voor het eerst die avond voelde hij een moment van twijfel. Snel schudde hij de twijfel van zich af, als een teken van zwakte.

Kuyeya. Geheugen. Het was tijd om de oude rekening te vereffenen.

29

Lusaka, Zambia, april 2012

EEN WEEK NA HET PROCES publiceerde de *New Yorker* Zoë's artikel onder de kop DE TOEKOMST VAN ONZE GENEROSITEIT. Ze had het drie
keer grondig moeten herschrijven voordat Naomi Potter er tevreden over
was, maar haar doorzettingsvermogen had geloond. Het was een kritisch,
controversieel en menselijk artikel geworden, dat snel de aandacht van veel
lezers trok. Binnen achtenveertig uur werd het stuk al meer dan tweedui-
zend keer op sociale netwerken gedeeld. Op de derde dag pikten de Amerikaanse media het op, evenals het campagneteam van Jack Fleming. Zoë
ontving vlak achter elkaar drie mailtjes. Ze las ze op kantoor. Het eerste
was van Trevor.

> Zus, ik heb je artikel gelezen. Ik vind het
> briljant, natuurlijk. Ik genoot van de anekdotes
> over mam, en ik bewonder wat je over pap schrijft.
> Ironisch genoeg heb je hem misschien een beetje
> populair gemaakt bij de zwevende kiezer. Maar je
> had het me van tevoren moeten vertellen. Pap
> beschouwt het als een aanvechting van zijn
> kandidaatschap. Bereid je maar voor op een fikse
> ruzie.

Zoë sloot haar ogen en liet haar instinctieve schuldgevoel opkomen. Ik
schreef zo mild over hem als ik kon, dacht ze. Maar de waarheid moest wor-

den gezegd. Als hij zijn zin krijgt, gaan er mensen dood.

Ze vermande zich en opende het tweede bericht. Van haar vader.

```
Zoë, wat kan ik zeggen? Altijd gedacht dat ik je
op zijn minst een beetje loyaliteit had
bijgebracht. Heb je eigen mening, druk die
vrijelijk uit, maar breng die niet zonder overleg
met mij in de openbaarheid terwijl ik midden in
mijn campagne zit. Ik krijg onophoudelijk
telefoontjes. Ik moet een verklaring uitbrengen.
```

De woorden van haar vader kwamen aan als een mokerslag. Ze was niet verbaasd over haar gevoelens, maar had niet verwacht dat ze er zo door uit het veld zou worden geslagen. Ze stond abrupt op en vluchtte het kantoor uit naar de schaduw van de kerstster. Had ik het niet moeten doen? Heb ik me vergist? Ze dacht aan Kuyeya en het corrupte Afrikaanse rechtssysteem; aan Joseph en Charity en aidsremmers voor de armen; aan de vrouwen en meisjes in Zambia wier verkrachters op vrije voeten waren omdat het openbaar ministerie geen gebruik kon maken van betaalbare DNA-technologie. Ze putte een beetje troost uit haar verontwaardiging, maar ze kwam er niet door tot rust.

Ze ging terug naar haar bureau en las het derde mailtje: een amechtig bericht van Naomi Potter.

```
Moet naar een vergadering, maar wordt
lastiggevallen door journalisten. Iedereen ziet het
artikel als een waarschuwing tegen je vader. Ik
legde uit dat het anders lag, maar dat pikken ze
niet. Ze willen je interviewen. Wat moet ik
zeggen?
```

Zoë typte haastig haar antwoord: 'Zeg maar dat in het artikel alles staat wat ik te zeggen heb.'

```
Begrijp ik helemaal. Ik kreeg net een verzoek van
CNN. Ze willen je bij Piers Morgan. Wees blij dat
je in Afrika zit.
```

Zoë beantwoordde vervolgens haar broer:

Lieve Trevor, Ik heb het je niet van tevoren
verteld omdat ik wist dat je me zou willen
ompraten. Ik wilde langs de zijlijn blijven, maar
dat lukte me niet. Het Amerika waar pap het over
heeft, is niet het land waarin ik geloof. Ik hou
ontzettend veel van je. Ik hoop niet dat het onze
relatie heeft geschaad.

Tot slot beantwoordde ze haar vader:

Pap, Het spijt me dat je mijn artikel niet goed
vond. Dat het zo ver is gekomen vind ik uiterst
pijnlijk. Soms denk ik, als mama nog leefde, zou
alles heel anders hebben uitgepakt. Over je
reactie: zeg wat je zeggen moet. Maar vergeet niet
dat de geschiedenis je niet zal beoordelen op de
macht die je hebt vergaard, maar op de manier
waarop je die gebruikt om de wereld te verbeteren.
Ik weet zeker dat we het daar tenminste over eens
zijn.

Ze las het mailtje over. Die opmerking over de geschiedenis kwam uit een
opiniestuk dat haar moeder begin jaren negentig voor *The New York Times*
had geschreven, een artikel waar Jack in de jaren daarna regelmatig uit ge-
citeerd had. Ze wist dat hij het zou herkennen.

Toen ze op de knop 'verzenden' had geklikt, verdrong ze haar twijfels en
mengde ze zich in de discussie die Niza en Joseph voerden over een nieuwe
zaak. Haar pogingen om haar zinnen te verzetten duurden net zo lang als
dit gesprek; daarna lukte het niet meer. Ze raakte zo diep verzonken in haar
eigen gedachten dat er aan het einde van de werkdag drie mensen haar hadden gevraagd wat er aan de hand was.

Tijdens de rit naar huis voegde Joseph zich bij dat gezelschap. 'Is er iets?'
vroeg hij. 'Je bent al de hele middag jezelf niet.'

Ze reageerde geërgerd. 'Wat heeft iedereen toch? Heb ik soms lepra of
zo?'

Hij keek haar bedachtzaam aan. 'Hebben ze het artikel gepubliceerd?'

'Ik wil het er niet over hebben.'

'Wat jij wilt,' reageerde hij.

'Ja, het gaat om het artikel,' gaf ze uiteindelijk toe. 'De pers vraagt om interviews; mijn vader is boos en gaat een publieke verklaring afleggen; ik heb zelfs mijn broer tegen de haren in gestreken.'

'Wat ga je nu doen?'

Haar ogen schoten vuur. 'Je denkt toch niet dat ik de pers te woord ga staan!'

'Ik bedoel niet met de media.'

'Wat zou ik *moeten* doen? Ik ben zijn dochter, verdomme, maar toch hoop ik dat hij de verkiezingen verliest. Wat zegt dat over mij? Dat ik een landverrader ben? Een judas?'

'Nee, hooguit dat je eerlijk bent.'

'Soms is eerlijkheid een vloek,' wierp ze tegen, terwijl ze uit het raam keek naar het Intercontinental Hotel en terugdacht aan de woorden van haar vader. 'Praat met me zoals vroeger, toen je nog wilde weten wat ik dacht.' Ze voelde een traan opkomen, daarna volgden er meer; ze kon ze niet meer inhouden. Het leek of de afstand tot het verleden uitgegroeid was tot een onoverbrugbare kloof tussen hen. Maar dat ze uit elkaar waren gedreven was nu niet meer alleen haar vaders schuld. Het mijnenveld van pijn, schuld en onbegrip was nu ook aan haar te wijten.

Joseph stak zijn arm uit en pakte haar hand. 'Wat je ook doet, ik sta achter je.'

In de storm van haar emoties voelde het contact met zijn warme huid als een baken. 'Dank je wel,' zei ze, en ze besefte dat deze woorden diep uit haar hart kwamen.

De vier dagen daarna ontving Zoë een tiental verzoeken van journalisten. Sommigen prezen haar moed, anderen trokken haar motieven in twijfel. Maar iedereen wilde iets van haar: meer informatie over haar werk in Afrika, een kijkje in de keuken van financieel imperium Fleming-Randall, haar voorspelling van de verkiezingsuitslag, een biopic over haar familie, een fotoreportage voor een glamourblad; de lijst was eindeloos en divers. Bovenal wilde de pers een reactie op de verklaring van haar vader, die hij op tv tijdens een persconferentie had gegeven en die zij op internet had gezien.

De opmerkingen van de senator waren kort en grotendeels ontwijkend. Hij leidde de aandacht van haar af en benadrukte zijn plan om de begrotingsdiscipline terug naar Washington te brengen. Aan het einde kwam hij echter met een klinkend argument, door te stellen dat iedereen offers moest brengen om het begrotingstekort van de Verenigde Staten te verlagen, ook de ontvangers van buitenlandse hulp in ontwikkelingslanden. Op deze uitspraak wilden de media haar reactie, en alleen al door de herhaling van het verzoek kwam Zoë in de verleiding de stilte te verbreken.

Op dinsdagochtend liep ze weg van haar bureau om Naomi Potter in New York te bellen.

'Zoë!' riep de redactrice uit. 'Vrouw van de dag! Je artikel heeft heel wat teweeggebracht. We zijn verheugd. Wat kan ik voor je doen?'

'Ik wil toch een interview geven,' zei Zoë.

'Laat me raden,' antwoordde Naomi. 'De criticasters hebben je e-mailadres gevonden.'

Zoë slaakte een diepe zucht. 'Ja.'

'Welkom bij de club van grote namen.'

'Maar wie kan ik vertrouwen? Ik zoek iemand die geloofwaardig is en niet gefocust op een rel of politiek spelletje.'

Naomi grinnikte. 'Je zoekt naar een oude rot. Daar zijn er niet veel meer van.' Ze slaakte een zucht. 'Luister, wees realistisch. Als je op tv verschijnt, zul je dezelfde vragen krijgen als in je postvak. Je zou een geschreven interview kunnen overwegen.'

Zoë aarzelde. 'Ik doe het liever live. Dat is persoonlijker.'

Naomi dacht een moment na. 'Goed. Dan weet ik misschien iemand. Vorige week kreeg ik een telefoontje van Paul Hartman, de voorzitter van de Senaatscommissie Buitenlandse Betrekkingen. Blijkbaar heeft jouw artikel hem geïnspireerd. Hij organiseert een hoorzitting over buitenlandse hulp in de schuldencrisis, en hij hoopte jou in het panel te krijgen. Het zou een politieke stunt zijn, want ook je vader zit in die commissie. Maar ik ken Paul al lang. Hij klonk oprecht.'

Zoë stelde zichzelf voor als getuige in de Senaat. De media zouden erbij zijn; de tv-camera's zouden elk woord dat ze zei vastleggen. In deze opzet zou ze zonder onderbreking haar verhaal kunnen doen. Het risico dat ze geen controle had over haar boodschap was klein.

'Dat lijkt me wel wat,' antwoordde ze uiteindelijk.

'Waarom bel je Paul niet op?' stelde Naomi voor. 'Luister eens naar wat hij zelf te vertellen heeft.'

Ze gaf het telefoonnummer van de senator, en Zoë belde hem meteen. Terwijl ze wachtte tot er werd opgenomen, dacht ze aan Alice en het konijnenhol.

De senator nam na drie keer overgaan op. 'Paul Hartman.'

'Senator Hartman,' zei ze, 'u spreekt met Zoë Fleming.'

Medio mei belegde Mariam een vergadering over de voortgang in de zaak-Kuyeya.

'Zoals jullie weten,' zei ze, 'wachten we nog op de uitspraak van Flexon Mubita. Deze vertraging is heel ongewoon voor hem. Hij staat bekend als een besluitvaardige rechter. Al na enkele dagen had hij een beslissing genomen in de DNA-kwestie. Hij had de procesdatum naar voren geschoven ondanks de bezwaren van Benson Luchembe.' Ze zweeg een moment. 'Helaas blijken onze twijfels over hem misschien gerechtvaardigd. Drie dagen geleden kondigde rechter Ngwenya aan zich terug te trekken uit het hooggerechtshof. Vanochtend ontving mijn man de shortlist met de kandidaten. Raad eens wie er bovenaan staat?'

Zoë voelde het zuur in haar maag branden.

'We hebben hier vanuit alle mogelijke perspectieven naar gekeken,' zei Sarge. 'We kunnen onmogelijk de zaak door een andere rechter laten beoordelen. Onze enige optie is, lekken naar de pers. Dat verandert misschien niets aan het eindresultaat, maar dan krijgen de mensen tenminste de waarheid te horen.'

'En als Mubita niet wordt benoemd?' wierp Niza tegen. 'We kunnen het ons niet veroorloven de hoogste districtsrechter als eeuwige vijand te hebben.'

Zoë ventileerde haar woede in een voorstel. 'Waarom diepen we de schandalen over de Nyambo's niet op en voeren we die aan de pers? Als de media een corruptieschandaal ontdekken, krijgen wij niet de schuld.'

Mariam keek peinzend voor zich uit. 'Dat lijkt me wel wat. Sarge?'

Hij knikte. 'Een vriend van me werkt bij de *Post*. Ik zal hem vanmiddag bellen.'

'Nog één ding,' zei Zoë. 'Waarschijnlijk is het beter mijn naam niet te noemen.'

Sarge keek haar verbaasd aan. 'Waarom niet?'

'Dat zou misschien...' Zoë zocht naar de juiste woorden, 'maar afleiden.'

Niza keek bedenkelijk. 'Waar heb je het over?'

Zoë keek naar Mariam. 'Weet je wie Jack Fleming is?'

Twee dagen later bracht Joseph Zoë naar het vliegveld. De lucht was strakblauw, een wieg voor de zon, en de bomen schitterden in hun herfsttooi. Zoë keek in haar zijspiegel, maar geen spoor van Dunstan Sisilu. Ze hadden hem nog één keer gezien na het proces – kort nadat ze de gps-trackers van hun auto's hadden verwijderd en met een moker kapot hadden geslagen. Hij had hen nog twee dagen geschaduwd, maar was daarna weer verdwenen. Joseph vermoedde dat hij zich niet meer zou laten zien.

Ze maakten een korte stop bij het St.-Franciscus. Joseph bleef in de Land

Rover zitten, en Zoë liep achter zuster Anica naar het binnenplein waar zuster Irina een verhaaltje voorlas aan de kinderen.

'Hoe gaat het met haar?' vroeg Zoë, terwijl ze een glimp van Kuyeya opving.

'Ze heeft pijn,' antwoordde Anica. 'Ze praat voortdurend over bijensteken.'

Zoë schudde haar hoofd. 'Het spijt me dat het zo lang duurde met die MRI-scan.'

De zuster pakte haar hand. 'Het is al een wonder dat je dat hebt kunnen regelen.'

Zoals beloofd had Zoë bij een aantal privéklinieken om een second opinion gevraagd. Al snel ontdekte ze dat de drempel voor medische zorg voor arme, gehandicapte kinderen niet alleen hoog was in de openbare zorg. Twee klinieken behandelden alleen maar mensen uit het buitenland – een eufemisme voor blanken – en een derde eiste een verwijzing van het UTH. Vol walging had Zoë dokter Chulu gebeld en een MRI geëist. De dokter had getwijfeld, tot ze vertelde over Kuyeya's duizeligheid en bedplassen. Hij had het onderzoek gepland op 17 mei, dezelfde dag als van de Senaatszitting.

Zoë liep naar de kinderen en begroette zuster Irina. 'Stop even met lezen,' zei ze, 'want ik heb iets voor Kuyeya meegebracht.'

Het meisje maakte het ballonnengeluid weer toen Zoë ging zitten. 'Hoi, Zoë, kijk.' Ze hield de ring van haar moeder in het zonlicht. 'Groen als de Zambezi,' zei Kuyeya.

Zoë glimlachte. 'Zei je moeder dat altijd?'

Het meisje schudde haar hoofd. 'Nee, Irina zegt dat.'

'Vertelde je moeder soms verhalen over de Victoriawatervallen?'

Kuyeya knikte driftig met haar hoofd. 'Watervallen klinken als de donder.'

Zoë lachte. 'Dat klopt. Luister, ik ga op reis, dus ik dacht, je kunt wel een nieuw vriendje gebruiken.' Ze gaf het meisje een knuffel van een jachtluipaard die ze in Kaapstad had gekocht.

Kuyeya hield het beest aan haar borst. 'Hij heeft vlekken als de luipaard.'

'Het is een jachtluipaard. Hij kan heel hard rennen.'

Kuyeya begon te wiegen. 'Ik rennen niet leuk vinden.'

Zoë keek naar zuster Irina. 'Doet het pijn als je rent, Kuyeya?'

Het meisje knikte. 'Prik doet de bij. Van mama mag ik niet huilen.'

Zoë kuste Kuyeya op haar voorhoofd. 'We gaan uitzoeken wat er aan de hand is.' Ze liep met zuster Anica terug naar haar auto. 'Kon ik maar bij het onderzoek zijn.'

'Ze redt het wel,' antwoordde de zuster.

'Stuur me een bericht zodra u de uitslag binnen heeft.'

Zuster Anica knikte. 'Ga nu maar.'

De rit naar het vliegveld duurde een kwartier. Zoë bleef de hele weg stil, denkend aan het drama dat haar aan de andere kant van de oceaan opwachtte. De mediastorm vanwege haar artikel in de *New Yorker* was een maand na publicatie nog niet geluwd. Ze kreeg zelfs nog meer verzoeken, dankzij de voorsprong die Jack Fleming inmiddels in de voorverkiezingen had – door velen werd hij de 'gedoodverfde kandidaat' genoemd – en het persbericht van senator Hartman waarin hij de hoorzitting aankondigde en het panel met beroemdheden bekendmaakte. De publicatie van de getuigenlijst had een nieuwe golf van kritiek teweeggebracht bij aanhangers van haar vader, waaronder een live uitgezonden, bijtende aanval van de schaamteloos partijdige radiopresentator Ben Slaughter, die het hele internet was overgegaan.

Het meest verontrustende bijverschijnsel van de mediarel was niet de aandacht zelf – Zoë kon zich er al snel voor afsluiten –, maar de reacties van haar familie. Trevor was de eerste die contact met haar opnam over de hoorzitting. Hij deed zijn best zijn steun aan haar te betuigen, vertelde zelfs dat Catherine het een eer zou hebben gevonden om te getuigen, maar hij had er duidelijk moeite mee en maakte zich zorgen. Hij begreep niet waar ze mee bezig was. Daarna kwam de e-mail van Sylvia. Haar korte en botte bericht veroorzaakte een schok van diepe twijfel, die Zoë nog steeds voelde.

```
Zoë, ik weet waarom je dit doet. Het gaat niet om
je moeder of om generositeit of om de armen in de
wereld. Dat is allemaal buitenkant. Je bent boos
vanwege het verleden. Ik heb een vraag voor je: is
een vereffening het waard om je van je familie te
vervreemden? Je bent pas negenentwintig. Denk daar
eens over na.
```

Zoë had een paar keer geprobeerd een reactie te formuleren, maar uiteindelijk stuurde ze niets. Ze bracht de dagen in verwarring door, koesterde de krankzinnige hoop dat haar vader een handreiking zou doen en het goed zou maken. Maar Jack liet niets van zich horen. Op haar dieptepunt overwoog ze zich uit het panel terug te trekken, maar dat kon ze niet opbrengen. Ze klampte zich vast aan een van haar moeders uitspraken: 'Spreek altijd de waarheid, heb lak aan de gevolgen.' Maar de twijfel bleef knagen, omdat Sylvia deels gelijk had. Als het om haar vader ging, was het verleden altijd onderhuids aanwezig in alles wat ze de afgelopen twaalf jaar had gezegd en gedaan. Ze kon haar woede niet loslaten. En eigenlijk wist ze niet of ze dat wel wilde.

Joseph parkeerde de wagen voor de terminal van het vliegveld. 'Ben je er klaar voor?' vroeg hij, terwijl hij haar hand pakte.

'Ik weet het niet,' antwoordde ze eerlijk. De afgelopen weken hadden ze alle aspecten van de zitting besproken, maar over het mailtje van Sylvia had ze gezwegen.

'Nerveus?'

'Een beetje. Doe ik wel het juiste, vind je?'

Hij keek haar met een lachje aan. 'Soms moet je mensen eraan herinneren dat ze voor elkaar moeten zorgen. Jij hebt een stem. Die moet je gebruiken.'

Zijn bevestiging van het doel vormde voor Zoë een baken. Ze bracht haar gezicht bij het zijne. 'Ik hou van je, Joseph Kabuta,' zei ze, waarna ze hem kuste met alle passie en onzekerheid in haar hart. Ze nam afscheid en liep de terminal in, haar woorden echoënd in haar hoofd.

Ik hou van je, Joseph Kabuta.

Ik hou van je.

30

Het vliegtuig vanuit Johannesburg landde om halfzeven 's ochtends op Washington Dulles International Airport. Voorbij de douanepoortjes ontmoette Zoë Trevor bij de bagageband en gaf hem een lange omhelzing. Hij bracht haar naar zijn zwarte BMW M5 en legde haar bagage in de achterbak.

'Wat vind je van mijn nieuwe auto?' vroeg hij terwijl hij het portier voor haar opende. 'Vorige maand gekocht.'

'Mooi,' antwoordde ze, en ging op de zacht lederen stoel zitten.

Ze hielden het bij koetjes en kalfjes tijdens de rit naar het District. Zoë vroeg hem naar zijn trouwplannen, en rollend met zijn ogen deed Trevor gedetailleerd verslag van alle hilarische en hysterische toestanden. De bruiloft was gepland op 1 januari op Aruba. Jenna kwam ook uit een welgesteld gezin en haar ouders lieten driehonderd gasten naar het eiland overkomen. Zoë telde in haar hoofd de kosten op, maar hield haar kritiek voor zich. In de wereld van haar afkomst verbaasde haar niets meer.

Trevor vond een parkeerplaats in een straat bij Dupont Circle en bracht haar naar zijn appartement. 'Wil je nog even een tukje doen?' vroeg hij. 'We hebben nog vijf uur.'

'Ik heb in het vliegtuig geslapen,' antwoordde ze. 'Maar ik zou wel graag een douche nemen.'

Hij bracht haar koffer naar de logeerkamer en excuseerde zich omdat hij nog werk te doen had. Ze wierp haar rugzak op het bed en stond voor het raam dat uitkeek op Q Street. De deftige buurt was een oase van rust in deze onvermoeibaar ambitieuze stad. Ze dacht aan Joseph en proefde weer de smaak van zijn kus. Wat zou jij vinden van deze stad? vroeg ze zich af. Zou je dit normaal vinden? Vind ik het nog wel normaal?

Ze liep weg van het raam en nam een douche. Daarna trok ze een grijs broekpak en een hemelsblauwe blouse aan die paste bij haar ogen, en ging met haar MacBook op bed zitten. Ze had haar toespraak al vier keer herschreven, zoekend naar een balans tussen geloofwaardigheid en ontroering. Ze zou de hulp aan het buitenland kenschetsen als een filantropisch partnerschap tussen het Amerikaanse volk en zijn leiders, niet als een pensioenplan voor dictators of een herverdeling van middelen ten koste van de armen in eigen land. Haar hart begon sneller te kloppen toen ze bij de bijlage kwam. Al verschillende keren had ze die bijna gedeletet, maar telkens wanneer haar vinger boven de knop zweefde, had ze zichzelf tegengehouden. Ze wist niet wat ze ermee ging doen, maar ze wilde de mogelijkheden openhouden.

Om twaalf uur stond Trevor weer in de deuropening. 'Heb je honger? Ik maak een broodje.'

'Ik help je wel,' zei ze. Ze liet haar laptop op het bed liggen.

Ze volgde hem de trap af naar de keuken, een smaakvolle combinatie van zwart marmer en roestvrij staal, en bereidde haar eigen lunch. In de stilte hing de spanning van alles wat nog niet gezegd was.

Eindelijk zei Trevor: 'Weet je zeker dat je hiermee door wilt gaan? Misschien raak je papa wel voorgoed kwijt.'

Ze sneed haar boterham doormidden en legde die op een bord. 'Ik moet afmaken waaraan ik ben begonnen. Mensen als Ben Slaughter geven mijn motieven schromelijk misvormd weer.'

'Wees niet zo naïef. Het gaat hun niet om jou. Het gaat hun om de controverse. Je getuigenis vandaag maakt het alleen maar erger.'

'Je begrijpt het niet.'

'Leg het dan eens uit. Papa houdt van je. Wil je hem echt kwetsen?'

Zoë keek weg, ze kon de pijn in de ogen van haar broer niet verdragen. 'Het ligt complex, Trevor. Jij weet niet alles.'

'Vertel het me dan! Maar maak het beetje familie dat je hebt niet kapot.'

Zijn woorden sneden door haar ziel. Ze nam haar bord mee naar de tafel en ging koppig en zwijgend zitten eten. Voor het eerst in haar leven leek de kloof tussen hen onoverbrugbaar.

Om kwart over een verlieten ze Trevors appartement en liepen naar het metrostation bij Dupont Circle. Er hingen stapelwolken in de late lentelucht, en de vochtige lucht was een duidelijke voorbode van de zomerhitte.

Trevor kocht voor haar een dagpas van de metro, haalde zijn eigen pas door de sleuf en liep voor haar uit naar de Red Line. Ze gingen op een bankje zitten terwijl de koplamp van de naderende metro in de tunnel verscheen.

Trevor stootte haar aan. 'Zulke service heb je niet in Zambia.'

Zoë lachte, dankbaar voor de liefdevolle vredesverklaring.

De rit naar Capitol South via Metro Center duurde een kwartier. Ze stapten uit op First Street en voegden zich in de stroom van voetgangers die zich haastten naar het Capitool. Ze liepen voorbij de Library of Congress en het hooggerechtshof richting het Dirksen Senate Office Building, waar de Commissie Buitenlandse Betrekkingen was gevestigd.

Aan het einde van Constitution Avenue zag Zoë een horde verslaggevers en cameramensen bij de ingang van het gebouw. Ze draaide zich om en keek naar het Capitool. Ineens was ze zich bewust van de ernst van de situatie. Trevor sloeg beschermend een arm om haar heen, de rol weer op zich nemend die hij sinds hun jonge jaren had.

'Ze zijn hier ook voor Frieda Caraway, hoor,' zei hij. 'Negeer ze maar, dan laten ze je wel door.'

Ze knikte, schudde haar twijfels van zich af. 'Laten we gaan.'

Ze staken de met hekken afgezette weg over en drongen de menigte journalisten in. Aanvankelijk werd ze niet herkend, maar plotseling riep iemand haar naam. 'Daar heb je Zoë Fleming!' Er ontstond commotie op de stoep. Zoë liet zich meevoeren door Trevor en liep stapje voor stapje verder, totdat ze eindelijk veilig binnen waren.

Na de beveiligingscontrole namen ze de lift naar de vijfde verdieping en liepen door de marmeren gang naar de gehoorzaal. In de menigte buiten bevonden zich veel journalisten, maar hier was de sfeer wat rustiger. Een verslaggever, een man die Zoë vaag bekend voorkwam, drong zich naar haar toe en vroeg: 'Mevrouw Fleming, klopt het dat uw optreden vandaag een stem tegen uw vader is?'

Ze reageerde met tegenzin. 'Dit gaat niet om politiek of de verkiezingen. Het gaat om de relatie van Amerika met miljoenen mensen over heel de wereld die leven in omstandigheden die we voor onze eigen kinderen nooit zouden tolereren.'

Zoë stapte de gelambriseerde gehoorzaal in en kuste Trevor op zijn wang, waarna hij plaatsnam in de galerij. Ze liep door het gangpad en zag haar plaats aan het hoofd van de getuigentafel. Op het kaartje naast het hare stond: MS. FRIEDA CARAWAY. Zoë glimlachte nerveus. Dat senator Hartman haar naast de Oscar-winnende actrice had geplaatst, was ofwel een blijk van bewondering ofwel van goedkoop politiek opportunisme.

Ze ging op haar plaats zitten, bestudeerde het podium en bleef steken bij het naamplaatje van haar vader drie stoelen van senator Hartman. MR. FLE-MING, stond erop. Ze sloot haar ogen en liet zich door haar geheugen mee-voeren naar de dag waarop het allemaal was begonnen.

Ze herinnerde zich het jongensachtige gezicht van Clay Randall, die haar meetrok naar de stille duinen van East Beach op Chappaquiddick. Het zand waaide zo woest op dat ze had voorgesteld om terug te gaan, maar hij had een beschut plekje gevonden met uitzicht op de Atlantische Oceaan, en ze had zich laten vermurwen. De deken en de zak met rode druiven en kaas werden voor de dag gehaald. Daarna volgden de gedichten, de zoenen en de handen die de randen van haar bikini negeerden en haar deden kron-kelen en tegenstribbelen, tot ze hem een klap in zijn gezicht gaf. Bijna was ze ontsnapt. Bijna, maar niet helemaal. Toen het afgelopen was, had ze met tranen in haar ogen gefluisterd: 'Waarom?' Clay had op haar neergekeken en gesneerd: 'Je wilde dit toch?' Tien dagen later had ze de moed bijeenge-raapt om het haar vader te vertellen. Ze kon zijn woorden nog horen als ze goed luisterde: 'Het lijkt erop dat jullie elkaar verkeerd hebben begrepen. Je kunt het maar beter vergeten en doorgaan met je leven.'

Wat volgde in de veertig minuten in de gehoorzaal daarna ging langs haar heen – de luidruchtige binnenkomst van de media; de aankomst van de an-dere leden van het panel, onder wie Frieda Caraway met haar schitterende diamanten; de dans van de medewerkers van het Congres en de veiligheids-beambten; de entree van senator Hartman, gevolgd door de gestaag bin-nendruppelende andere leden; de plotselinge verschijning van Jack Fleming en zijn naaste medewerkers een paar minuten na tweeën; en tot slot Hart-mans langdradige inleiding. Zoë doorstond het allemaal met een bedacht-zame houding die in tegenspraak was met haar zenuwen. Zelfs de zelfver-zekerde glimlach naar haar vader was vluchtig.

Terwijl de voorzitter zijn inleiding afrondde, knipperde Zoë met haar ogen in het felle lamplicht en keek naar Frieda Caraway naast haar. De ac-trice zat er keurig bij in een kaarsrechte houding en met een onbewogen gezicht, ondanks de op haar gerichte camera's. Even stelde Zoë zich voor dat ze naast haar moeder zat, en weer vroeg ze zich af: Hoe zou jij dit hebben aangepakt?

Plotseling hoorde Zoë haar naam.

'Mevrouw Fleming,' zei senator Hartman, 'de commissie is u dankbaar voor uw uitstekende artikel in de *New Yorker* en voor uw diepe, persoonlijke betrokkenheid bij de armen en kwetsbaren in de wereld. We geven graag het woord aan u.'

Zoë aarzelde even, afgeleid door de camera's. Vervolgens rolden de woorden als vanzelf uit haar mond. 'Senator Hartman, leden van de commissie, ik voel me vereerd om hier vandaag te mogen zijn. Mijn moeder, Catherine Sorenson-Fleming, die velen van u kennen, heeft haar leven gewijd aan het motto op het zegel achter u: *e pluribus unum* – uit velen één. Ze beschouwde Amerika en de geglobaliseerde wereld als een smeltkroes, verenigd door meer dan de som van wat ons scheidt. Maar ze was geen utopist. Ze was doordrongen van de macht, en tot op zekere hoogte de onvermijdelijkheid van de eeuwenoude verschillen in de menselijke samenleving. Ze geloofde niet dat de wereld één homogeen geheel moest worden, maar ze geloofde wél hartstochtelijk in twee zaken: rechtvaardigheid en generositeit.'

Ze keek naar de senatoren op het podium. 'Ik kan het vandaag met u hebben over rechtvaardigheid, economische rechtvaardigheid tussen de rijke en de arme wereld, over onze morele verplichtingen na eeuwen van slavernij, kolonialisme en hebzucht. Maar als ik die kant op zou gaan, zou ik de erfenis van mijn moeder in diskrediet brengen. Ik heb het liever met u over generositeit. Anders dan rechtvaardigheid is generositeit niet zo moeilijk te definiëren. Wanneer geconfronteerd door iemand die niets heeft, kan degene die wel wat heeft ofwel de helpende hand bieden, ofwel doorlopen. We kennen allemaal het verhaal over de goedheid van de barmhartige Samaritaan en de gierigheid van de priester en de tempeldienaar. Het verschil kan niet duidelijker zijn.'

Zoë slaakte een zucht. 'Toen ik zes was, nam mijn moeder me voor het eerst mee naar Afrika. We logeerden bij een diplomaat in Nairobi, die in een door de Britten gebouwde bungalow woonde. Mijn eerste herinneringen aan het continent zijn aan zijn weelderig begroeide achtertuin. Daarna trokken we Kibera in, een van Afrika's grootste krottenwijken, en daar zag ik kinderen die helemaal niets hadden. Eigenlijk hadden ze minder dan niets – ze hadden ziektes, overleden ouders, vervuild water, voedsel zonder voedingswaarde. Ik wist niet wat ik zou kunnen doen om daar verandering in te brengen. Maar één ding wist ik intuïtief wél: het enige wat mij van hen scheidde was het toeval van mijn geboorte.

Mijn moeder heeft me zeven keer mee naar Afrika genomen voordat ze overleed,' ging Zoë verder. 'Ze hield ervan zoveel men maar van een plek kan houden. Ze was een van de eersten die zich voor aidshulp inzette. Ze pleitte voor microfinanciering voordat dat in de mode kwam. Ze zorgde voor de aanleg van watersystemen en jungleziekenhuizen en financierde medische hulp in oorlogsgebieden. Ze werkte met iedereen die zich bekommerde om filantropie in de ware zin van het woord – liefde voor mensen. Ze had maar twee vijanden: cynisme en hebzucht.

Als mijn moeder nu nog zou leven, zou ze de economische groei en opkomende middenklasse in Afrika toejuichen. Ze zou de verbreiding van het vrije ondernemerschap stimuleren en steun geven aan pogingen om de hulp slimmer en efficiënter te maken. Ze zou het vaandel van de handel hooghouden als een golf waarop alle boten meegaan. Maar ze zou onze manier van ontwikkelingshulp níét opgeven. Ze zou zelfs zeggen dat generositeit altijd nodig zal blijven, omdat juist dat winstmotief waarop de handel drijft, geen mechanisme kent om te voorzien in de behoeften van de armen. De reden is eenvoudig: de armen hebben geen geld.'

De cadans in Zoë's stem werd sterker. 'Vandaag worstelen de armen waar ter wereld ook om hun kinderen te voeden en naar school te laten gaan. Ze kunnen zich geen levensreddende medicijnen veroorloven en er zijn geen middelen voor een adequaat rechtssysteem. Degenen onder ons die de middelen wél hebben, moeten hen helpen. Wij zijn hier in Amerika niet blind voor. Generositeit is een van de grootste erfgoederen van onze natie. Maar sommigen onder ons stellen voor dat we onze ogen sluiten.

Wij zijn in de positie om de overdracht van het aidsvirus binnen één generatie te voorkomen, maar we bezuinigen op PEPFAR. We hebben talloze levens gered met het Malaria Initiatief en het Wereldfonds, maar we komen terug op onze beloften. In Zambia, waar ik werk, worden per jaar honderden kinderen bruut verkracht, maar de verkrachters komen daarmee weg omdat het openbaar ministerie niet de middelen heeft voor DNA-technologie. Dit soort problemen kan met geld worden opgelost, maar niet door marktwerking alleen, want er valt voor zakenlui weinig winst te behalen. Generositeit moet hen verlossen.'

Zoë keek naar de mensen in het panel. 'Deze crisis van schulden en tekort confronteert ons met een monumentale gewetenscrisis. Aan onze kant staat de angst. Aan de andere kant staat onze medemenselijkheid. Op momenten als deze kunnen we ons ware karakter tonen.'

Ze aarzelde even of ze het wel zou doen, haar hart pompte van de adrenaline. Ze zou netjes kunnen eindigen, of met een handgranaat naar het podium. Ze richtte haar ogen op haar vader en zag hem onbewogen zitten. De lege uitdrukking op zijn gelaat duwde haar naar de afgrond.

'Ik ken het ongemak van medemenselijkheid. Ik weet wat het is om...'

Plotseling zag ze een huivering door haar vader heen gaan en de pijn in zijn ogen. Ze pauzeerde even en verzachtte haar toon.

'...om alleen te zijn wanneer je kwetsbaar bent. In Afrika en op alle andere plaatsen in de wereld leven mensen die nooit de geschiedenisboekjes in zullen gaan, mensen in de marge van de samenleving, die lijden onder oorlog en hongersnood, geweld en ziekte. We zullen hen nooit ontmoeten, maar in wezen verschillen wij niet van hen. Ze hebben onze welvaart of afhankelijkheid niet nodig. Wat ze nodig hebben zijn generositeit en zelfredzaamheid. We zijn in de positie dat hun te geven. Als wij dat doen, zal de geschiedenis gunstig over ons oordelen. Doen we dat niet, laat God ons dan helpen.'

Na die laatste woorden ging Zoë weer zitten en trok zich terug in zichzelf naar een plek die zie niet kon benoemen. Ze hoorde de toespraken daarna, de vragen en de antwoorden, maar de rest van de zitting ging als een vage droom aan haar voorbij. Af en toe keek ze naar haar vader en verwachtte boosheid te zien, maar uit zijn ogen sprak alleen maar droefheid. Hij had geen vragen voor het panel en verliet de gehoorzaal meteen nadat de zitting was ontbonden.

Zoë deed hetzelfde, bleef alleen nog even staan om senator Hartman een hand te geven en Frieda Caraway te omhelzen. Trevor stond bij de uitgang op haar te wachten en loodste haar door de horde journalisten en cameralieden. Ze verlieten het gebouw via een zijdeur en liepen om het Capitool naar de National Mall. Het gras op het uitgestrekte gazon was halfdood, vertrapt door toeristen, maar de wolken waren verdwenen en de lucht was opgeklaard.

'Ik zou graag willen weten,' zei Trevor, toen hij naast haar op een bankje ging zitten, 'wat je aan het eind precies bedoelde. Toen je het had over alleen en kwetsbaar zijn.'

De bezorgdheid in zijn stem deed haar ineenkrimpen. 'Als ik het je vertel, wordt het nog erger.'

Zijn adem stokte. 'Is het zo erg?'

Ze knikte langzaam.

'Vertel het toch maar.'

Zoë zag een jonge vader en dochter met een frisbee spelen. Het meisje was een jaar of acht, haar glimlach was onschuldig, onaangetast door de wereld. 'Er is iets gebeurd in de zomer toen jij naar Harvard ging,' begon ze, waarna ze hem het hele verhaal vertelde.

Toen ze klaar was, wreef hij ontzet over zijn gezicht. 'Clay Randall. Als ik hem zie, trap ik hem volledig in elkaar. Waarom heb je het me nooit verteld?'

De tranen stonden in haar ogen. 'Ik heb een paar keer op het punt gestaan. Maar het moment leek altijd ongeschikt.'

Hij schudde vermoeid zijn hoofd. 'Soms wou ik dat pap maar niet in de politiek was gegaan. Politiek maakt van je vrienden je vijanden.'

'Ik heb nooit zijn vijand willen zijn. Ik wilde alleen maar zijn excuses.'

Trevor keek grimmig uit zijn ogen. 'Ik zou hém in elkaar moeten slaan.'

'Laat dat, alsjeblieft,' zei ze, met een zachte lach.

'De pers smult natuurlijk van deze hoorzitting.'

Als je eens wist wat ik bijna had gezegd, dacht ze. Ze voelde een overweldigende opluchting om het feit dat ze dat niet had gedaan. De woorden in haar aantekeningen, het woord dat ze bijna had laten vallen, was 'verraden'.

'Ik ga terug naar Afrika,' zei ze. 'Het maakt niet meer uit.'

'Je kunt er niet eeuwig voor blijven weglopen.'

Ze fronste haar wenkbrauwen. 'Ik loop er niet voor weg.'

Hij keek haar in de ogen. 'Heb je jezelf gehoord vandaag? Je deed het fantastisch. Over een paar maanden word je dertig. Het fonds komt dan in jouw handen. Bedenk wat je daar allemaal mee kunt doen.'

Zoë draaide zich om en zag het meisje rennen om de frisbee op te vangen, haar blonde lange haren wapperend in de wind. Ik kan het niet, dacht ze, terwijl ze Joseph voor zich zag, maar het idee bleef haar achtervolgen en liet haar niet meer los.

31

DE VOLGENDE OCHTEND WERD ZOË WAKKER onder het warme dons-dekbed van Trevors logeerbed. Ze pakte haar iPhone van het nacht-kastje en las haar berichten. Er waren meer dan vierentwintig uur verstre-ken na de MRI-scan van Kuyeya, en dokter Chulu had een snelle uitslag beloofd nu de radioloog weer terug was van vakantie.

Ze las een bericht van Joseph, verzonden om 04.07 uur, Noord-Ameri-kaanse tijd. 'Goed gesprek gisteren. Gelukkig is de zitting voorbij. Bel zsm dr Chulu op!'

Haar hart bonsde toen ze naar het nummer van de arts zocht. Ze belde hem op zijn mobiel. 'Wat is er aan de hand?' vroeg ze. 'Is het ernstig?'

'Er zijn complicaties,' antwoordde hij aarzelend. 'Kuyeya moet worden geopereerd.'

'Waarom?' vroeg ze, rechtop in bed.

Hij slaakte een zucht. 'Kinderen met downsyndroom vertonen soms laxi-tas in het bindweefsel dat het been van de atlas, dat wil zeggen de bovenste nekwervel, verbindt met het ruggenmerg. Altanto axiale instabiliteit heet dat. Meestal hebben ze er geen last van. Maar na een trauma, een val of een gewelddadig incident...'

'Een verkrachting bijvoorbeeld,' onderbrak Zoë hem.

'Ja. Soms manifesteert het zich pas na maanden. Maar in een vergevor-derd stadium, wanneer het merg is aangetast, kan het alleen door middel van spinale fusie worden verholpen.'

'Had dit niet eerder ontdekt kunnen worden?'

'Op een MRI is veel meer te zien dan op een röntgenfoto.'

Daarom had ik er zo graag een laten maken, dacht ze. 'Wanneer wordt ze geopereerd?' vroeg ze, zichzelf tot kalmte manend.

'Dat is het probleem. Voor een fusie heb je een neurochirurg en een orthopedisch chirurg nodig in de operatiekamer. Het dichtstbijzijnde ziekenhuis waar deze operatie kan worden uitgevoerd is in Pretoria.'

'Waarom kan het niet gewoon in het UTH?'

'Onze chirurgen zijn gekwalificeerd,' antwoordde hij een beetje defensief. 'Maar we hebben niet de benodigde faciliteiten.'

'Vlieg haar dan over naar Pretoria. Dan moet het maar in Zuid-Afrika gebeuren.'

Hij schraapte zijn keel. 'Dat brengt hoge kosten met zich mee.'

'Hoe hoog?'

'Pretoria Wellness Hospital is een privékliniek. Met het medisch vervoer erbij komt het al snel neer op honderdduizend dollar, misschien meer.'

Zoë was met stomheid geslagen. 'Wanneer moet dit gebeuren?'

'Zo snel mogelijk. Haar ruggenmerg loopt gevaar. Als ze weer valt, kan dat haar dood betekenen.'

Mijn god, dacht Zoë, de rillingen liepen door haar heen. 'Ik zal kijken wat ik kan doen.'

Ze hing op en belde Atticus Spelling. De tachtigjarige man was een dwangmatige workaholic en een vroege vogel. Zijn secretaresse, de oude juffrouw Harriet, begroette Zoë informeel en verbond haar door met Spelling.

'Zoë,' zei hij. 'Wat een aangename verrassing.'

Ze viel met de deur in huis. 'Meneer Spelling, we zijn het niet altijd met elkaar eens, maar ik weet dat u dol bent op uw kleinkinderen.'

'Dat hoeft geen betoog,' antwoordde hij voorzichtig.

Ze vertelde in het kort het verhaal van Kuyeya. 'Ik heb honderdduizend dollar nodig uit de trust om haar leven te redden. Ik kan u in contact brengen met dokter Chulu als u een bevestiging wilt, maar dat is het bedrag dat hij noemde.'

Spelling zuchtte. 'Ik betreur het lot van dit kind, werkelijk. Maar er zijn duizenden andere kinderen als zij. Je geld zou snel op zijn als je al hun rekeningen wilt betalen.'

Zoë voelde boosheid opkomen. 'Ik heb het niet over alle kinderen. Ik heb het over één kind.'

De zaakwaarnemer week niet. 'Ik weet zeker dat er liefdadigheidsorganisaties bestaan die haar kunnen helpen. Als je er een vindt met een betrouwbare financiële basis, zal ik nadenken over een emissie van die grootte.'

Nu ontplofte ze van woede. 'Verdomme, meneer Spelling. Ik vraag maar om een half procent van het hoofdbedrag, zes maanden voordat ik er zelf volledig over kan beschikken. Maak alstublieft dat geld over.'

'Het spijt me, Zoë, dat kan ik niet maken,' zei de oude man. 'Ik draag de verantwoordelijkheid van een zaakwaarnemer. Bel je vader maar, als je wilt.'

Het volgende wat ze hoorde was de kiestoon. Zoë slaakte een diepe zucht, met moeite beheerste ze zichzelf. Ze trok haar jeans aan en een T-shirt en ging op zoek naar Trevor. Hij zat in de eetkamer aan een roerei.

'Sta ik in de krant?' vroeg ze.

Hij lachte droogjes. 'Op de voorpagina van de *Post*. Onder de vouw, maar prominent genoeg.'

Ze kreeg het benauwd. 'En, wat schrijven ze?'

'Ze zijn heel complimenteus. Maar deze kwestie krijgt vast een staartje.'

Ze ging tegenover hem zitten. 'Nog iets gehoord van papa?'

Trevor keek haar aan met een open blik. 'Een paar minuten geleden. Hij is er niet blij mee. Hij vindt dat de media het verhaal opblazen. Niet dat je iets hebt gezegd dat hem schaadt.' Hij zweeg even, leek in conflict met zichzelf. 'Het spijt me. Je hebt me in een moeilijke positie gebracht.'

'Dat weet ik,' zei Zoë verontschuldigend. 'Luister, eigenlijk is het heel eenvoudig. Hij moet het gewoon laten overwaaien. Over een week is het voorbij en speelt er weer een andere kwestie in de media.'

'Zo eenvoudig ligt het niet,' riposteerde Trevor. 'Je bent publiekelijk tegen hem ingegaan. Dat maakt geen goede indruk op de reguliere kiezer.'

Zoë durfde haar eigen gekwetstheid te laten zien. 'Daar had hij jaren geleden aan moeten denken.'

Trevor haalde een hand door zijn haar. 'Wat een puinhoop.'

'Niet om nu van onderwerp te veranderen,' zei Zoë, terwijl ze dat precies ging doen, 'maar ik heb een ton nodig.' Ze vertelde het verhaal van Kuyeya en dat ze bot gevangen had bij Atticus Spelling.

Trevor schudde langzaam zijn hoofd. 'Wat ben je toch een complex persoon. Ik kan je hooguit tien mille geven. Bijna al mijn spaargeld is naar mijn BMW gegaan.'

Ze schudde haar hoofd. 'Ik dacht niet aan jou. Ik dacht aan jouw fonds.'

Hij leek met stomheid geslagen. 'Ik heb al het geld overgemaakt naar mama's stichting. Dat weet je toch?'

'Ja, maar daardoor zit jij in de Kring der Oprichters. Neem eens contact op met Monica.'

'Ik ken haar amper. Jij hebt een band met haar.'

Voor het eerst die ochtend glimlachte Zoë. 'Dan gaan we samen naar Manhattan.'

De Acela Express-trein van Washington naar New York leek in niets op de treinen in Europa, maar Zoë had geen zin om te vliegen. Na stops in Maryland, Delaware en New Jersey zette de trein hen vlak voor een uur 's middags af op Penn Station. Zoë en Trevor namen de ondergrondse roltrappen en kwamen uit op Seventh Avenue, vlak bij een taxistandplaats. Ze namen een taxi, Zoë gaf de chauffeur het adres.

Vijftien minuten later stond de taxi voor het hoofdkantoor van de Catherine Sorenson Foundation aan Park Avenue. Zoë stelde zich voor aan de conciërge, die hen naar de liften bracht. Op de elfde verdieping stapten ze uit en liepen door de elegante, door veel hout en glas gekenmerkte ontvangsthal van de stichting. De receptionist begroette hen bij hun namen en liep met hen mee door een gang met foto's aan de wanden naar de werkkamer van de directeur.

Monica Kingsley liep om haar bureau en schudde hen hartelijk de hand. Ze was nog net geen zestig en had de looks van de New Yorkse bovenklasse, maar niet de geaffecteerdheid. 'Wat fijn om jullie weer te zien,' zei ze, wijzend naar de twee leren stoelen tegenover haar bureau.

'Dank je wel dat je ons zo snel kon zien,' zei Zoë terwijl ze ging zitten.

'Voor jullie heb ik altijd tijd,' zei Monica.

Zoë wierp een blik op Trevor. 'We hebben je hulp nodig. Het is een beetje ongewoon.' Ze vatte het relaas van Kuyeya samen en beschreef haar prognose. 'Ze wordt opgevangen door een paar liefdadigheidsinstellingen in Lusaka, maar die hebben hier het geld niet voor. Ik, of we, hoopte dat de stichting de kosten van de behandeling op zich kan nemen.'

Trevor vulde haar aan. 'Als ik mijn trust nog had zou ik zelf het bedrag schenken.'

'Natuurlijk,' antwoordde Monica. 'Laat me helder zijn. Als Catherine op deze stoel zou zitten, zou ze de bank bellen en het bedrag meteen laten overmaken. Ik heb die macht niet. Ik moet dit bespreken met het bestuur. Ik zal mijn uiterste best doen, maar ik weet niet hoe zij zullen stemmen.'

'Hoe lang gaat dat duren?' vroeg Zoë. Ze kon haar teleurstelling nauwelijks verbergen.

'Ik heb een paar dagen nodig om de vergadering te beleggen.' Monica keek vragend op. 'Waarom nemen jullie geen contact op met jullie vader? Die kan jullie vast helpen.'

Zoë luisterde naar het ruisende verkeer beneden hen. Ze kon niet geloven dat het plan zo hopeloos in duigen was gevallen. Door haar vader uit te dagen had ze niet alleen hun relatie onherstelbaar kapotgemaakt, maar ook, wat nog veel erger was, het leven van Kuyeya in gevaar gebracht.

'Ik ga wel met hem praten,' zei Trevor plotseling. 'Misschien luistert hij naar mij.'

Zoë keek hem verrast aan. 'Hij zal denken dat je partij kiest.'

'Dat kan me niet schelen. Ik zou toch wel voor jou kiezen.'

Ze stak haar arm uit en kneep in zijn hand. 'Praat alsjeblieft met het bestuur,' zei ze tegen Monica. 'We hebben niet veel tijd meer.'

Monica knikte. 'Wanneer vlieg je terug?'

'Morgenvroeg.'

'Ik stuur je een mailtje zodra ik antwoord heb.'

Zoë stond op. 'Dank je wel.'

'Wacht even,' zei Monica. 'Ik heb nog iets voor je.' Ze rommelde in een la en haalde een gele envelop tevoorschijn. 'Dit is misschien niet het juiste moment, maar ik geloof niet dat ik je voor je verjaardag nog zal zien. Het is van je moeder.'

Op het moment dat Catherine werd genoemd begon Zoë's hart te bonzen. 'Wat is het?'

Trevor streek over haar schouder. 'Niets bijzonders. Ik heb er ook een gekregen.'

Zoë keek hem verbijsterd aan.

'Het is een brief,' legde Monica uit. 'Die zat bij haar testament.'

Zoë voelde tintelingen over haar rug lopen toen ze de envelop aannam. Het zien van haar eigen naam in het zwierige handschrift van haar moeder veroorzaakte een stortvloed aan emoties – verbazing, verdriet, nostalgie en liefde. Ze voelde aan de klep. 'Moet ik hem nu openmaken?'

'Ik zou ermee wachten tot een rustig moment,' antwoordde Monica.

Zoë schudde haar de hand en liep met Trevor naar de lift.

'Is pap nog in de stad?' vroeg ze.

Hij schudde zijn hoofd. 'Hij zit in ons huis op de Vineyard. Hij moest er even uit.'

Haar adem stokte, de ironie was verbijsterend. 'Ik ga met je mee.'

Het gezicht van haar broer stond ontsteld. 'Het kan uit de hand lopen.'

'Maakt me niet uit. Ik moet erheen.'

32

De Gulfstream III, een straalvliegtuig van de directie, landde iets voor zessen in de middag op Martha's Vineyard. Het was het oudste toestel van het drietal waaruit de vloot van Jack Fleming bestond. De 'Drie', zoals ze hem noemden, was Sylvia's favoriet, maar Trevor ondervond geen moeilijkheden toen hij het op Westchester County Airport reserveerde voor de korte vlucht naar de Vineyard.

Ze huurden een auto op het vliegveld en reden richting het oosten door de velden en dennenbossen van het eiland, en kwamen aan in Edgartown terwijl de zon net achter de bomen zakte. Zoë zoog de vochtige lucht in zich op die door het open raampje naar binnen waaide en liet zich door de kalmte van het dorp tot rust brengen. Edgartown, smetteloos als een museumstuk, was zowel de veilige haven van haar kindertijd als de achtergrond van haar naarste herinnering. Ze koesterde het dorp, maar verfoeide het ook.

Trevor sloeg een aantal keren af en reed richting Eel Pond. Door een opening in de bomen zag Zoë de grijsblauwe zee. Daarna vormde het water de horizon onder blozende wolken. Toen zag ze het huis – het spitse dak, de grijze gevelbeplating en witte openslaande luiken. Ze werden bij de poort begroet door twee leden van het beveiligingsteam van de senator. De mannen herkenden Trevor en lieten hen meteen binnen.

Ze reden over de bochtige oprijlaan en parkeerden naast Sylvia's Porsche en de Mercedes van de senator. Zoë slaakte een zucht en wenste dat ze haar trillende handen in bedwang kon houden.

'Waarom ga je niet even wandelen?' vroeg Trevor, die haar stemming aanvoelde. 'Laat mij maar met hem praten.'

'Nee. Ik loop hier niet voor weg.'

'Wat je wilt.'

Hij liep voor haar uit naar de veranda waar een derde beveiligingsbeambte op een ligstoel zat.

'De deur is niet op slot,' zei de man, die geen aanstalten maakte om op te staan.

Samen gingen ze de hal in. Het huis, vlak na de eeuwwisseling gebouwd, was een afspiegeling van een tijdperk van eenvoudiger architectuur. Het had lage plafonds en hoekige ruimten met brede, rustieke planken op de vloer. Sylvia had Jack vele malen gesmeekt om een verbouwing, maar Jack had voet bij stuk gehouden, waardoor zij, buiten zijn gehoorafstand, het huis 'de schrijn van de heilige Catharina' noemde.

Zoë snoof de bekende geur van lavendel en kruiden op. Ze hoorde stemmen uit de keuken komen. Een donzig witte bichon frisé kwam aangehuppeld en snuffelde aan haar voeten.

'Maria, ben jij dat?' riep haar vader toen Trevor de deur dichtdeed.

'Ik ben het, pap,' antwoordde Trevor, met een steelse blik op Zoë.

Zoë zette zich schrap toen ze haar vader hoorde aankomen. In de hal bleef hij abrupt stilstaan en staarde haar met knipperende ogen aan. Zoë beantwoordde zijn blik, haar hart bonsde als een galopperend paard. Aan zijn rozige wangen zag ze dat hij had gedronken.

'Hoi, pap,' zei Trevor zo nonchalant mogelijk.

'Een familiereünie,' zei de senator, een dubbelzinnige toespeling makend.

'Wie is daar, Jack?' riep Sylvia. Even later liep ze naar haar man en bleef stokstijf staan. Ze tilde haar hond op en bleef zwijgend naar Zoë staren.

'We zijn gekomen om met je te praten,' zei Trevor. 'Er zijn dingen gebeurd die ik niet begrijp.'

'Daar moeten we het dan over hebben,' antwoordde de senator, terwijl hij hen voorging naar de woonkamer.

Zoë liep naar de erker en keek uit over het landschap dat de achtergrond vormde van zoveel van haar herinneringen – de suikerahorn naast het bediendehuisje, het pad langs de dennenbomen en distels dat naar het moeras liep naast hun land, het zandstrand waar ze had leren zwemmen en daarachter de Atlantische Oceaan, deinend onder de dreigende lucht. Na een ogenblik ging ze op de bank naast Trevor zitten. Haar vader zakte in zijn favoriete leren fauteuil, en Sylvia bleef staan en aaide haar bichon frisé.

'Waar gaat het over?' vroeg de senator.

'Over Clay Randall,' antwoordde Trevor. 'Ik begrijp niet waarom je niets gedaan hebt.'

Jack keek zijn zoon indringend aan. 'Omdat niet duidelijk was wat er was gebeurd.'

Trevor knipperde ongelovig met zijn ogen. 'Hoezo niet? Verkrachting is tamelijk duidelijk.'

'Ach, Trevor, niets is eenduidig,' kwam Sylvia tussenbeide. 'Ze hadden verkering. Ze waren gek op elkaar. Ik was erbij; ik zag het met mijn eigen ogen gebeuren. Ik wist zeker dat ze seks hadden met elkaar. Zoals alle tieners. Ik was geen haar beter, en jij ook niet. De grenzen liggen niet zo duidelijk, zulke dingen gebeuren nu eenmaal.'

Trevor keek haar verontwaardigd aan. 'Jij was er níét bij. Jij hebt niet gezien wat hij met haar deed.'

'Trevor,' onderbrak de senator hen. 'Kijk me aan, jongen. Ik heb je zusje nooit willen kwetsen. Je hebt gelijk. We waren er niet bij. We hebben het niet gezien. Het enige wat ik zeker wist, was dat haar hart gebroken was. Harry Randall is mijn beste vriend. Ik kon zijn zoon toch niet beschuldigen van verkrachting als ik daar niet absoluut zeker van was?'

Zoë barstte in tranen uit, hoezeer ze dat ook had willen voorkomen. Ineens was ze weer het meisje van zeventien dat gekwetst en in de war niet kon begrijpen waarom haar vader haar niet wilde geloven.

Trevor kneep haar in de hand. 'Zoë zit erbij, pap. Kijk haar in de ogen en durf dan te zeggen dat ze het allemaal heeft verzonnen. Als je dat niet kunt, dan zijn de afgelopen twaalf jaar van je leven een grote leugen geweest.'

De senator stond plotseling op. 'Het is niet te geloven! Ik heb jullie alle privileges gegeven waar ik als kind alleen maar van kon dromen, en wat krijg ik ervoor terug?' Hij keek Zoë aan. 'Weet je wel hoeveel telefoontjes ik na de hoorzitting heb gekregen? Mijn partij, mijn campagneteam, niemand weet hoe te reageren op de televisiebeelden. Ik moet met een reactie komen, maar wat kan ik zeggen? Dat mijn dochter in mijn eigen commissie zich als mijn opponent opwerpt vanwege iets wat tien jaar geleden is gebeurd?'

'Hou op,' riep Zoë. De tranen stroomden over haar wangen. 'Ik wil dit niet. Ik heb maling aan het Witte Huis. Ik haat politiek. Ik haat wat het met ons doet. Ik heb je nooit gevraagd om Clay te straffen. Ik wilde alleen maar dat je me geloofde, dat je je verontschuldigingen aanbood en je best zou doen om het goed te maken. Maar nee, dat kon je niet opbrengen. Je had te veel te verliezen.'

Ze slaakte een zucht en probeerde kalm te blijven. 'De ironie is dat ik niet zeker weet of je echt wel om politiek geeft.' Toen ze haar vader zag verstijven, ging ze hierop door. 'Zeg het maar als ik ongelijk heb. Je was de kluts kwijt

na de dood van mama. Je had afleiding nodig, en met Sylvia had je iets omhanden. Je dacht dat het idee van jezelf kwam omdat je van het schuldgevoel
wilde vluchten.'

'Schuldgevoel?' herhaalde de senator bijna fluisterend.

'Omdat je haar niet hebt kunnen redden.'

'Dat slaat nergens op,' zei hij weinig overtuigend.

'Luister, het maakt niet uit wat je allemaal zegt. Lieg maar als je je daar
beter bij voelt. Ik wil het hier nooit meer over hebben. Ik ben hier maar om
één reden. Ik ken een meisje in Zambia met een ziekte die dodelijk kan zijn.
De artsen in Lusaka kunnen de operatie niet uitvoeren. Het dichtstbijzijnde
ziekenhuis waar het wel kan, is in Pretoria, en het gaat honderdduizend
dollar kosten. Ik heb contact gehad met Atticus, maar die wil het bedrag
niet overmaken.' Ze boog zich naar voren. 'Grijp deze kans om je schuld af
te kopen. Je kunt het lot van dit meisje veranderen. Maar de tijd tikt.'

Er viel een stilte toen Zoë klaar was. Ze hoorde de in de wind spelende
meeuwen roepen en de branding in de verte. Tot haar verbazing nam Sylvia
als eerste het woord.

'Jack, kan ik je even spreken?'

De senator knikte en liep met haar de hal in. Zoë kreeg meteen een déjà
vu. Dit heb ik eerder meegemaakt. Gebeurt het nu echt weer? Toen haar
vader weer terug was in de huiskamer, zag ze dat zijn houding was veranderd. Op het moment dat ze hem had herinnerd aan de dood van Catherine,
leek hij even menselijk, zelfs kwetsbaar te worden. Nu had ze de geharnaste
presidentskandidaat weer voor zich.

'We kunnen elkaar helpen,' zei de senator. 'Jij krijgt van mij het benodigde
geld, maar dan houd jij de doos van Pandora gesloten. Op de korte persconferentie die ik geef in aanwezigheid van Trevor en Sylvia, ben jij aanwezig. Ik zal het hebben over de filantropische instelling van ons gezin, terwijl
jij er stralend bij staat te knikken om de wereld te tonen dat je mij respec-
teert en mijn kandidatuur steunt.'

Zijn woorden voelden als een dolksteek in haar rug. 'Het is niet te geloven
dat je hierover met mij wilt onderhandelen,' zei ze. Ze schudde haar hoofd.
'Dit is verbijsterend, pap. Na al die jaren krijg je het nog steeds niet uit je
mond.'

Hij kneep zijn ogen tot spleetjes. 'Wat niet?'

Zoë wist wat ze moest doen, maar aarzelde toch nog even. Uiteindelijk
waren haar benen sterker dan haar hart. 'Je rijdt met me mee, of je geeft me
de sleutels,' zei ze tegen Trevor.

'Ik ga met je mee,' antwoordde hij, en hij liep met haar naar de deur.

'Lopen jullie nu echt weg?' riep haar vader haar na.

Zoë draaide zich om en keek hem aan. 'Nee, pap. Ik ben lang geleden al weggelopen.'

Trevor bracht haar naar het vliegveld in een stilte zo dreigend als de lucht boven de Vineyard. Zoë keek naar het bos en voelde iets in haar breken. Een woeste stroom van herinneringen en angsten liep door haar hoofd – de dag dat haar vader de race voor de Senaat had gewonnen en ze had begrepen waarom hij het niet voor haar had opgenomen; Kuyeya spelend in het St.-Franciscus, een misstap verwijderd van de dood; Amos in een plas bloed; Clay Randall die haar tranen zag; Flexon Mubita lunchend met Patricia Nyambo; de flitslampen in de gehoorzaal; de pijn in de ogen van haar vader; de zwarte mamba die over de vloer kroop; de hiv van Joseph. Ze rustte met haar hoofd tegen het raampje, overweldigd door dit alles.

'Gaat het een beetje?' vroeg Trevor.

Ze wachtte even met haar antwoord. 'Ik weet het niet meer.'

'Hoe ga je dat meisje helpen?'

Ze haalde haar schouders op. 'Ik vind wel een oplossing.'

Hij staarde naar haar in het donker. 'Het spijt me, Zoë. Om alles. Als ik het kon terugdraaien...'

'Weet ik, Trev,' zei ze, hem bij zijn arm pakkend. 'Het is niet jouw schuld.'

Toen hij weer op de weg lette, deed ze het raampje open en leunde achterover in de wind. Ze liet de eilandlucht over zich heen komen, met haar haren spelen en haar longen vullen zoals ze dat deed toen ze nog een meisje was. Door de zeemist kon ze alleen de felste sterren zien twinkelen. Hun namen vielen haar te binnen als een lang vergeten les: Castor, Pollux, Capella, Regulus. Ze glimlachte ontspannen naar ze en voelde haar zelfvertrouwen terugkomen.

Op de parkeerplaats bij het vliegveld kreeg ze een ingeving. Ze pakte haar iPhone en belde een nummer in Zuid-Afrika. Ze liet de telefoon geduldig overgaan, wachtend tot een slaperige man in het Afrikaans zou opnemen.

'Jan,' zei ze, 'je spreekt met Zoë Fleming.'

'Zoë?' hij klonk verward. 'Het is halftwee 's nachts.'

'Ik zit in de Verenigde Staten. Je dochter heeft hulp nodig.'

'Mijn dochter?'

'Kuyeya,' reageerde ze ongeduldig. 'Ken jij iemand in het Pretoria Wellness Hospital?'

'Nee,' antwoordde hij, nog steeds beduusd. 'Hoezo?'

Ze schetste de situatie en deed haar verzoek. Hij aarzelde, en ze hoorde alleen nog maar de ruis van de verbinding. Kom op, Jan, dacht ze, wees een vent.

Aarzelend gaf hij antwoord. 'Ik heb gehoord van dit verschijnsel. Is het volgens Chulu progressief?'

'Levensbedreigend zelfs. Ze moet snel geopereerd worden.'

'Ik ken een bedrijfje in Johannesburg dat charitatieve medische vluchten verzorgt.'

'Dat is een goed begin, maar nog lang niet genoeg. Heb je spaargeld?'

Hij aarzelde. 'Negentigduizend rand, maar dat is niet toereikend.'

'En je ouders?'

Hij reageerde snel. 'Die weten van niks.'

'En een lening. Je vrienden. Je vindt vast hulp.'

'En jij dan?' wierp hij tegen. 'Jij hebt toch ook connecties?'

Die opmerking was als zand in een open wond. 'Wat bedoel je?'

'Zoë Fleming, dochter van.' Hij zweeg een ogenblik. 'Blijkbaar hadden we allebei iets te verbergen.'

Ze klemde haar hand om haar telefoon. 'Dit gaat niet om mij. Dit gaat om het leven van jouw dochter.'

Hij zuchtte, klonk vermoeid. 'Dat ontken ik niet. Ik zal kijken wat ik kan doen.'

'Begin maar met dat bedrijfje en je spaargeld. Ik zorg wel voor de rest.'

Haar woorden leken hem te sterken. 'Wanneer vlieg je terug?'

'Zondagmorgen ben ik in Johannesburg.'

'Goed,' zei hij, plotseling met vastberadenheid in zijn stem. 'Met een beetje geluk zij ook.'

33

Johannesburg, Zuid-Afrika, mei 2012

ZOË BRACHT DE VIJFTIEN UUR DURENDE VLUCHT vanuit New York sla-pend en plannen makend door. Ze maakte een lijstje van haar invloed-rijke vrienden en kennissen met hun telefoonnummers; ze zou hun na de landing bellen. Op een of andere manier was haar instelling tien kilometer boven de grond veranderd. Ze vond het nu niet meer erg dat Atticus Spel-ling haar had afgewezen, dat het besluit van het stichtingsbestuur onzeker was of dat haar vader haar gevraagd had een showtje op te voeren voor de media in ruil voor Kuyeya's leven. Ze zou hoe dan ook een manier vinden om de operatie te financieren. Ze mocht niet falen.

Toen het vliegtuig stilstond bij de gate, keek ze op haar iPhone of ze mail had, hopend op een officieel bericht van Monica Kingsley. In plaats daarvan vond ze een tiental verzoeken van journalisten, die ze allemaal verwijderde. Ze pakte haar tassen en liep achter de menigte aan naar de douane. Een halfuur later liep ze de spelonkachtige terminal in en zag ze Jan Kruger op haar wachten.

Hij verraste haar met een omhelzing. 'Ik heb zojuist een telefoontje ge-kregen van de orthopedisch chirurg. Ze gaat over twee uur naar de opera-tiekamer.'

'Het is je gelukt,' riep ze. 'Je bent over de brug gekomen.'

Hij liep met haar naar de parkeergarage en een zwarte Audi coupé. 'Ik heb erover nagedacht. Als alles goed gaat, zou ik toch graag wat tijd met haar willen doorbrengen.'

'Daar moet je dan wel aan werken. Ze heeft nog nooit een fatsoenlijke man ontmoet in haar leven.'

'Een tip?'

'Laat haar naar Johnny Cash luisteren. Dan kun je niets meer fout doen.'

Ze liepen de garage uit en reden een met zonlicht gevulde wereld in. Op de N12 nam Jan de afslag naar de Eastern Bypass en sjeesde noordwaarts naar de N1, de snelheidslimiet negerend. Terwijl ze langs de bronzen heuvels van Gauteng scheurden, verraste Jan Zoë opnieuw. Beginnend bij de dag waarop hij Charity in een klaslokaal in Livingstone had ontmoet, vertelde hij Zoë het verhaal van het meisje dat ze was voordat hij haar hart had gebroken, voordat Frederick Nyambo en Lusaka en prostitutie en aids op haar pad kwamen. Zoë kon horen dat hij van haar had gehouden en dat nog steeds een beetje deed.

Ze verlieten de snelweg aan de zuidkant van Pretoria en reden door Wingate Park naar het Pretoria Wellness Hospital. Het medisch centrum, een ultramodern gebouw, stond op een uitgestrekte, door bomen beschaduwde campus, op loopafstand van een golfterrein. Ze parkeerden op het terrein en liepen de atriumachtige ontvangsthal in. Zoë werd onmiddellijk geraakt door de warmte van het centrum. Aan de muren hingen kunstwerken en de ruimte baadde in natuurlijk daglicht.

Een vrouw bij de receptie stuurde hen naar een wachtruimte bij de operatiekamer. Ze liepen samen door een gang, waar kleurrijke prints hingen. Zoë stelde zich Kuyeya in de operatiekamer voor, slapend onder de lampen, een team van chirurgen om haar heen om haar wervels te fuseren en de druk weg te nemen die haar ruggenmerg zou kunnen doen knakken. Je haalt het, dacht ze, ik weet het zeker.

Ze trof Joseph en zuster Irina in de wachtruimte.

De zuster gaf haar een omhelzing. 'God zij gezegend.'

'Bedank hem maar,' zei Zoë, waarna ze Jan voorstelde. 'Hij heeft het voor elkaar gekregen.'

Ze draaide zich om naar Joseph en viel zowat in zijn armen. Ze was maar vier dagen weg geweest, maar het leek wel een maand. 'Ik heb je gemist,' zei ze, met haar hoofd op zijn borst.

'Ik jou ook,' zei hij, en hij kuste haar voorhoofd.

Even later liep hij met haar naar een paar stoelen onder een raam. 'Raad eens wie ik een paar dagen geleden achter de tralies heb gezet?' vroeg hij met een grijns.

Ze voelde een vlaag van opwinding. 'Dunstan Sisilu?'

'Helaas, die niet,' antwoordde hij hoofdschuddend. 'Hij heet Eddie Mpungu, de bendeleider die ons in Kanyama heeft belaagd.'

Haar ogen sperden zich open. 'Je hebt hem gevonden!'

'Op de Soweto Market. Hij is veroordeeld wegens geweldpleging tegen een agent. Ik zei dat als hij ooit nog een meisje aanraakt zonder haar toestemming ik hem verander in een eunuch.'

Zoë lachte met een diep gevoel van genoegdoening. 'Al iets gehoord van de *Post*?' vroeg ze. 'Hebben ze iets gedaan met het verhaal dat Sarge ze heeft verteld?'

Joseph knikte. 'Gisteren stond het op de voorpagina. De journalist stelde een hoop weinig flatteuze vragen over de Nyambo's en uitte twijfel over het hof. Hoe zeg je dat ook weer? Hij rook onraad.'

Ze glimlachte vrolijk. 'Je bedoelt: hij rook lont.'

'Precies. Sarge weet zeker dat hij dieper zal graven. Wie weet wat hij nog opdiept.'

Rond twee uur kwam een blonde arts de wachtruimte binnen. Hij stelde zich voor als dokter Jacobs, de orthopedisch chirurg.

'Dokter Kruger,' zei hij, toen hij Jan zag. 'Wat een eer!'

'Wederzijds,' antwoordde Jan. 'Hoe is het gegaan?'

'Ze mag blij zijn dat ze nog leeft,' antwoordde de chirurg. 'De subluxatie van de atlas was zo geprononceerd dat ze al verlamd kon raken door uit bed te stappen. Ze zal de eerste drie weken een gipskraag moeten dragen, daarna nog een paar maanden een zachte kraag. Maar ze komt erbovenop.'

Zoë sloot haar ogen, volledig opgelucht. 'Wanneer mogen we naar haar toe?' vroeg ze.

'Ze ligt nu te slapen,' zei de chirurg. 'De verpleegkundige komt u halen als ze wakker is en bezoekers aankan.'

Toen hij weg was, omhelsde Zoë zuster Irina lang en innig.

'Ik was zo bang dat ze het niet zou redden,' zei de zuster. 'Ik weet niet wat ik dan gedaan zou hebben.'

'Ze is snel weer terug in de tuin,' zei Zoë.

Ze ging naast Joseph zitten en checkte haar mail weer. Haar hart maakte een sprongetje want ze zag dat ze een bericht van Monica Kingsley had gekregen. Nieuwsgierig maakte ze het open.

```
Zoë, vanochtend een conferentiegesprek gehad met de
bestuursleden. Het spijt me zeer je te moeten
melden dat ze tegen hebben gestemd. Ze stonden er
heel sympathiek tegenover, natuurlijk, maar
vreesden een precedent te scheppen. Het spijt me
vreselijk. In plaats van institutionele steun,
```

doneer ik een persoonlijke bijdrage van 2000
dollar. Veel succes met de verdere financiering van
dit goede doel. Ik weet zeker dat het je gaat
lukken.

'Verdomme,' mompelde ze. Hoewel de beslissing van het bestuur haar niet
verbaasde, was ze toch diep teleurgesteld. Ze stond op en keek naar Joseph.
'Ik moet een paar telefoontjes plegen. Stuur een sms'je als de verpleegkundige komt vertellen dat we haar mogen zien.'

Ze negeerde zijn vragende blik, pakte haar rugzak en liep naar de ontvangsthal. In een koffiebar naast het atrium opende ze haar MacBook en
bekeek de lijst met contacten die ze in het vliegtuig had samengesteld. Bovenaan typte ze: 'Trevor Fleming: $10.000; Jan Kruger: R90.000 / $12.000;
Monica Kingsley: $2.000.'

Ze pleegde het eerste telefoontje, naar een vriend uit haar studietijd aan
Stanford, de oprichter van een internetbedrijf dat nu een half miljard dollar
waard was. Ze sprak een dringende boodschap in op zijn voicemail. De
tweede persoon die ze belde, was haar beste jeugdvriendin, wier moeder
voorzitter was van een vereniging die regelmatig benefietbijeenkomsten or-
ganiseerde. Ook bij haar liet ze een voicemailbericht achter. Bij haar derde
telefoontje kreeg ze de persoon te spreken. Sam Rutherford was een gepen-
sioneerde vastgoedmagnaat die in het bestuur zat van enkele non-profitor-
ganisaties. Samen met zijn vrouw zat hij in de Kring van Oprichters van de
Catherine Sorenson Foundation.

'Zoë,' riep hij verrast, 'dat is lang geleden! Hoe gaat het met je?'

Na wat koetjes en kalfjes kwam ze ter zake. Sam luisterde aandachtig,
met tussenwerpsels die zijn medeleven verrieden – 'arm kind', 'een mooie
zaak', 'goed om te horen dat je in het voetspoor van je moeder treedt' –,
maar aan het einde stelde hij de niet te beantwoorden vraag: 'Ik neem aan
dat je vader zijn steun heeft betuigd?' Haar nietszeggende antwoord leek
hem te doen aarzelen. 'Ik zal het er met Margaret over hebben. Je weet hoe
ze is. Ik bel je terug.'

Zoë scrolde naar het vierde nummer op haar lijst, maar de gedachte aan
haar vader weerhield haar het te bellen. Ze opende de website van haar vaders campagneteam op haar computer. Het was twee dagen geleden dat ze
van de Vineyard was vertrokken. In die tussentijd had hij zijn verhaal over
haar in de pers kunnen doen. Op de mediapagina van de site las ze de bovenste regel. Ze vond er geen hyperlink naar een persconferentie, maar de
aankondiging van een interview. De senator zou 21 mei samen met Sylvia

verschijnen in 'Piers Morgan Tonight' – de volgende dag. Zoë bleef onbe-weeglijk zitten en vroeg zich af wat haar vader over haar optreden in de Se-naat zou zeggen. Plotseling vermande ze zich. Hij kan zeggen wat hij wil, het kan me niets meer schelen.

Ze pakte haar iPhone en belde nog twee mensen op: een psychotherapeut en bestsellerauteur, een vroegere buurman, en haar kamergenoot van Stan-ford, de dochter van een Hollywoodregisseur. Omdat ze beiden niet opna-men, liet ze voor hen een boodschap achter.

Ze keek naar de zesde naam op haar lijst en voelde zich plotseling onge-makkelijk. Stel dat ze door niemand zou worden teruggebeld? Stel dat ie-dereen een excuus had om niet te helpen? Het was een onwaarschijnlijk scenario. Ze kende te veel mensen met geld om haar doel niet te bereiken. Maar de stress van het moment bracht haar aan het twijfelen. Eindelijk bel-de ze het nummer, hopend op een echte mensenstem.

'*Pronto!*'

Het krachtige Italiaans toverde een glimlach op haar gezicht.

'Alex,' zei ze, 'met Zoë Fleming. Laat me raden: je bevindt je op de Adri-atische Zee.'

Alex Denver was een wonderkind. Hij sprak zeven talen vloeiend, was een gevierd concertpianist en de eigenaar van drie patenten in de biome-dische technologie. Ook was hij de zoon van de op vier na rijkste man in Amerika. Nadat hij op zijn achttiende aan Stanford was afgestudeerd, reisde hij de wereld rond, zogenaamd voor zijn proefschrift. Hij was nooit meer teruggekeerd.

'Zoë!' riep hij uit. '*Amore mio.* Vertel, waarom zijn wij eigenlijk niet meer bij elkaar?'

Ze grinnikte laconiek. 'Volgens mij omdat je een ander vriendinnetje had.'

'O ja, hoe heette ze ook alweer? Ik weet het niet meer. Maar jou zal ik nooit vergeten.'

Ze onderdrukte weer een lach. 'Ik wil je om een gunst vragen,' zei ze, waarna ze het verhaal van Kuyeya vertelde.

'Hoeveel heb je nodig?' vroeg hij, nu serieus.

Ze deed de berekening uit het hoofd. 'Rond de vijftigduizend dollar, ik weet het nog niet precies.'

'Dat maakt niet uit. Ik dek de kosten.'

'Helemaal?' Ze was verbijsterd. In zijn studietijd vond hij dat armoede de schuld was van de armen zelf. Het was een van de vele redenen waarom ze uit elkaar waren gegaan.

'Geen probleem,' zei hij. 'Ik ben net Sardinië binnengevaren. Het kan binnen een week op je rekening staan.'

Ze kon het niet laten. 'Wat is er met jou gebeurd?'

'Je verwijst zeker naar die jongen die zwervers een buitenlands muntje gaf?' Hij lachte om zichzelf. 'Ik ben de wereld in getrokken, en heb een hart gekregen.' Hij zweeg een ogenblik. 'Ik heb me aangesloten bij de Giving Pledge.'

Daar hoorde ze van op. De Giving Pledge was een club van de rijkste mensen in Amerika die hadden afgesproken minstens de helft van hun vermogen aan liefdadigheid te schenken.

'Pap is niet zo enthousiast,' ging hij verder, 'maar zijn mening doet er niet meer toe als hij dood is.'

'Je bent geweldig, Alex,' zei ze, verrast door de warmte in haar stem.

Hij lachte. 'Als je zin hebt in een vakantie, ik kan altijd wel een eerste stuurman gebruiken.'

Sommige dingen veranderen nooit, dacht ze.

Toen ze ophing, leunde ze achterover in haar stoel. Het was haar gelukt. Ze had de kosten van Kuyeya's operatie zonder haar trust, zonder hulp van haar vader gefinancierd, alleen maar door een beroep te doen op het fatsoen van gefortuneerde mensen. Dit was precies de alchemie die haar moeder zo waardeerde: van niets iets maken zodat iets anders – een ziekte, een hongersnood, een oorlog – kan worden weggestreept.

Ze liep naar de receptioniste en vroeg of zij een schatting kon geven van de kosten voor Kuyeya's operatie.

'Dat kost me een paar minuten,' antwoordde de vrouw. 'Wilt u wachten?'

Zoë schudde haar hoofd. 'Ik ga wel even wandelen.'

Ze liep naar buiten en slenterde de heuvel af. Met een ruime bocht liep ze om de parkeerplaats. Tien minuten later stapte ze weer op de receptioniste af.

'Ik heb het gevonden,' zei de vrouw, terwijl ze haar een uitdraai gaf. 'De kosten van het verblijf hier zijn 279.000 rand. De artsen hebben hun eigen rekeningen, maar in totaal zal het niet meer dan 425.000 rand zijn.'

Het was minder dan Zoë had verwacht. Ze draaide zich om, en overwoog een mailtje naar Alex, toen de receptioniste haar riep.

'Nog iets, een minuutje geleden was hier een man die naar Kuyeya vroeg. Hij maakte een licht gespannen indruk. Als u hem ziet rondlopen, kunt u hem misschien naar haar toe brengen.'

'Hoe zag hij eruit?' vroeg Zoë, van haar à propos.

De receptioniste keek nieuwsgierig op. 'Hij leek eigenlijk wel een beetje op u.'

Zoë voelde zich als door de bliksem getroffen. Dat moest Trevor zijn, maar hoe kon dat? Ze had twee dagen geleden afscheid van hem genomen op vliegveld JFK in New York. Hij zou meteen na haar een vlucht hebben moeten nemen, anders kon hij nu niet in Pretoria zijn. Of misschien heeft papa een of ander geintje uitgehaald, dacht ze. Dat was mogelijk, maar maakte het raadsel alleen maar groter.

Ze beende door de gang, langs twee discussiërende artsen en een vrouw die een baby wiegde. Boven aan de trap bleef ze verstijfd staan. In de gang beneden haar stonden drie mannen. Twee van hen droegen ruim zittende clichépakken; de derde man was lang, had grijzend haar en de bouw van een sportman in zijn nadagen.

Het was haar vader.

'Zoë', riep hij. 'Zullen we even een wandelingetje maken?'

Ze bleef roerloos naar hem staren. Hij zag er uitgeput uit, alsof hij dagen niet had geslapen. Zijn huid was gezwollen en zijn blauwe ogen waren troebel als een wolkenlucht.

'Wat doe jíj hier?' vroeg ze zacht.

'Ik wilde je zien. Een telefoontje was niet voldoende.'

Ze keek hem verward aan. 'Wat bedoel je?'

'Kom, we gaan even naar buiten', stelde hij opnieuw voor met een gebaar naar de uitgang. Toen ze koppig bleef staan, begon hij te smeken. 'Vanavond had ik een toespraak moeten houden, en morgen zou ik op primetime een interview geven. Allemaal afgezegd. Ik heb negentien uur gevlogen om hier te zijn. Alsjeblieft.'

'Oké', zei ze uiteindelijk. Ze liep naast hem de wachtruimte uit, weg van Joseph, zuster Irina, Jan en Kuyeya, naar een glazen deur die uitkwam op een binnenplaats met bomen, een fontein en hier en daar een tafeltje. Ze ging aan een daarvan zitten en probeerde niet te letten op het bonzen van haar hart.

'Ik heb het Harry Randall verteld', zei hij, toen zijn lijfwachten buiten gehoorsafstand waren.

Ze keek hem geschrokken aan. 'En?'

'Het verbaasde hem niet. Er zijn meer geruchten.'

Haar ogen blikkerden. 'Allemaal onder het tapijt geschoven zeker.'

Zijn schuldbewuste blik bevestigde de waarheid.

'En de pers?' vroeg ze. 'Wat ga je de pers vertellen over mij?'

'Ik ga helemaal niets zeggen. En Sylvia ook niet.'

Ze zuchtte diep en wachtte op een uitleg. Zijn woorden, toen die eindelijk kwamen, leken onthecht, bijna als in een trance te worden uitgesproken.

Ze had hem zo maar één keer gezien – die avond toen dat telefoontje uit Somalië kwam.

'Je weet niet alles,' begon hij. 'Ik gebruik dat niet als een excuus, maar als een verklaring. Je moeder en ik waren een onwaarschijnlijk stel. Het is onbegrijpelijk dat wij verliefd op elkaar werden, maar dat is gebeurd. Er waren veel dingen aan haar die ik niet begreep. Ze was egoïstisch. Als ze ergens haar zinnen op had gezet, moest alles daarvoor wijken. Zelfs jij en Trevor. Maar ze had een talent, een uitstraling. Als zij in de buurt was, voelde ik dat ik leefde.'

Hij slaakte een zucht. 'Niet Sylvia vond dat ik de politiek in moest, maar je moeder. Ik zal die avond nooit vergeten dat ze me zei dat ik de president van de Verenigde Staten zou kunnen zijn. Ze keek me ernstig aan, je weet wel hoe, alsof ze een geheim wilde verklappen. "Jack," zei ze, "stel je voor wat voor goed werk wij in het Witte Huis zouden kunnen doen." We werkten het plan volledig uit. Ze zou aan mijn zijde staan als ik de race voor de Senaat zou lopen.' Hij snikte. 'Ze zou nu aan mijn zijde hebben gestaan.'

Zoë keek hem gechoqueerd aan. Zoveel van haar aannames bleken op niets gebaseerd.

'Toen ze overleed,' ging hij verder, 'beloofde ik haar op haar graf dat ik het Witte Huis zou halen. Wat ik niet besefte was hoeveel concessies dat van me zou vergen, hoeveel dingen ik zou moeten zeggen waar ik niet echt in geloof. Het is ironisch: je beschrijving van mij in de *New Yorker* was helemaal raak. Zo ben ik altijd geweest. Maar het politieke klimaat van nu is giftiger dan ooit. Het is onmogelijk om campagne te voeren als gematigde. Mensen zijn niet geïnteresseerd in de voordelen van samenwerking. Ze willen van je horen dat ze gelijk hebben en hoe je de tegenstander een oplawaai geeft.'

Hij haalde zijn handen door zijn haar. 'Luister naar me, alsjeblieft, Zoë. Ik heb nooit de politiek boven jou gesteld. Maar toen je me vertelde wat er was gebeurd met Clay, was ik overrompeld. Er stond zoveel op het spel. Ik kon niet nadenken. Alleen maar reageren. Ik wist dat je verliefd op hem was. Sylvia had me verteld hoe lief je voor hem was. Ik dacht dat het een misverstand moest zijn geweest. Ik dacht dat je er wel overheen zou komen.'

Hij schudde vermoeid zijn hoofd. 'Ik weet niet of het iets voor je betekent, maar het spijt me zo. Ik had je moeten geloven. Ik had je moeten verdedigen. Ik heb me vergist.'

De tranen rolden over Zoë's wangen en bleven aan haar kin hangen. Ze zag een zonnige plek in het gras en liep erheen om zich te warmen.

'Ik begrijp het niet,' zei ze, toen ze zich naar hem omdraaide. 'Een paar dagen geleden...'

Hij liet zijn hoofd hangen. 'Toen jij naar buiten liep, besefte ik pas wat ik had aangericht. Ik kon de gedachte niet verdragen jou voor altijd te verliezen. Niet jou én je moeder kwijt zijn.'

Ze voelde een pijn diep vanbinnen, een mengeling van mededogen en rouw. Ze liep naar hem toe en streelde zijn hand. 'Dank je wel,' zei ze, 'dat je helemaal hiernaartoe bent gekomen om me dit te zeggen. Het betekent veel voor me.'

Hij keek haar aan en knikte. 'Dat doet me goed.'

Plotseling hoorde ze haar iPhone. Joseph had een bericht gestuurd. Kuyeya kon bezoek ontvangen. 'Ik moet gaan,' zei ze tegen haar vader.

'Wacht,' zei hij snel. 'Je vroeg om...'

'Dat hoeft niet meer. De rekening wordt betaald.'

Hij keek haar onderzoekend aan. 'Dan moet je wat anders met al dat geld op je rekening. Na de landing ontving ik een bevestiging van de storting.'

Ze kon haar glimlach niet onderdrukken. 'Dank je wel,' zei ze eindelijk.

'Dat meisje,' probeerde hij voorzichtig, 'zou ik haar mogen ontmoeten?'

Ze monsterde zijn gezicht en zag zijn oprechtheid. 'Natuurlijk,' antwoordde ze.

Ze liep voor hem uit door de gang, langs de operatiekamer waar Kuyeya's wervels aan elkaar waren gezet, naar de inmiddels verlaten wachtruimte. Haar vaders lijfwachten slenterden een meter of zes achter hen aan. Ze zag Joseph op haar afkomen. Verbaasd hield hij zijn pas in toen hij haar vader zag.

'Joseph,' zei ze, 'dit is mijn vader. Pap, dit is Joseph Kabuta.'

'Jack Fleming,' zei de senator, terwijl hij Joseph de hand schudde. 'Aangenaam.'

'Insgelijks, senator,' zei Joseph met een blik naar Zoë. 'Deze kant op.'

Ze troffen Kuyeya aan in een privékamer met een zitgedeelte en een televisie. Haar bed stond aan de linkerkant en was omhooggezet als een leunstoel. Ze rustte kalm uit, met haar nek in het gips. Zuster Irina stond aan haar bed en Jan rustte uit in een stoel. Hij stond meteen op toen hij de senator zag. Zuster Irina keek verward, totdat Zoë hem aan iedereen voorstelde. Daarna gingen haar ogen wijd open.

Zoë liep naar het bed en pakte Kuyeya bij de hand. 'Hallo, jij. Ik heb je gemist.'

Op het horen van haar stem knipperde Kuyeya met haar ogen en keek haar aan. Ze probeerde iets te zeggen, maar haar woorden kwamen er nauwelijks hoorbaar uit. 'Hoi, Zoë,' zei ze.

'Pap, dit is Kuyeya.'

Ze deed een stap terug en keek toe hoe haar vader in Kuyeya's hand kneep – de hand die Charity's ring vasthield. Ze had dit tafereel in geen honderd jaren kunnen voorspellen – het was een beeld van de wereld zoals die zou kunnen zijn, een wereld met mogelijkheden.

Plotseling zag ze iets in de armen van het meisje. 'Waar heb je die vandaan?' vroeg ze, wijzend naar een splinternieuwe pop.

'Die heb ik meegenomen,' antwoordde Jan. 'Ik had begrepen dat haar oude pop niet zo lief was.'

Met een brede glimlach zei ze: 'Je had mijn advies dus helemaal niet nodig.'

'Het is goed dat ze rust heeft,' zei zuster Irina zacht. 'Kon een operatie haar maar volledig genezen.'

'De ketens van het lichaam zijn vaak de vleugels van de geest,' riposteerde Zoë. 'Dat schreef Mandela op Robbeneiland, maar het gaat ook voor haar op.'

Zuster Irina knikte. 'Je hebt gelijk. Ze is op haar manier perfect.'

34

Lusaka, Zambia, juni 2012

EIND MEI WERD FLEXON MUBITA officieel benoemd tot rechter van het hooggerechtshof van Zambia. Twee dagen later liet hij weten een beslissing te hebben genomen in de zaak Kuyeya. Op een mooie ochtend begin juni reed het juridisch team naar de rechtbank om het vonnis te horen. Sarge en Niza reden mee met Maurice; Zoë en Joseph reden achter hen aan in de Land Rover. De stemming onder de juristen was bedrukt. De timing van de zitting wees erop dat er een deal gesloten was met de Nyambo's. Hun enige toevlucht was de aanwezigheid van de pers om deze rechterlijke dwaling te onthullen.

Vanaf de parkeerplaats zag Zoë de cameraploeg van ZNBC wachten op de traptreden voor de ingang en een groep met schrijfblokjes wapperende journalisten. Via een zijdeur stapten ze het juridische complex in, om de horde heen die zich op Sarge en Niza had gestort. Ze liepen door de lange arcade en namen plaats in zaal 10. Darious zat al in de beklaagdenbank. Hij keek Zoë aan met een zelfverzekerde grijns. Het was voor het eerst dat hij haar direct aankeek. Woedend keek ze weg.

Even later namen de advocaten plaats aan hun tafel – Sarge en Niza aan de rechterkant, Benson Luchembe links. Het gevolg van Luchembe zat op de bank naast Zoë, en de mensen van de pers dromden luidruchtig samen achterin op de galerij. Frederick en Patricia Nyambo kwamen op het laatste moment binnen. Ze gingen vlak achter Zoë en Joseph zitten en negeerden het geroezemoes van de journalisten. Zoë keek achterom over haar schouder en zag de zelfvoldane blik van de heer Nyambo. Patricia daarentegen hield zich voorbeeldig neutraal.

Na een ogenblik nam Flexon Mubita plaats. Over zijn bril heen tuurde hij de zaal in. 'In de zaak tegen Darious Nyambo,' begon hij, 'heb ik het bewijsmateriaal dat tijdens het proces is gepresenteerd bestudeerd en mijn bevindingen en conclusies vastgelegd in een geschreven vonnis. Exemplaren daarvan zullen onder de raadslieden en geïnteresseerde derden worden verspreid.' Bij die laatste woorden keek hij naar de pers. 'Zijn er nog preliminaire kwesties die moeten worden afgewikkeld voordat ik mijn vonnis uitspreek?'

Sarge en Luchembe schudden beiden het hoofd.

'Goed dan,' zei de rechter met zijn handen gevouwen voor zich. 'Dit geval heeft mij diep geraakt. Als vader van twee dochters vervult verkrachting van minderjarigen mij met afschuw. Als rechter ben ik verbolgen over het vele geweld dat met dit proces gepaard is gegaan. Maar het recht gaat niet over mijn moraal of gevoelens. Het gaat over het geweten van onze samenleving. En de samenleving in haar collectieve wijsheid belast de staat met de zware taak de schuld vast te stellen van iedere man die van verkrachting wordt beschuldigd. Het is niet voldoende dat er verkrachting bij het slachtoffer is vastgesteld. Het is niet voldoende dat de verdachte het slachtoffer kent, niet voldoende dat hij haar kwaad wenst. De staat is verplicht zonder redelijke twijfel aan te tonen dat de verdachte het minderjarige slachtoffer *feitelijk* heeft verkracht.'

Redelijke twijfel, dacht Zoë, terwijl de moed haar in de schoenen zonk. Daarvan laat hij straks met een salomonisch air de Nyambo's profiteren.

De rechter keek naar Darious. 'Na bestudering van het bewijsmateriaal stel ik vast dat Kuyeya Mizinga in de nacht van 20 augustus 2011 is verkracht. Bovendien is vast komen te staan dat ze minderjarig is. Ik had gehoopt dat met DNA de identiteit van de dader in dezelfde mate van zekerheid kon worden vastgesteld. Helaas moeten we wachten op een volgend geval voordat Zambia de moderne tijd in gaat. Bij afwezigheid van wetenschappelijk bewijs, rust deze zaak op de geloofwaardigheid van de getuigen en de bewijslast.'

Mubita slaakte een zucht. 'De aanklager heeft veel onderzoek gedaan naar de band in het verleden van Darious Nyambo en de moeder van het slachtoffer, Charity Mizinga, en de band tussen mevrouw Mizinga en de vader van de verdachte, de heer Frederick Nyambo. Dit onderzoek is verricht om het motief te schetsen van de verdachte van dit misdrijf. Hoewel ik deze geschetste achtergrond uitermate intrigerend vind, acht ik die irrelevant voor deze aan het hof voorgelegde zaak. Ontering is een zogeheten strikt aansprakelijkheidsdelict. De gedachten in het hoofd van de verdachte doen er niet toe. Waar het om gaat is of het bewijs aantoont dat hij heeft gedaan waarvan hij wordt beschuldigd. Om die reden heb ik de volgende zaken van de aanklager buiten beschouwing gelaten: het dagboek van Charity Mizinga, de getuigenis van dokter Amos, de getuigenis van dokter Kruger, behalve wanneer het gaat om diens vaderschap van het slachtoffer, de getuigenis van agent Kabuta over de gezondheidstoestand van de verdachte, en de getuigenis van Priscilla Kuwema, ook bekend als Doris, daargelaten haar observaties van de verdachte vlak voor het misdrijf in kwestie.'

Hij heeft onze bewijsvoering volledig uitgehold, dacht Zoë pessimistisch, het is niet te geloven.

'Wat betreft de verklaringen van de ooggetuigen,' ging de rechter verder, 'zie ik geen reden om eraan te twijfelen dat de kinderen een zilverkleurige suv hebben gezien en een man die lijkt op de verdachte. Ook zie ik geen reden om de getuigenis van de vrouwen uit Kanyama aan te vechten. Ze zagen en hoorden wat ze hebben gezien en gehoord. De vraag is echter of deze verklaringen voldoende zijn om zonder enige twijfel aan te tonen dat Darious Nyambo Kuyeya Mizinga op 20 augustus vorig jaar heeft verkracht. Dat lijkt mij niet het geval.'

Zoë sloot haar ogen en voelde de pijn van binnenuit opkomen. De risico's die ze voor Kuyeya had genomen. Die ze allemaal hadden genomen. Ze hadden een overtuigend verhaal geconstrueerd uit de fragmenten die in het verleden lagen verborgen. Ze hadden hun angsten overwonnen en stelling genomen. En nu werd al hun handwerk door een corrupte rechter volledig gedemonteerd. Ze stelde zich de glimlach van Darious en de innige tevredenheid van Frederick Nyambo voor. Schaak en schaakmat, dacht ze. We hebben verloren.

Maar ineens viel er een woord dat al haar somberheid in één klap deed verdwijnen. 'Echter...' Ze opende haar ogen en staarde naar Mubita. Zijn houding was veranderd. Zijn koele zakelijkheid leek verdwenen. Als een wraakengel richtte hij zijn woedende blik op Darious.

'Echter,' begon hij, 'er was één getuigenverklaring die mij kon overtuigen. Die van het meisje zelf. Zij draaide er niet omheen. "Hij mij aangeraakt," heeft ze gezegd. "Hij mij niet mogen aanraken." De waarheid had niet duidelijker onder woorden kunnen worden gebracht. Al met al, en met het ondersteunende bewijs van de kinderen en de vrouwen uit Kanyama en de medische gegevens van dokter Chulu, en het terzijde geschoven, ongeloofwaardige alibi van de vader van de verdachte, acht ik bewezen dat Darious Nyambo daadwerkelijk Kuyeya Mizinga, een minderjarig meisje, op 20 augustus 2011 heeft verkracht.'

Zoë keek gefascineerd toe toen Mubita deze genadeklap uitdeelde aan een onthutste Darious. 'Moge duidelijk zijn dat niemand boven de wet staat, ook niet de zoon van een voormalige minister. In overeenstemming met de macht mij gegeven door de Republiek van Zambia, leg ik uw zaak voor aan het hooggerechtshof, waar u zult worden veroordeeld tot vijftien jaar gevangenisstraf. Het kwaad dat u op uw geweten heeft, wordt door deze natie niet getolereerd.'

Zodra de rechter de zaal had verlaten, ontstond er commotie in de galerij. Zoë bleef echter in stilte zitten, ze kon niet geloven wat ze zojuist had meegemaakt. Het klopte niet. Ze had Mubita samen met Patricia Nyambo en de staatssecretaris van Justitie gezien. Zijn gedrag tijdens het proces was onverklaarbaar vreemd geweest. Hij had zich gematigd uitgedrukt toen Frederick Nyambo hem interrumpeerde. Hij had zijn beslissing uitgesteld totdat hij dankzij de Nyambo's werd benoemd als rechter van het hooggerechtshof. Was het mogelijk dat hij zich had laten corrumperen en vervolgens zijn afspraak niet was nagekomen? Had hij hen op hun eigen terrein verslagen?

Langzaam stond ze op en liet zich omhelzen door een verbouwereerde Joseph. Ze zocht naar Frederick en Patricia, maar zag hen nergens. De pers verdrong zich om het juridisch team toen ze de zaal uit liepen. Elke verslaggever stelde een andere vraag. Sarge en Niza gaven overal razendsnel antwoord op en genoten van het voetlicht. Maar Zoë pakte Joseph bij de hand en fluisterde: 'Laten we gaan.'

Ze ontsnapten via de zijuitgang, repten zich over de parkeerplaats en hielden hun hoofd omlaag om aan de aandacht van de televisieploeg te ontsnappen. Joseph stapte in de Land Rover en startte de motor, maar Zoë keek nog even achterom. Ze zag Frederick en Patricia via de hoofdingang het gerechtsgebouw verlaten. Ze baanden zich een weg door de menigte en kwamen hun kant op. Geschrokken besefte Zoë dat Fredericks Jaguar twee auto's verder stond.

Aanvankelijk zagen de Nyambo's haar niet, maar Zoë bleef naar hen staren tot het onvermijdelijk was. Haar blik ontmoette die van Frederick op een afstand van tien meter. Hij keek geschrokken, alsof haar aanblik een elektrische schok bij hem teweegbracht. Zoë reageerde aanvankelijk niet. Maar plotseling stegen haar gevoelens op naar haar gezicht en ze grijnsde.

De regel van Achilles. We hebben gewonnen.

Wat daarna gebeurde, zette haar wereldbeeld op zijn kop. In plaats van met Frederick de Jaguar in te stappen, bleef Patricia stilstaan met haar hand aan het portier. Haar blik ontmoette die van Zoë en haar lippen krulden op tot een glimlach. Het duurde maar even, vanwege het verdriet dat eraan vooraf was gegaan, maar de betekenis was duidelijk: het was een glimlach die een geheim in zich borg, een medeplichtige glimlach. Toen ze het bevestigde met een knikje, besefte Zoë wat er echt gebeurd was.

Ze schoof in de Land Rover en begon te lachen en te huilen tegelijkertijd, omdat alle twijfel en frustratie van de afgelopen negen maanden uit haar stroomde nu het recht had gezegevierd. De samenzwering van corruptie was verijdeld door een samenzwering van goedheid. Frederick had Patricia bedrogen met Charity, en Patricia had wraak genomen door het instituut te redden waar ze haar leven aan had gewijd, ten koste van de vrijheid van haar zoon. Ze had het bedrog perfect gespeeld – door haar man te laten geloven dat ze de ontmoeting met Mubita gearrangeerd had, door voor de noodzakelijke connecties te zorgen en hem een benoeming aan het hooggerechtshof te bezorgen. Maar ze had hem één ding niet verteld: dat de hoogste districtsrechter zich niet liet omkopen.

Plotseling besefte Zoë wie er op het laatste puzzelstukje stond: Flexon Mubita. Zijn gedrag in de rechtszaal was niet grillig. Het was juist doelgericht. Terwijl hij bij Frederick en Darious de indruk naliet die zij verwachtten, werkte hij aan een vlekkeloze bewijsvoering en baseerde hij zijn vonnis op een onfeilbare grond: de beschuldiging van het slachtoffer zelf, gesteund door de verklaringen van ooggetuigen en medische gegevens. In plaats van het recht te ondermijnen, had de rechter hun een schitterend cadeau gegeven: een beslissing die het hooggerechtshof onmogelijk kon terugdraaien.

'Wat is er?' vroeg Joseph met een eigenaardige blik. 'Heb je een binnenpretje of zo?'

Ze lachte opnieuw. 'Ik leg het onderweg wel uit.'

Twee dagen later werd Zoë wakker door het geschreeuw van groene meerkatten die voor haar kamer in het Royal Livingstone Hotel zaten te kletsen. Joseph lag naast haar op zijn rug zacht te snurken. Ze kuste hem op zijn wang, glipte uit bed en trok een korte broek en een wit katoenen bloesje aan. Ze pakte haar rugzak en sloop de kamer uit naar de frisse ochtendlucht buiten. De apen sprongen op toen ze naar buiten kwam, en ze zag ze vluchten, glimlachend om het babyaapje dat zich aan zijn moeder vastklampte.

Ze liep over het uitgestrekte gazon en ging zitten op het terras dat uitzicht bood op de Zambezi. In de verte hing de mist van de Victoriawatervallen als een wolk aan de horizon. Ze pakte de envelop die ze van Monica Kingsley in New York had gekregen. Ze had hem al eens eerder willen openen, maar hem toch bewaard voor een beter moment. Kijkend naar het zwierige handschrift van haar moeder wist ze dat het moment nu was aangebroken.

Ze verbrak het zegel van de envelop en haalde er twee vergeelde vellen uit. Ze keek weer naar de watervallen en ademde diep in. Vervolgens las ze de brief van haar moeder.

Mijn liefste Zoë,

Ik hoop dat deze brief je nooit zal bereiken. Ik hoop dat ik bij jou ben als je een volwassen vrouw bent en je je bewust bent van de kracht en schoonheid in jezelf. Maar we hebben ons leven niet in eigen hand. Ik schrijf je omdat mijn werk gevaarlijk is en omdat hetgeen ik je wil zeggen niet ongezegd mag blijven.

Ik heb als moeder van veel dingen spijt. Op het moment dat je dit leest, kun je die denk ik net zo goed benoemen als ik. Het moederschap is nooit mijn sterkste punt geweest – tenminste niet in de traditionele zin. Ik heb lang geworsteld om mijn passies te kunnen combineren met mijn liefde voor jou en Trevor. Dus voordat ik verderga, bied ik je mijn excuses aan. Voor alle dagen dat ik er niet was en jij me nodig had, voor de keren dat ik er wel was, maar met mijn hoofd ergens anders, voor het feit dat ik je in je eerste levensjaren door anderen heb laten opvoeden, zeg ik sorry. Ik heb geprobeerd het te compenseren door je later met me mee te nemen wanneer dat kon. Dat was niet genoeg, dat weet ik, maar het was mijn manier van geven.

Ik weet nog dat ik je voor het eerst meenam naar de Victoriawatervallen. Ik zag de vonk in je ogen die snel uitgroeide tot een vlam. Ik wist toen dat onze hartenklop hetzelfde was. Ik heb je nooit verteld over het ontstaan van mijn liefde voor Afrika. Een Keniaanse dichter overtuigde me ervan dat de verhalen die we elkaar vertellen over het 'Duistere Continent' erg onvolkomen zijn. Wesley had een betere naam voor Afrika. Hij noemde het 'De tuin van brandend zand' – een land van schittering en barheid, een land dat geeft en een land dat neemt. Ik hield van hem een memorabel seizoen lang, daarna riep het leven me terug naar huis. De rest is je bekend.

Als je dit leest ben je dertig en ben ik niet meer onder de levenden. Ik weet niet wat het leven je brengt, maar ik weet dat de vonk die ik in jouw tien jaar oude ogen zag geen leugen was. Ik schrijf je om je een voorstel te doen. Je mag het afslaan als je een ander pad hebt gekozen. Maar als je toekomst nog voor je open ligt, vraag ik je erover na te denken.

In de statuten van mijn stichting zit een clausule die mijn opvolger aanwijst na mijn dood. Ik heb Monica Kingsley aangewezen als directeur. Ik vertrouw haar integriteit, dat is iets wat zeldzaam is. Wat je niet weet is dat in de statuten de functie van Bijzondere Gezant staat beschreven, iemand die buiten de sfeer van Monica opereert en een gezag uitoefent dat ik ooit voor mezelf reserveerde. Deze functie staat slechts voor twee personen open. Ik heb hem eerst aan Trevor voorgelegd, met de mogelijkheid hem aan jou af te staan. Volgens mij heeft hij dat gedaan. Zijn ambities liggen elders. Ik bied het nu jou aan.

Misschien vraag je je af waarom ik je een liefdadigheidstrust heb nagelaten. Misschien heb je je ook afgevraagd waarom ik Atticus Spelling als trustee heb benoemd. Ik heb de trust opgericht om een reden – om jou te leren je leven te zien als een instrument om goed te doen. Zelfs Atticus heb ik gekozen met een doel, al heb ik hem dat nooit verteld. Ik wilde dat je de traditionele regels van de filantropie leerde kennen, zodat je, nadat je de wijsheid ervan hebt opgepikt en gefrustreerd bent geweest door de rigiditeit ervan, precies zal weten hoe en wanneer je ze moet overtreden. Menselijke problemen moeten met menselijk mededogen worden opgelost. De mens, niet het systeem, dient centraal te staan.

Als je in mijn aanbod bent geïnteresseerd, laat dat dan Monica weten. Ze zal je de details uitleggen. Het volstaat te zeggen dat je alle bevoegdheden en privileges zult krijgen die ik heb, en dat je op basis van mijn reputatie die van jezelf opbouwt. Te midden van politici, bureaucraten en instituten zul jij die zeldzame persoon zijn die alleen maar trouw hoeft te zijn aan de waarheid en de vele middelen die tot jouw beschikking staan. Met de waarheid en die middelen alleen kun je de wereld niet veranderen. Maar de wereld kan ook niet veranderen zonder die zaken. Als ik je goed heb opgeleid, zul je precies weten wat je ermee moet doen, de verandering komt dan vanzelf.

De gedachte dat je dit leest breekt mijn hart. Maar als ik er niet meer ben, weet dan dat ik niet ver weg ben. Ga naar Cape Point en zie de golfbrekers van de circumpolaire stroom, ga naar het regenwoud bij de Victoriawatervallen en je hoort me fluisteren. De geest van de liefde die ons bij leven bindt is onverwoestbaar na de dood. Schenk jezelf aan anderen, en je zult een vreugde voelen die nooit ophoudt.

Twijfel niet aan mijn liefde voor jou.

Onder Catherines handtekening stond een datum: 20 juli 1996. Ze had de brief nog geen twee weken voor haar dood geschreven. Zoë vouwde de vellen voorzichtig op en stopte ze terug in de envelop. Haar gezicht was verfomfaaid; ze leek een onuitputtelijk reservoir aan tranen te hebben gehuild. Ze zag Joseph over het gras naar haar toe lopen in een shirt met lange mouwen en een spijkerbroek.

'Hé,' zei ze, haar tranen afvegend. 'Ik vroeg me af of je nog opstond vandaag.'

'Het is vakantie,' antwoordde hij met een vrolijkheid die op slag verdween. 'Wat is er?'

Ze aarzelde en gaf hem de brief van haar moeder. Ze keek toe terwijl hij hem las, bang dat hij haar zou veroordelen omdat ze zelfs maar overwoog Catherines aanbod te accepteren.

Nadat hij klaar was met lezen keek hij haar peinzend aan. 'Wat denk je te gaan doen?'

'Ik weet het nog niet. Wat denk jij?'

Hij keek haar ernstig aan. 'Je zou gek zijn als je geen ja zei.'

Haar ogen sperden zich open. 'En wij dan? Ik hou van je. Ik wil dit niet opgeven.'

'Dat hoef je ook niet,' zei hij zacht.

Ze geloofde het niet. 'Zou je met me meegaan naar de Verenigde Staten?'

Hij schudde zijn hoofd. 'Ik kan toch geen inspecteur-generaal worden in Amerika?'

'Wat zeg je?'

Zijn lippen krulden tot een lach. 'Hoe vaak is je moeder naar Afrika afgereisd?'

Die avond vroeg Zoë Joseph of hij mee ging zwemmen. Lachend wees hij het voorstel af omdat het veel te koud was. Dus ging ze alleen. Ze trok een broek en shirt aan over haar badpak, stopte haar iPhone in haar zak en liep op blote voeten over het gras naar het zwembad. Het hotel werd warm verlicht, maar het terrein om het bad lag in het donker.

Er was niemand toen ze in het koude water dook. Ze crawlde naar de andere kant van het bad en toen weer terug, in totaal tien baantjes. Daarna klom ze het bad uit en sloeg ze een handdoek om haar trillende lichaam. Even later haalde ze haar iPhone uit haar broek. Ze typte twee berichten onder de sterrenhemel. Het eerste stuurde ze naar Monica Kingsley:

```
Ik heb de brief van moeder gelezen. Ik neem het
aanbod aan. Laat me weten wat ik moet doen.
```

Het tweede bericht stuurde ze naar haar vader:

Pap, ik heb nagedacht over wat je zei. Als je echt
het presidentschap wilt inzetten zoals mama dat
voor zich zag, zal ik je als dochter steunen,
ongeacht mijn politieke overtuigingen. Stuur een
vliegtuig en ik sta naast je op het podium tijdens
de conventie. Wat betreft vergeving, dat is een
lange weg. Maar ik ga mijn best doen.

Ze kleedde zich weer aan en liep over het korte pad naar de rivier. Het zand voelde koud onder haar blote voeten, de aanlegsteiger was verlaten. Ze knielde aan de rand van het water en stak haar vingers in de zachte stroom van de Zambezi. De woorden kwamen tot haar, en ze sprak ze uit naar de nacht, de rivier en de grond onder haar voeten.

'Ik ga terug naar mijn land voor een tijdje. Maar ik kom weer terug.'

Noot van de auteur

Gebroken belofte is een roman, maar is geïnspireerd op actuele kwesties en mijn liefde voor Afrika en het Afrikaanse volk. Het verhaal van Kuyeya is een authentieke afschaduwing van de afschuwelijke werkelijkheid van kinderverkrachting in zuidelijk Afrika. Als vader ben ik diep geschokt door deze epidemie. Mijn hart breekt vanwege de kinderen die hier het slachtoffer van zijn en vanwege hun familieleden die in de nasleep met hen mee lijden, vrezend dat hun wonden nooit geheeld kunnen worden. Ook vind ik het als jurist minstens even schokkend dat de meeste daders niet worden gestraft voor hun misdrijven.

Er zijn vele redenen voor deze onrechtvaardigheid. Sommige zijn cultureel bepaald en moeilijk te veranderen. Andere echter zouden vrijwel meteen kunnen worden opgelost. Als elk Afrikaans land een DNA-lab zou hebben, zouden aanklagers als Sarge en Niza meer criminelen kunnen veroordelen en meisjes als Kuyeya veiliger over straat kunnen gaan. In landen als Zambia, waar artsen, wetenschappers, advocaten en rechters de noodzakelijke vaardigheden bezitten om DNA in te zetten in de vervolging van verkrachters en pedofielen, ontbreken alleen maar de financiering en de politieke wil.

Het verhaal van Kuyeya belicht ook de rechteloosheid van Afrikaanse kinderen met een verstandelijke handicap. In Zambia sterven vier van de vijf kinderen met een verstandelijke handicap voor hun vijfde verjaardag, en gehandicapte meisjes lopen meer kans op verkrachting dan niet-gehandicapte meisjes. Ook in deze kwestie zijn veel culturele obstakels te overwinnen, maar het grootste obstakel is het gebrek aan effectieve hulp. Hoewel er veel organisaties zijn die hulp bieden aan gehandicapten, worden geestelijk gehandicapten op één hoop gegooid met lichamelijk gehandicapten, waardoor moeilijker gevallen als kinderen met downsyndroom of spastische verlamming door de mazen vallen. Gelukkig begint de ngo-gemeenschap dit probleem te erkennen, maar ze hebben onze hulp nodig.

Er is veel gezegd en geschreven over hiv/aids in zuidelijk Afrika. Ik heb met name veel gehad aan *Sizwe's Test* van Jonny Steinberg, *28 Stories of AIDS in Africa* van Stephanie Nolen en *Africa: Altered States, Ordinary Miracles* van Richard Dowden. Twee dingen vielen me op tijdens de research voor deze roman. Allereerst dat ondanks alle aandacht voor dit onderwerp het stigma dat hiv aankleeft nog overal ter wereld levend is. Ten tweede dat, ondanks het buitengewone succes van PEPFAR en het Global Fund om de aidsepidemie te bedwingen en miljoenen levens te redden, westerse landen, waaronder de Verenigde Staten, bezuinigen op aidshulp, terwijl wetenschappelijk onderzoek aantoont dat door middel van vroege behandeling met aidsremmers het aantal besmettingen drastisch terugloopt. Wat eens onmogelijk leek – een toekomst zonder aids – is nu denkbaar. Maar dat zal niet gebeuren zonder blijvende betrokkenheid en humanitaire hulp vanuit de rijke wereld.

Het goede nieuws is dat particuliere stichtingen, welgestelden en charitatieve organisaties het werk van de in gebreke blijvende overheden overnemen. Het is zelfs mogelijk dat in de toekomst ontwikkelingshulp voornamelijk bestaat uit slimme, innovatieve particuliere giften. De bron van financiering doet er niet toe. Belangrijk is dat we in de ontwikkelde wereld de geest van edelmoedigheid levend houden die onze band met de derde wereld generaties lang bepaald heeft.

Het is aan ons allen om ervoor te zorgen dat dit gebeurt.

Corban Addison
Maart 2013

Dankwoord

Ik had *Gebroken belofte* niet kunnen schrijven zonder de hulp van vele mensen overal ter wereld. Mijn vrouw verdient de meeste lof, zowel omdat ze het idee verrijkte met haar eigen inspiratie, als voor het verdragen (alweer) van de schijnbaar eindeloze reeks dagen waarop ik er ofwel lichamelijk of geestelijk niet was omdat ik bezig was met het onderzoek, of het schrijven of redigeren van dit boek. Met kleine kinderen in huis was dit geen eenvoudige taak. Marcy, zonder jouw liefde, stimulans en vertrouwen zouden veel van de beste dingen in mijn leven – inclusief deze roman – niet bestaan.

Het grootste deel van het verhaal speelt zich af in zuidelijk Afrika, en daar wonen ook de meeste mensen die ik dank verschuldigd ben. Ik dank het fantastische team van advocaten en sociaal werkers van de International Justice Mission (www.ijm.org) in Zambia voor hun inleiding in de wetgeving omtrent kinderverkrachting en voor hun hoffelijke gastvrijheid gedurende mijn tijd op hun kantoor. Ik blijf geïnspireerd door jullie toewijding aan rechtvaardigheid en jullie betrokkenheid bij de zorg aan de armste slachtoffers van geweld, jong en oud.

Veel dank aan Eric en Holly Nelson en Elizabeth Bailey van het Special Hope Network (www.specialhopenetwork.com) voor de kennis die ze me hebben bijgebracht over het lot van Zambiaanse kinderen met speciale behoeften en voor hun dagelijkse inzet om aan die behoeften te voldoen. Dank aan Wesley Ngwenya voor de diepgaande rondleiding door Lusaka en Livingstone en voor de verhalen die je me vertelde. Zonder jouw hulp had ik Zambia nooit zo goed leren kennen. Dank ook aan Allen en Marcia Craig, Dan en Kate Bridges en de Nelsons voor het openstellen van jullie huizen en het aanhoren van mijn onophoudelijke vragen over het leven van expats in Afrika.

Bijzondere dank aan de deskundigen die ik tijdens mijn onderzoek in Zambia heb geïnterviewd: dr. Jonathan Mwansa van het UTH; twee agenten van slachtofferhulp van de Zambiaanse politie; Brenda van het YWCA; Clotilda, Lucy en drie voormalige sekswerkers van het Tasintha Programme; professor N.K. Nkanza van Nkanza Laboratories; Namuchana Mushabati van Women and Law in Southern Africa; vrienden werkzaam voor USAID en CDC; en Rob en Kay Baer. Zonder jullie kennis van medicijnen, ordehandhaving, forensische bewijsvoering, prostitutie, genderbepaald geweld en de culturele context van zuidelijk Afrika had ik dit boek niet kunnen schrijven.

In Zuid-Afrika gaat mijn dank uit naar Arnie, Emay, Abigail en het team van Oasis voor hun gastvrijheid, het laten zien van Johannesburg en hun kennis over hiv/aids; aan Annatjie Cilliers omdat ze me heeft ingewijd in de klinische aspecten van de behandeling met aidsremmers; aan professor Patricia de Witt voor haar rondleiding door Wits University; aan Razelle Viljoen voor informatie over het Pretoria East Hospital; aan Philip en Sandy Barlow omdat ze me met Kaapstad hebben laten kennismaken; en aan Mike en Alyson Guy, dr. John en Isobel de Gruchy en eerwaarde Barry Wood voor jullie gastvrijheid op Volmoed.

In de Verenigde Staten wil ik mijn dank betuigen aan Holly Burkhalter van International Justice Mission (IJM) voor het delen van je kennis over procedures in het Congres, de wandelgangenpolitiek in Washington en ontwikkelingshulp, en voor je inspiratie door je passie voor rechtvaardigheid in Afrika. Dank ook aan Michelle Conn voor het openen van zoveel deuren binnen de IJM.

Enorm veel dank aan mijn slimme en barmhartige team van agenten, redacteuren en uitgevers van Creative Trust, Baror International, Quercus Books, HarperCollins, evenals uitgevers elders in de wereld, voor alles wat ze doen om mijn artistieke visie te steunen, mijn schrijverschap te verbeteren en mijn verhalen in handen van de lezer te brengen. Bijzondere dank aan Dan Raines voor zijn bemiddeling in Zambia en voor Jane Wood en Lorissa Sengara voor de glans die ze in mijn werk hebben aangebracht.

Tot slot, maar daardoor niet minder belangrijk, wil ik mijn lezers bedanken voor hun berichten en aanmoediging en voor jullie bezorgdheid als het gaat om rechtvaardigheid. Voor jullie schrijf ik mijn verhalen.